le Guide du **routard**

Directeur de collection et auteur
Philippe GLOAGUEN

Cofondateurs
Philippe GLOAGUEN et Michel DUVAL

Rédacteur en chef
Pierre JOSSE

Rédacteurs en chef adjoints
Amanda KERAVEL et Benoît LUCCHINI

Directrice de la coordination
Florence CHARMETANT

Directeur de routard.com
Yves COUPRIE

Rédaction
Olivier PAGE, Véronique de CHARDON,
Isabelle AL SUBAIHI, Anne-Caroline DUMAS,
Carole BORDES, Bénédicte BAZAILLE,
André PONCELET, Marie BURIN des ROZIERS,
Thierry BROUARD, Géraldine LEMAUF-BEAUVOIS,
Anne POINSOT, Mathilde de BOISGROLLIER,
Gavin's CLEMENTE-RUÏZ, Alain PALLIER
et Fiona DEBRABANDER

MARSEILLE

2005

D1585707

Hachette

Avis aux hôteliers et aux restaurateurs

Les enquêteurs du *Guide du routard* travaillent dans le plus strict anonymat, afin de préserver leur indépendance et l'objectivité des guides. Aucune réduction, aucun avantage quelconque, aucune rétribution ne sont jamais demandés en contrepartie. Face aux aigrefins, la loi autorise les hôteliers et restaurateurs à porter plainte.

Hors-d'œuvre

Le *GDR*, ce n'est pas comme le bon vin, il vieillit mal. On ne veut pas pousser à la consommation, mais évitez de partir avec une édition ancienne. D'une année sur l'autre, les modifications atteignent et dépassent souvent les 40 %.

Spécial copinage

Le Bistrot d'André : 232, rue Saint-Charles, 75015 Paris. ☎ 01-45-57-89-14. Ⓜ Balard. À l'angle de la rue Leblanc. Fermé le dimanche. Menu à 12,50 € servi le midi en semaine uniquement. Menu-enfants à 7 €. À la carte, compter autour de 22 €. L'un des seuls bistrots de l'époque Citroën encore debout, dans ce quartier en pleine évolution. Ici, les recettes d'autrefois sont remises à l'honneur. Une cuisine familiale, telle qu'on l'aime. Des prix d'avant-guerre pour un magret de canard poêlé sauce au miel, des rognons de veau aux champignons, un poisson du jour... Kir offert à tous les amis du *Guide du routard*.

ON EN EST FIER : www.routard.com

Tout pour préparer votre voyage en ligne, de A comme argent à Z comme Zanzibar : des fiches pratiques sur 125 destinations (y compris les régions françaises), nos tuyaux perso pour voyager, des cartes et des photos sur chaque pays, des infos météo et santé, la possibilité de réserver en ligne son visa, son vol sec, son séjour, son hébergement ou sa voiture. En prime, *routard mag,* véritable magazine en ligne, propose interviews de voyageurs, reportages, carnets de route, événements culturels, dossiers pratiques, produits nomades, fêtes et infos du monde. Et bien sûr : des concours, des *chats,* des petites annonces, une boutique de produits voyages...

Mille excuses, on ne peut plus répondre individuellement aux centaines de CV reçus chaque année.

TABLE DES MATIÈRES

> *Remarque :* la ville de Marseille est également traitée
> dans le *Guide du routard Provence*

COMMENT Y ALLER ?

GÉNÉRALITÉS

MARSEILLE

OÙ DORMIR ?

OÙ MANGER ?

OÙ SORTIR ?

À VOIR

LES MUSÉES DE MARSEILLE

À VOIR PLUS LOIN DU CENTRE

À VOIR. À FAIRE CÔTÉ PLAGES

LES ENVIRONS PROCHES DE MARSEILLE

Recommandation à nos lecteurs qui souhaitent profiter des réductions et avantages proposés dans le *GDR* par les hôteliers et les restaurateurs : à l'hôtel, prenez la précaution de les réclamer **à l'arrivée**, et au restaurant, **au moment** de la commande (pour les apéritifs) et surtout **avant** l'établissement de l'addition. Poser votre *GDR* sur la table ne suffit pas : le personnel de salle n'est pas toujours au courant et une fois le ticket de caisse imprimé, il est difficile pour votre hôte d'en modifier le contenu. En cas de doute, montrez la notice relative à l'établissement dans le *GDR* et ne manquez pas de nous faire part de toute difficulté rencontrée.

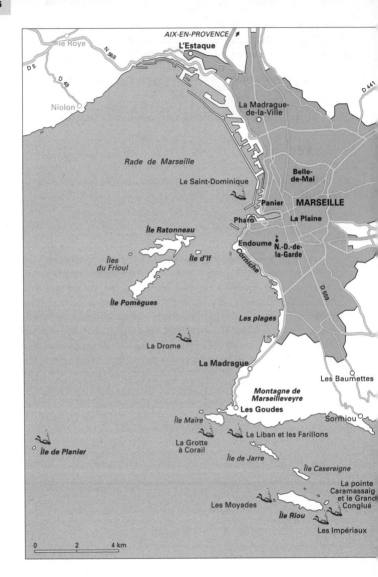

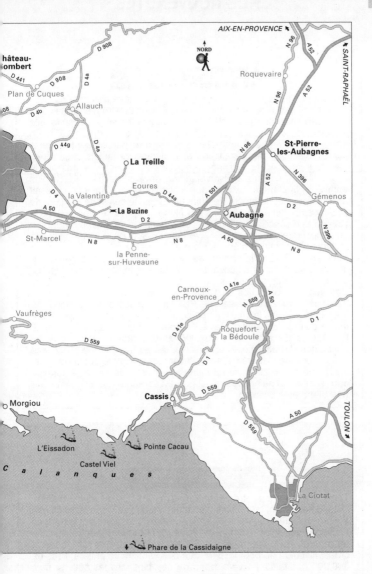

MARSEILLE ET SES ENVIRONS

NOS NOUVEAUTÉS

AFRIQUE DU SUD (paru)

Qui aurait dit que ce pays, longtemps mis à l'index des nations civilisées, parviendrait à chasser ses vieux démons et retrouverait les voies de la paix civile et la respectabilité ? Le régime de ségrégation raciale (l'apartheid), en vigueur depuis 1948, a été aboli le 30 juin 1991. En 1994 – c'était il y a 10 ans – les Sud-Africains participaient aux premières élections démocratiques et multiraciales jamais organisées dans leur pays. Après 26 années de détention, le prisonnier politique le plus célèbre du monde, Nelson Mandela, devenait le chef d'État le plus admiré de la planète. La mythique « Nation Arc-en-Ciel » connaissait un véritable état de grâce. Pendant un temps, le destin de l'Afrique du Sud fut entre les mains de trois prix Nobel. Le pays se rangea dans la voie de la réconciliation. Même si ce processus va encore demander du temps, une décennie après, l'Afrique du Sud, devenue une société multiraciale, continue d'étonner le monde.

L'Afrique du Sud n'a jamais été aussi captivante. Voilà un pays exceptionnel baigné par deux océans (Atlantique et Indien), avec d'époustouflants paysages africains.

Des quartiers branchés de Cape Town aux immenses avenues de Johannesburg, des musées de Pretoria à la route des Jardins, du macadam urbain à la brousse tropicale, ce voyage est un périple aventureux où tout est variété, vitalité, énergie ; où rien ne laisse indifférent. Des huttes du Zoulouland aux *lodges* des grands parcs, que de contrastes ! N'oubliez pas les bons vins de ce pays gourmand qui aime aussi la cuisine élaborée. Les plus aventureux exploreront la Namibie, plus vraie que nature, où un incroyable désert de sable se termine dans l'océan. Et ne négligez pas les petits royaumes hors du temps : le Swaziland et le Lesotho.

ISLANDE (mars 2005)

Terre des extrêmes et des contrastes, à la limite du cercle polaire, l'Islande est avant tout l'illustration d'une fabuleuse leçon de géologie. Volcans, glaciers, champs de lave, geysers composent des paysages sauvages qui, selon le temps et l'éclairage, évoquent le début ou la fin du monde. À l'image de son relief et de ses couleurs tranchées et crues, l'Islande ne peut inspirer que des sentiments entiers. Près de 300 000 habitants y vivent, dans de paisibles villages côtiers, fiers d'être ancrés à une île dont la découverte ne peut laisser indifférent. Fiers de descendre des Vikings, en ligne directe. Une destination unique donc (et on pèse nos mots) pour le routard amoureux de nature et de solitude, dans des paysages grandioses dont la mémoire conservera longtemps la trace après le retour.

LES GUIDES DU ROUTARD
2005-2006

(dates de parution sur **www.routard.com**)

France

- Alpes
- Alsace, Vosges
- Aquitaine
- Ardèche, Drôme
- Auvergne, Limousin
- **Bordeaux (mars 2005)**
- Bourgogne
- Bretagne Nord
- Bretagne Sud
- Chambres d'hôtes en France
- Châteaux de la Loire
- Corse
- Côte d'Azur
- **Fermes-auberges en France (fév. 2005)**
- Franche-Comté
- Hôtels et restos en France
- Ile-de-France
- Junior à Paris et ses environs
- Languedoc-Roussillon
- **Lot, Aveyron, Tarn (fév. 2005)**
- Lyon
- Marseille
- Montpellier
- Nice
- Nord-Pas-de-Calais
- Normandie
- Paris
- Paris balades
- Paris exotique
- Paris la nuit
- Paris sportif
- Paris à vélo
- Pays basque (France, Espagne)
- Pays de la Loire
- Petits restos des grands chefs
- Poitou-Charentes
- Provence
- **Pyrénées, Gascogne et pays toulousain (fév. 2005)**
- Restos et bistrots de Paris
- Le Routard des amoureux à Paris
- Toulouse
- Week-ends autour de Paris

Amériques

- Argentine
- Brésil
- Californie
- Canada Ouest et Ontario
- Chili et île de Pâques
- Cuba
- Équateur
- États-Unis, côte Est
- Floride, Louisiane
- Guadeloupe, Saint-Martin, Saint-Barth
- Martinique, Dominique, Sainte-Lucie
- Mexique, Belize, Guatemala
- New York
- Parcs nationaux de l'Ouest américain et Las Vegas
- Pérou, Bolivie
- Québec et Provinces maritimes
- Rép. dominicaine (Saint-Domingue)

Asie

- Birmanie
- Cambodge, Laos
- Chine (Sud, Pékin, Yunnan)
- Inde du Nord
- Inde du Sud
- Indonésie
- Israël
- Istanbul
- Jordanie, Syrie
- Malaisie, Singapour
- Népal, Tibet
- Sri Lanka (Ceylan)
- Thaïlande
- Turquie
- Vietnam

Europe

- Allemagne
- Amsterdam
- Andalousie
- Andorre, Catalogne
- Angleterre, pays de Galles
- Athènes et les îles grecques
- Autriche
- Baléares
- Barcelone
- Belgique
- Crète
- Croatie
- Ecosse
- Espagne du Centre (Madrid)
- Espagne du Nord-Ouest (Galice, Asturies, Cantabrie)
- **Finlande (avril 2005)**
- **Florence (mars 2005)**
- Grèce continentale
- **Hongrie, République tchèque, Slovaquie (avril 2005)**
- Irlande
- **Islande (mars 2005)**
- Italie du Nord
- Italie du Sud
- Londres
- Malte
- Moscou, Saint-Pétersbourg
- Norvège, Suède, Danemark
- Piémont
- **Pologne et capitales baltes (avril 2005)**
- Portugal
- Prague
- Rome
- **Roumanie, Bulgarie (mars 2005)**
- Sicile
- Suisse
- Toscane, Ombrie
- Venise

Afrique

- Afrique noire
- **Afrique du Sud (nouveauté)**
- Égypte
- Ile Maurice, Rodrigues
- Kenya, Tanzanie et Zanzibar
- Madagascar
- Maroc
- Marrakech et ses environs
- Réunion
- Sénégal, Gambie
- Tunisie

et bien sûr...

- Le Guide de l'expatrié
- Humanitaire

NOS NOUVEAUTÉS

FLORENCE (mars 2005)

Florence, l'une des plus belles villes d'Italie, symbole éclatant de l'art toscan du Moyen Âge à la Renaissance. Peu d'endroits au monde peuvent se vanter d'une telle concentration de chefs-d'œuvre, s'enorgueillir d'avoir donné autant de génies : Michel-Ange, Botticelli, Dante et tant d'autres... Mais Florence n'est pas seulement une ville-musée, c'est aussi un endroit où les gens vivent et s'amusent.

Perdez-vous dans les ruelles de l'Oltrarno du côté de San Niccolo ou de Santa Croce, des quartiers encore méconnus des touristes mais peut-être plus pour longtemps. Et pour guide d'introduction à la gastronomie locale, ne manquez surtout pas les marchés de San Lorenzo et de Sant'Ambrogio. Faites-y le plein de cochonnailles, de fromages et de légumes. Et si le désir de découvrir les vins de la région vous prend (grand bien vous fasse !), attablez-vous dans une *enoteca* (bar à vin) pour déguster un *montanine,* accompagné d'*antipasti* dont seuls les Italiens du cru ont le secret !

Et quand vient le soir, partez à la découverte de la vie nocturne, de ses rues mystérieuses. Des quartiers endormis se réveillent, s'échauffent... Laissez libre cours à vos envies...

BORDEAUX (mars 2005)

Ouf ! ça y est... Bordeaux a son tramway. Grande nouvelle pour les voyageurs qui retrouvent la ville débarrassée d'un chantier qui la défigurait, et aussi pour les Bordelais qui peuvent enfin profiter d'un superbe centre piéton. Car Bordeaux est une aristocrate du XVIIIᵉ siècle que la voiture dérangeait. Elle offre au piéton des ruelles que parcourait déjà Montaigne, quand il en était le maire.

Passé la surprise des superbes façades des Chartrons, des allées de Tourny et du Grand Théâtre, vous irez à la recherche du Bordeaux populaire et mélangé. Vous irez faire la fête dans les zones industrielles portuaires réhabilitées, vous irez parler rugby place de la Victoire avec des étudiants à l'accent rugueux qui font de Bordeaux la vraie capitale du Sud-Ouest (pardon, d'Aquitaine).

Bordeaux est une aristocrate qui aime aussi s'encanailler. Elle aime ses aises, sa liberté, et ne cesse de regretter la victoire des Jacobins sur les Girondins.

Et le vin ? Il est partout et pas seulement le bordeaux, car ces gens sont chauvins, certes, mais aussi curieux, et puis ils considèrent, à juste titre, que tout vin du monde est fils de Bordeaux.

SPÉCIAL DÉFENSE DU CONSOMMATEUR

Un routard informé en vaut dix ! Pour éviter les arnaques en tout genre, il est bon de les connaître. Voici un petit vade-mecum destiné à parer aux coûts et aux coups les plus redoutables.

Affichage des prix : les hôtels et les restos sont tenus d'informer les clients de leurs prix, à l'aide d'une affichette, d'un panneau extérieur ou de tout autre moyen. Vous ne pouvez donc contester des prix exorbitants que s'ils ne sont pas clairement affichés.

HÔTELS

1 - Arrhes ou acompte ? : au moment de réserver votre chambre par téléphone – par précaution, toujours confirmer par écrit – ou directement par écrit, il n'est pas rare que l'hôtelier vous demande de verser à l'avance une certaine somme, celle-ci faisant office de garantie. Il est d'usage de parler d'arrhes et non d'acompte (en fait, la loi dispose que « sauf stipulation contraire du contrat, les sommes versées d'avance sont des arrhes »). Légalement, aucune règle n'en précise le montant. Toutefois, ne versez que des arrhes raisonnables : 25 à 30 % du prix total, sachant qu'il s'agit d'un engagement définitif sur la réservation de la chambre. Cette somme ne pourra donc être remboursée en cas d'annulation de la réservation, sauf cas de force majeure (maladie ou accident) ou en accord avec l'hôtelier si l'annulation est faite dans des délais raisonnables. Si, au contraire, l'annulation est le fait de l'hôtelier, il doit vous rembourser le double des arrhes versées. À l'inverse, l'acompte engage définitivement client et hôtelier.

2 - Subordination de vente : comme les restaurateurs, les hôteliers ont interdiction de pratiquer la subordination de vente. C'est-à-dire qu'ils ne peuvent pas vous obliger à réserver plusieurs nuits d'hôtel si vous n'en souhaitez qu'une. Dans le même ordre d'idée, on ne peut vous obliger à prendre votre petit déjeuner ou vos repas dans l'hôtel ; ce principe, illégal, est néanmoins répandu dans la profession, toléré en pratique... Bien se renseigner avant de prendre la chambre dans les hôtels-restaurants. Si vous dormez en compagnie de votre enfant, il peut vous être demandé un supplément.

3 - Responsabilité en cas de vol : un hôtelier ne peut en aucun cas dégager sa responsabilité pour des objets qui auraient été volés dans la chambre d'un de ses clients, même si ces objets n'ont pas été mis au coffre. En d'autres termes, les éventuels panonceaux dégageant la responsabilité de l'hôtelier n'ont aucun fondement juridique.

RESTOS

1 - Menus : très souvent, les premiers menus (les moins chers) ne sont servis qu'en semaine et avant certaines heures (12 h 30 et 20 h 30 généralement). Cela doit être clairement indiqué sur le panneau extérieur : à vous de vérifier.

2 - Commande insuffisante : il arrive que certains restos refusent de servir une commande jugée insuffisante. Sachez, toutefois, qu'il est illégal de pousser le client à la consommation.

3 - Eau : une banale carafe d'eau du robinet est gratuite – à condition qu'elle accompagne un repas – sauf si son prix est affiché. La bouteille d'eau minérale quant à elle doit, comme le vin, être ouverte devant vous.

4 - Vins : les cartes des vins ne sont pas toujours très claires. Exemple : vous commandez un bourgogne à 8 € la bouteille. On vous la facture 16 €. En vérifiant sur la carte, vous découvrez que 8 € correspondent au prix d'une demi-bouteille. Mais c'était écrit en petits caractères illisibles.

Par ailleurs, la bouteille doit être obligatoirement débouchée devant le client.

5 - Couvert enfant : le restaurateur peut tout à fait compter un couvert par enfant, même s'il ne consomme pas, à condition que ce soit spécifié sur la carte.

6 - Repas pour une personne seule : le restaurateur ne peut vous refuser l'accès à son établissement, même si celui-ci est bondé ; vous devrez en revanche vous satisfaire de la table qui vous est proposée.

7 - Sous-marin : après le coup de bambou et le coup de fusil, celui du sous-marin. Le procédé consiste à rendre la monnaie en plaçant dans la soucoupe (de bas en haut) : les pièces, l'addition puis les billets. Si l'on est pressé, on récupère les billets en oubliant les pièces cachées sous l'addition.

NOS NOUVEAUTÉS

NOS MEILLEURES FERMES-AUBERGES EN FRANCE (février 2005)

En ces périodes de doute alimentaire, quoi de plus rassurant que d'aller déguster des produits fabriqués sur place ? La ferme-auberge, c'est la garantie de retrouver sur la table les bons produits de la ferme. Ce guide propose une sélection des meilleures tables sur toute la France, ainsi qu'une sélection d'adresses où sont vendus des produits du terroir. Ici, pas d'intermédiaire, et on passe directement du producteur au consommateur. Pas d'étoile, pas de chefs renommés, mais une qualité de produits irréprochable. Des recettes traditionnelles, issues de la culture de nos grand-mères, vous feront découvrir la cuisine des régions de France. Au programme ? Pintade au chou, lapin au cidre, coq au vin, confit de canard, potée, aligot, ficelle picarde, canard aux navets... Bref, un véritable tour de France culinaire de notre bonne vieille campagne.

FINLANDE (avril 2005)

Des forêts, des lacs, des marais, des rivières, des forêts, des marais, des lacs, des forêts, des rennes, des lacs... et quelques villes perdues au milieu des lacs, des forêts, des rivières... Voici un pays guère comme les autres, farouchement indépendant, qui cultive sa différence et sa tranquillité. Coincée pendant des siècles entre deux États expansionnistes, la Finlande a longtemps eu du mal à asseoir sa souveraineté et à faire valoir sa culture. Or, depuis plus d'un demi-siècle, le pays accumule les succès. Il a construit une industrie flambant neuve, qui l'a hissé parmi les nations les plus développées. Tous ces progrès sont équilibrés par une qualité de vie exceptionnelle. La Finlande a bâti ses villes au milieu des forêts, au bord des lacs, dans des sites paisibles et aérés. Il faut visiter les villes bien sûr, elles vous aideront à comprendre ce mode de vie tranquille et c'est là que vous ferez des rencontres. Mais les vraies merveilles se trouvent dans la nature. Alors empruntez les chemins de traverse, créez votre itinéraire, explorez, laissez-vous fasciner par cette nature gigantesque, sauvage et sereine. Vous ne le regretterez pas.

Nous tenons à remercier tout particulièrement Loup-Maëlle Besançon, Thierry Bessou, Gérard Bouchu, François Chauvin, Grégory Dalex, Cédric Fischer, Carole Fouque, Michelle Georget, David Giason, Jean-Sébastien Petitdemange, Laurence Pinsard et Thomas Rivallain pour leur collaboration régulière.

Et pour cette chouette collection, plein d'amis nous ont aidés :

David Alon
Didier Angelo
Cédric Bodet
Philippe Bourget
Nathalie Boyer
Ellenore Bush
Florence Cavé
Raymond Chabaud
Alain Chaplais
Bénédicte Charmetant
Geneviève Clastres
Nathalie Coppis
Sandrine Couprie
Agnès Debiage
Célia Descarpentrie
Tovi et Ahmet Diler
Claire Diot
Émilie Droit
Sophie Duval
Pierre Fahys
Alain Fisch
Cécile Gauneau
Stéphanie Genin
Adrien Gloaguen
Clément Gloaguen
Stéphane Gourmelen
Isabelle Grégoire
Claudine de Gubernatis
Xavier Haudiquet
Lionel Husson
Catherine Jarrige
Lucien Jedwab
François et Sylvie Jouffa
Emmanuel Juste
Olga Krokhina
Florent Lamontagne

Vincent Launstorfer
Francis Lecompte
Benoît Legault
Jean-Claude et Florence Lemoine
Valérie Loth
Dorica Lucaci
Stéphanie Lucas
Philippe Melul
Kristell Menez
Xavier de Moulins
Jacques Muller
Alain Nierga et Cécile Fischer
Patrick de Panthou
Martine Partrat
Jean-Valéry Patin
Odile Paugam et Didier Jehanno
Xavier Ramon
Patrick Rémy
Céline Reuilly
Dominique Roland
Déborah Rudetzki et Philippe Martineau
Corinne Russo
Caroline Sabljak
Jean-Luc et Antigone Schilling
Brindha Seethanen
Abel Ségretin
Alexandra Sémon
Guillaume Soubrié
Régis Tettamanzi
Claudio Tombari
Christophe Trognon
Julien Vitry
Solange Vivier
Iris Yessad-Piorski

Direction : Cécile Boyer-Runge
Contrôle de gestion : Joséphine Veyres et Céline Déléris
Responsable de collection : Catherine Julhe
Édition : Matthieu Devaux, Stéphane Renard, Magali Vidal, Marine Barbier-Blin, Dorica Lucaci, Sophie de Maillard, Laure Méry, Amélie Renaut et Éric Marbeau
Secrétariat : Catherine Maîtrepierre
Préparation-lecture : Aurélie Joiris
Cartographie : Cyrille Suss et Aurélie Huot
Fabrication : Nathalie Lautout et Audrey Detournay
Couverture : conçue et réalisée par Thibault Reumaux
Direction marketing : Dominique Nouvel, Lydie Firmin et Juliette Caillaud
Direction partenariats : Jérôme Denoix et Dana Lichiardopol
Informatique éditoriale : Lionel Barth
Relations presse : Danielle Magne, Martine Levens et Maureen Browne
Régie publicitaire : Florence Brunel

Remerciements

Pour la rédaction de ce guide, nous tenons à remercier :
- **Pierre Échinard,** historien et membre de l'Académie de Marseille,
- **Médéric Gasquet-Cyrus,** universitaire, spécialiste de langue et de littérature,
- et **Béatrice Jullion,** journaliste.

Remerciements particuliers

- **L'office de tourisme de Marseille,** Laurence Taphanel, Fabienne Bonsignour et Nathalie Steinberg, pour leur disponibilité et leur aide sur le terrain.
- **Le commandant Georges Bergoin,** secrétaire de l'Académie de Marseille et ancien chef pilote des ports de Marseille.
- **Andrien Blès,** membre de l'Académie de Marseille, auteur du *Dictionnaire des rues de Marseille,* pour la gentillesse avec laquelle il nous a reçus.
- **Isabelle Brémond, Raphaëlle Nicaise** et l'équipe du **CDT des Bouches-du-Rhône.**
- **Bernard Cussigh,** amoureux de l'Estaque.
- **Jean-Pierre Dromard,** Marseillais, pour ses connaissances littéraires.
- **Christine Fournier,** conférencière agréée et guide à Marseille, pour sa connaissance de Marseille.
- **Yves et Christian Guillaume,** pour leurs précieuses informations, notamment sur l'environnement et le littoral.
- **Dana Lichiardopol,** notre collègue d'Hachette Livre à Marseille, pour ses bonnes adresses.
- **Robert Ode,** au musée de Cassis.
- **Franck Oliveri,** directeur du magazine *Rive Sud,* pour ses contacts si précieux.
- La charmante et efficace équipe de l'**office de tourisme d'Aubagne.**
- **Le docteur Christian Poucel et son épouse,** de la rue Sylvabelle, qui nous ont ouvert leur maison quand nous étions sur les traces de Joseph Conrad.
- **Christine Rodes.**

COMMENT Y ALLER?

PAR LA ROUTE

➢ Par la classique **nationale 7,** chère à Charles Trenet. Bouchons en prime lors des grandes migrations estivales.

➢ Par l'**autoroute :** le long ruban de l'autoroute du Soleil vous y conduit directement, avec cependant une inévitable petite saignée au portefeuille (surtout si vous venez de Lille).

Si vous n'êtes pas trop pressé, nous vous engageons vivement à quitter l'autoroute pour rejoindre la destination de votre choix par l'un des adorables itinéraires qui constellent le centre de la Provence.

Pour les inconditionnels de l'auto-stop, sachez qu'en Provence il vaut mieux éviter les grandes villes. Un conseil, donc, faites du stop aux gares de péage autoroutières ou dans les petits villages le long de la N 7 (nombreux feux et croisements).

EN BUS

▲ **EUROLINES**

☎ 0892-89-90-91 (0,34 €/mn). ● www.eurolines.fr ● Vous trouverez également les services d'Eurolines sur ● www.routard.com ● Présents à Paris, Versailles, Avignon, Bordeaux, Clermont-Ferrand, Dijon, Grenoble, Lille, Lyon, Marseille, Metz, Montpellier, Mulhouse, Nantes, Nice, Nîmes, Perpignan, Rennes, Strasbourg, Toulouse et Tours.

Leader européen des voyages en lignes régulières internationales par autocar, Eurolines permet de voyager vers plus de 1 500 destinations en Europe au travers de 34 pays et de 80 points d'embarquement en France.

– **Eurolines Travel** (spécialiste du séjour) **:** 55, rue Saint-Jacques, 75005 Paris. ☎ 01-43-54-11-99. Ⓜ Maubert-Mutualité. En complément de votre transport, un véritable tour-opérateur intégré qui propose des formules transport-hébergement sur les principales capitales européennes.

– **Pass Eurolines :** pour un prix fixe valable 15, 30 ou 60 jours, vous voyagez autant que vous le désirez sur le réseau entre 35 villes européennes. Le Pass Eurolines est fait sur mesure pour les personnes autonomes qui veulent profiter d'un prix très attractif et sont désireuses de découvrir l'Europe sous toutes ses coutures.

– **Mini pass :** ce billet, valable 6 mois, permet de visiter deux métropoles européennes en toute liberté. Le voyage peut s'effectuer dans un sens comme dans un autre.

EN TRAIN

Au départ de Paris

Les *TGV* partent de la gare de Lyon. En région parisienne, des TGV directs à destination de Marseille sont au départ des gares de l'aéroport de Roissy-Charles-de-Gaulle, de Marne-la-Vallée-Chessy et de Massy-TGV.

Les *auto-trains* (permettant de transporter votre voiture ou votre moto jusqu'à l'arrivée), à destination de Marseille, sont au départ de la gare de Bercy.

➤ *Paris-Marseille :* 18 TGV directs par jour en moyenne. Meilleur temps de parcours : 3 h.

Au départ de la province

Des *auto-trains* relient aussi la Provence au départ de Bordeaux, Lille, Nantes et Strasbourg.

➤ *De Lille :* 8 TGV directs pour Marseille (4 h 30 de voyage).

➤ *De Lyon :* 24 TGV ou trains Corail directs pour Marseille (en 1 h 35).

➤ *De Bordeaux :* 6 trains Corail directs pour Marseille (5 h 40 de voyage), un train de nuit.

➤ *De Strasbourg :* 1 train de nuit quotidien pour Marseille.

Pour préparer votre voyage

– *Billet à domicile :* commandez votre billet par téléphone, sur Internet ou par Minitel, la SNCF vous l'envoie gratuitement à domicile. Vous réglez par carte de paiement (pour un montant minimum de 1 € – sous réserve de modifications ultérieures) au moins 4 jours avant le départ (7 jours si vous résidez à l'étranger).

– *Service Bagages à domicile :* ☎ 0825-845-845 (0,15 €/mn). La SNCF prend en charge vos bagages où vous le souhaitez et vous les livre là où vous allez en *24 h de porte à porte.* Délai à compter du jour de l'enlèvement à 17 h, hors samedi, dimanche et jours fériés. Offre soumise à conditions.

Pour voyager au meilleur prix

La SNCF propose de nombreuses offres adaptées à tous les comportements de voyage.

➤ *Vous voyagez de temps en temps ?*

Avec les tarifs *Découverte,* vous bénéficiez de 25 % de réduction : *Enfant +,* pour les voyages avec un enfant de moins de 12 ans ; *12-25,* pour les jeunes de 12 à 25 ans ; *Senior,* pour les voyageurs de 60 ans et plus ; *À Deux,* pour des allers-retours avec une nuitée incluse ; *Séjour,* 25 % de réduction pour des allers-retours incluant la nuit du samedi au dimanche.

➤ *Vous voyagez souvent ?*

Les cartes sont faites pour vous.

– *Pour les voyages avec un enfant de moins de 12 ans :* Carte *Enfant +,* de 25 % (garantis) à 50 % de réduction, pour un an de voyages illimités.

– *Pour les 12-25 ans :* Carte *12-25,* de 25 % (garantis) à 50 % de réduction, pour un an de voyages illimités.

– *Pour les 26-59 ans :* Carte *Escapades,* 25 % de réduction garantie dans tous les trains pour un an de voyages illimités.

– *Pour les 60 ans et plus :* Carte *Senior,* de 25 % (garantis) à 50 % de réduction, pour un an de voyages illimités.

➤ *Vous anticipez vos voyages ?*

Découvrez les petits prix *PREM'S* en ligne sur ● www.voyages-sncf.com ● ou dans tous les points de vente habituels : tarif avantageux d'anticipation.

➤ *Vous décidez de partir au tout dernier moment ?*

Chaque mardi, les *Offres Dernière Minute* sur ● www.voyages-sncf.com ● et dans les agences de voyages en ligne partenaires de la SNCF vous proposent 50 destinations en France sur les TGV et Corail à prix avantageux. Toutes ces offres sont soumises à conditions.

Envolez-vous vers la destination de vos rêves.
www.airfrance.fr

AIR FRANCE

faire du ciel le plus bel endroit de la terre

Pour obtenir plus d'informations sur ces réductions et acheter vos billets

– *Internet :* • www.voyages-sncf.com •
– *Téléphone :* ☎ 36-35 (0,34 € TTC/mn).
– *Minitel :* 36-15 ou 36-16, code SNCF (0,21 €/mn).
– Également dans les gares, les boutiques SNCF et les agences de voyages agréées.

EN AVION

Tous les vols et toutes les promotions en cours sont sur le site de l'aéroport Marseille-Provence : • www.marseille.aeroport.fr •
Ce site propose des services utiles : les horaires en temps réel, un module pour planifier sa venue avec les itinéraires et les solutions d'acheminement vers les grands centres d'intérêts de la région, etc.
Informations : aéroport Marseille-Provence au ☎ 04-42-14-14-14.

▲ AIR FRANCE
Renseignements et réservations au ☎ 0820-820-820 (de 6 h 30 à 22 h).
• www.airfrance.fr •, dans les agences Air France et dans toutes les agences de voyages.
➤ Air France dessert Marseille au départ de Roissy-Charles-de-Gaulle (6 vols quotidiens) et Orly Ouest avec la « Navette » (19 vols quotidiens en semaine, 12 vols le samedi et 15 vols le dimanche). Également des vols au départ d'Ajaccio, Bastia, Bordeaux, Clermont-Ferrand, Lille, Lyon, Mulhouse, Nantes, Rennes, Strasbourg et Toulouse.
Air France propose une gamme de tarifs attractifs accessibles à tous :
– « Évasion » : en France et vers l'Europe, Air France propose des réductions. « Plus vous achetez tôt, moins c'est cher. »
– « Semaine » : pour un voyage aller-retour pendant la semaine.
– « Évasion week-end » : pour des voyages autour du week-end avec des réservations jusqu'à la veille du départ.
Air France propose également, sur la France, des réductions jeunes, seniors, couples ou famille. Pour les moins de 25 ans, Air France propose une carte de fidélité gratuite et nominative, « Fréquence Jeune », qui permet de cumuler des *miles* sur Air France ou sur les compagnies membres de Skyteam et de bénéficier de billets gratuits et d'avantages chez de nombreux partenaires.
Tous les mercredis dès 0 h, sur • www.airfrance.fr •, Air France propose les tarifs « Coups de cœur », une sélection de destinations en France pour des départs de dernière minute.
Sur Internet, possibilité de consulter les meilleurs tarifs du moment, rubrique « offres spéciales », « promotions ».

Les compagnies *low cost*

Ce sont des compagnies dites « à bas prix ». Une révolution dans le monde du transport aérien ! Réservation par Internet ou par téléphone.
Quand les prix sont au plus bas, ça vaut vraiment le coup. N'oubliez pas toutefois d'inclure le prix du bus pour se rendre à ces aéroports souvent assez éloignés du centre-ville.

▲ *Easy Jet :* 2 vols quotidiens depuis Paris-Orly. Réservations : • www.easyjet.com •

▲ *Helvetic :* assure 4 vols par semaine entre Zurich et Marseille. Réservations : • www.helvetic.com •

Avec Hertz, découvrez la France buissonnière.

Photo : JP RAINAUT

H ertz vous offre **15 €** de réduction immédiate sur les forfaits Hertz Week-end et **30 €** sur les forfaits Hertz Vacances en France, sur simple présentation de ce guide.

R éservations au **0 825 861 861*** en précisant le code CDP 967 130.

* N° INDIGO: 0,15 € TTC/mn

www.hertz.fr

Hertz loue des Ford et d'autres grandes marques.

Les autres compagnies

▲ *Twin Jet :* 2 vols quotidiens au départ de Metz-Nancy, 2 vols quotidiens au départ de Mulhouse et 1 à 2 vols quotidiens au départ de Genève. Réservations : ☎ 0892-707-737. • www.twinjet.net •

▲ *SN Brussels Airlines :* assure 2 vols quotidiens au départ de Bruxelles et Marseille. • www.snbrussels.be •

▲ *CCM Airlines :* 2 à 6 vols quotidiens entre Ajaccio, Bastia, Calvi, Figari et Marseille. ☎ 0820-820-820 (0,12 €/mn, centre d'appel Air France). • www.ccmairlines.com •

NOUVEAUTÉ

LOT, AVEYRON, TARN (février 2005)

Une sacrée brochette d'ambassadeurs ! Le monde entier défaille à la moindre allusion au roquefort. Les gastronomes s'affolent dès la saison de la truffe, diamant noir du Quercy. Les amateurs de vins célèbrent le renouveau du Cahors, tisane des grands de ce monde depuis l'empereur romain Domitien... Partant du principe que ces merveilles sont encore meilleures sur place, voici un itinéraire choisi des marchés régionaux de Rocamadour à Cordes et d'Albi à Conques. Ne serait-ce que pour s'entendre faire l'article avec l'accent ! Un bon prétexte pour musarder de coteaux en vallons dans le Quercy, prendre le frais au creux des vallées encaissées du Lot, réciter face aux Grands Causses et aux pâturages de l'Aubrac ses derniers vers encore vivaces depuis la communale...

AVANT LE DÉPART

Adresses utiles

🔲 **Office de tourisme de Marseille** *(centre 1, D4, 1)* : 4, la Canebière, 13001. ☎ 04-91-13-89-00. Fax : 04-91-13-89-20. ● www.marseille-tourisme.com ●

🔲 **Comité régional du tourisme Provence-Alpes-Côte d'Azur** : 10, pl. Joliette, BP 46214, 13567 Marseille Cedex 02. ☎ 04-91-56-47-00. Fax : 04-91-56-47-01. ● www.crt-paca.fr ●

■ **Gîtes de France :** pour commander des brochures, s'adresser au 59, rue Saint-Lazare, 75009 Paris. ☎ 01-49-70-75-75. ● www.gites-de-france. fr ● Minitel : 36-15, code GITES DE FRANCE. ⓜ Trinité. Ouvert du lundi au vendredi de 10 h à 18 h. Le samedi de 10 h à 13 h et de 14 h à 18 h 30 (fermé le samedi en juillet et août). Les réservations sont à faire auprès des relais départementaux des *Gîtes de France.*

La carte des auberges de jeunesse

Cette carte, valable dans 60 pays, permet de bénéficier des 4 200 auberges de jeunesse du réseau *Hostelling International* réparties dans le monde entier. Les périodes d'ouverture varient selon les pays et les AJ. À noter, la carte AJ est surtout intéressante en Europe, aux États-Unis, au Canada, au Moyen-Orient et en Extrême-Orient (Japon...).

Pour adhérer à la FUAJ et s'inscrire

– **Par correspondance :** Fédération Unie des Auberges de Jeunesse *(FUAJ)*, 27, rue Pajol, 75018 Paris. Bureaux fermés au public. Envoyer une photocopie recto verso d'une pièce d'identité et un chèque correspondant au montant de l'adhésion (ajouter 1,20 € pour les frais d'envoi de la FUAJ). Une autorisation des parents est nécessaire pour les moins de 18 ans.
– **Sur place :** FUAJ, Antenne nationale, 9, rue de Brantôme, 75003 Paris. ☎ 01-48-04-70-40. Fax : 01-42-77-03-29. ● www.fuaj.org ● ⓜ Rambuteau ou Les Halles (RER A, B et D). Présenter une pièce d'identité et 10,70 € pour la carte moins de 26 ans et 15,25 € pour les plus de 26 ans (tarifs 2004).
– Inscriptions possibles également dans toutes les auberges de jeunesse, points d'information et de réservation FUAJ en France.

– La carte donne également droit à des réductions sur les transports, les musées et les attractions touristiques de plus de 60 pays mais ces avantages varient d'un pays à l'autre, ce qui n'empêche pas de la présenter à chaque occasion, cela peut toujours marcher.
– La FUAJ propose aussi une **carte d'adhésion « Famille »** (22,90 €), valable pour les familles de deux adultes ayant un ou plusieurs enfants âgés de moins de 14 ans. Fournir une copie du livret de famille.
– Il n'y a pas de limite d'âge pour séjourner en AJ sauf en Bavière (27 ans). Il faut simplement être adhérent.
– La FUAJ propose trois guides répertoriant les adresses des AJ : France, Europe et le reste du monde, payants pour les deux derniers.

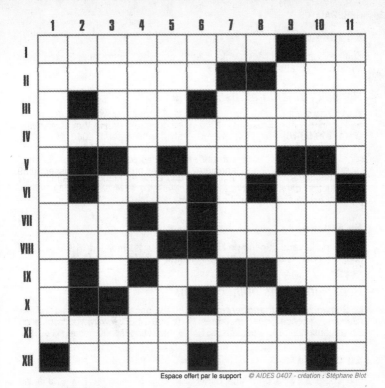

	1	2	3	4	5	6	7	8	9	10	11
I									■		
II							■	■			
III		■				■					
IV											
V		■	■		■				■	■	
VI				■		■					■
VII											
VIII					■						■
IX		■				■		■			
X		■		■					■		
XI											
XII	■									■	

Espace offert par le support © AIDES 0407 - création : Stéphane Blot

HORIZONTALEMENT

I. Préliminaire d'ados. Très Bien. **II.** Âpres. Jour ibère. **III.** Direction Générale de la Santé. Mayonnaise à l'ail. **IV.** Provoquent souvent des effets indésirables. **V.** Les notres **VI.** Infection Sexuellement Transmissible. "Assez" en texto. **VII.** Dans le noyau. Se porte rouge contre le sida. **VIII.** Élément de bord de mer. Fin de phrase télégraphique. **IX.** Que l'on sait. Positif ou négatif. **X.** Participe passé de rire. Avant. La tienne. **XI.** Entraides. **XII.** Patrie du Ché. Un des virus de l'hépatite.

VERTICALEMENT

1. À Protéger. **2.** Avant certains verbes. Note. Langue du sud. **3.** Castor et Pollux sont ses fils. La vache y est sacrée. Déchiffré. **4.** Parties de débauche.Pour prélèvement. **5.** Dépistage. Toi. Les séropositifs en souffrent. **6.** Excelle. Dans. **7.** Avec ou sans lendemains. Antirétroviraux. **8.** Fin de maladies. Do courant. Responsable du sida. **9.** De soi ou d'argent. Aboiement. Symbole du technétium. **10.** On comprend quand on le fait. Anglaise en France. **11.** Affluent de la Garonne. En mauvais état.

En Belgique

Son prix varie selon l'âge : entre 3 et 15 ans, 3 € ; entre 16 et 25 ans, 9 € ; au-delà de 25 ans, 15 €.

Renseignements et inscriptions

■ *À Bruxelles :* LAJ, rue de la Sablonnière, 28, Bruxelles 1000. ☎ 02-219-56-76. Fax : 02-219-14-51. ● www.laj.be ● info@laj.be ●

■ *À Anvers :* Vlaamse Jeugdherbergcentrale (VJH), Van Stralenstraat 40, Antwerpen B 2060. ☎ 03-232-72-18. Fax : 03-231-81-26. ● www.vjh.be ● info@vjh.be ●

– Les résidents flamands qui achètent une carte en Flandre obtiennent 8 € de réduction dans les auberges flamandes et 4 € en Wallonie. Le même principe existe pour les habitants wallons.

En Suisse

Le prix de la carte dépend de l'âge : 22 Fs pour les moins de 18 ans, 33 Fs pour les adultes et 44 Fs pour une famille avec des enfants de moins de 18 ans.

Renseignements et inscriptions

■ *Schweizer Jugendherbergen (SJH) :* service des membres, Schaffhauserstr. 14, Postfach 161, 8042 Zurich. ☎ 01-360-14-14. Fax : 01-360-14-60. ● www.youthhostel.ch ● marketing@youthhostel.ch ●

Au Canada

Elle coûte 35 $Ca pour une durée de 16 à 26 mois et 175 $Ca à vie (tarifs 2004). Gratuit pour les enfants de moins de 18 ans qui accompagnent leurs parents. Pour les juniors voyageant seuls, compter 12 $Ca. Ajouter systématiquement les taxes.

Renseignements et inscriptions

■ *Tourisme Jeunesse :*
– *À Montréal :* 205, av. du Mont-Royal Est, Montréal (Québec) H2T-1P4. ☎ (514) 844-02-87. Fax : (514) 844-52-46.
– *À Québec :* 94, bd René-Lévesque Ouest, Québec (Québec) G1R-2A4. ☎ (418) 522-2552. Fax : (418) 522-2455.
■ *Canadian Hostelling Association :* 205 Catherine Street, bureau 400, Ottawa, Ontario, K2P-1C3. ☎ (613) 237-78-84. Fax : (613) 237-78-68. ● www.hihostels.ca ● info@hihostels.ca ●

Carte internationale d'étudiant (carte ISIC)

Elle prouve le statut d'étudiant dans le monde entier et permet de bénéficier de tous les avantages, services, réductions étudiants du monde, soit plus de 30 000 avantages, dont plus de 7 000 en France, concernant les hébergements, la culture, les loisirs... C'est la clé de la mobilité étudiante !
La carte ISIC donne aussi accès à des avantages exclusifs sur le voyage (billets d'avion spéciaux, assurances de voyage, carte de téléphone internationale, location de voitures, navette aéroport...).
Pour plus d'informations sur la carte ISIC : ● www.carteisic.com ● ou ☎ 01-49-96-96-49.

Pour l'obtenir en France

Se présenter dans l'une des agences des organismes mentionnés ci-dessous avec :
– une preuve du statut d'étudiant (carte d'étudiant, certificat de scolarité...) ;
– une photo d'identité ;
– 12 €, ou 13 € par correspondance incluant les frais d'envoi des documents d'information sur la carte.
– Émission immédiate.

■ *OTU Voyages :* ☎ 0820-817-817. ● www.otu.fr ● pour connaître l'agence la plus proche de chez vous. ■ *Voyages Wasteels :* ☎ 0825-88-70-70 (0,15 €/mn), pour être mis en relation avec l'agence la plus proche de chez vous, au ● www.wasteels.fr ●

En Belgique

Elle coûte 9 € et s'obtient sur présentation de la carte d'identité, de la carte d'étudiant et d'une photo auprès de :

■ *Connections :* renseignements au ☎ 02-550-01-00.

En Suisse

Dans toutes les agences *STA Travel,* sur présentation de la carte d'étudiant, d'une photo et de 20 Fs.

■ *STA Travel :* 3, rue Vignier, 1205 Genève. ☎ 022-329-97-34. ■ *STA Travel :* 20, bd de Grancy, 1006 Lausanne. ☎ 021-617-56-27.

Il est également possible de la commander en ligne sur le site ● www.isic.trm.fr ●

Cartes de paiement

– La carte *MasterCard* permet à son détenteur et à sa famille (si elle l'accompagne) de bénéficier de l'assistance médicale rapatriement. En cas de problème, contactez immédiatement le ☎ 01-45-16-65-65. En cas de perte ou de vol (24 h/24), appelez à Paris le ☎ 01-45-67-84-84 (PCV accepté) pour faire opposition 24 h/24 et tous les jours. À noter que ce numéro est aussi valable pour les cartes *Visa* émises par le Crédit Agricole et le Crédit Mutuel. Si vous êtes dans une autre banque, contactez le numéro communiqué par votre agence. ● www.mastercardfrance.com ●
– Pour la carte *American Express,* téléphonez en cas de pépin au ☎ 01-47-77-72-00 pour faire opposition, 24 h/24. PCV accepté en cas de perte ou de vol.
– Pour toutes les cartes émises par *La Poste,* ☎ 0825-809-803 (pour les DOM, ☎ 05-55-42-51-97).
– Serveur vocal valable pour toutes les cartes de paiement : ☎ 0892-705-705 (0,34 €/mn).

Monuments nationaux à la carte

Le *Centre des Monuments nationaux* accueille le public dans tous les monuments français, propriétés de l'État. Ces hauts lieux de l'Histoire proposent des visites, libres ou guidées, des expositions et des spectacles historiques, lors de manifestations événementielles.

À Marseille, cela concerne le château d'If, et plus largement en Provence, l'hôtel de Sade et le site archéologique de Glanum à Saint-Rémy-de-Provence, l'abbaye de Montmajour, le château de Tarascon et l'abbaye de Silvacane.

– Renseignements : ***Centre des Monuments nationaux,*** centre d'information, 62, rue Saint-Antoine, 75186 Paris Cedex 04. ☎ 01-44-61-21-50. ● www.monum.fr ●

– ***Guid'Arts :*** excellent guide de l'art contemporain en Provence-Alpes-Côte d'Azur. Tous les musées, galeries et espaces d'art, ainsi que de nombreuses adresses utiles (écoles d'art, institutions culturelles, services divers). Un outil précieux !

Travail bénévole

■ ***Concordia :*** 1, rue de Metz, 75010 Paris. ☎ 01-45-23-00-23. Fax : 01-47-70-68-27. ● www.concordia-association.org ● concordia@wanadoo.fr ● Ⓜ Strasbourg-Saint-Denis. Travail bénévole. Logé, nourri. Chantiers très variés : restauration du patrimoine, valorisation de l'environnement, travail d'animation... Places limitées. *Attention,* voyage et frais d'inscription à la charge du participant.

ACHATS

Confiseries, friandises, biscuits

Au rayon des spécialités « souvenirs » – hélas périssables –, citons les traditionnels ***croquants marseillais*** (friandises aux amandes), les ***navettes,*** des biscuits fleurant bon la fleur d'oranger. Depuis le début du XIXᵉ siècle, le secret de la fabrication des navettes est jalousement gardé. Quant à leur aspect, en forme de barquettes, il évoque la légende des « Saintes Maries » (Marie-Madeleine, Marie-Salomé, Marthe et Saint-Lazare) qui arrivèrent, dit-on, en bateau depuis la Terre Sainte, sur les côtes phocéennes. Les marins marseillais en emportaient en mer car les navettes se conservent bien. Citons aussi les ***macarons,*** les ***marrons glacés*** et les ***colombiers*** (biscuits ovales aux amandes et fruits confits dissimulant une colombe à l'intérieur).

Quelques magasins

⚜ ***Boulangerie Michel*** (plan général E4) : 33, rue Vacon, 13006. ☎ 04-91-33-79-43. Fermé le dimanche. Fabrique toujours la *pompe à huile,* l'un des treize desserts de Noël de la tradition provençale, ainsi qu'un sublime pain rectangulaire.

⚜ ***Le Four des Navettes*** (plan général C5) : 136, rue Sainte (angle de la rue d'Endoume), 13007. ☎ 04-91-33-32-12. Ouvert tous les jours. Une véritable institution que cette boulangerie où l'on fabrique des « navettes » depuis 1781. Il est conseillé de les réchauffer avant de se régaler. Accueil très « sucré-salé », et c'est bien dommage...

⚜ ***Biscuiterie José Orsoni :*** 7, bd Louis-Botinelly, 13004. ☎ 04-91-34-87-03. À un quart d'heure à pied du métro Cinq Avenues-Longchamp *(plan général G3).* Prendre le boulevard de la Blancarde ; à hauteur du 119. Ouvert du lundi au vendredi de 8 h à 18 h. Vente au poids, entre 9 et 16,50 € le kilo. Chez les Orsoni, une famille corse, on transmet les secrets de génération en génération. Son père était cuisinier, sa grand-mère boulangère, José, natif de Marseille, ex-boulanger devenu biscuitier, fabrique des navettes. Et aussi des *canistrelli* (à l'anis, aux amandes, à l'orange, au chocolat, aux raisins), des *croquants,* des *macarons* (aux amandes et au miel), des *cucciole* au vin blanc (spécialité d'origine corse).

Chocolats

❀ *Chocolatière du Panier (centre 1, C3)* : 4, pl. des Treize-Cantons, 13002. ☎ 04-91-91-67-66. Ouvert de 9 h 30 (10 h le samedi) à 13 h et de 14 h 30 à 19 h. Fermé les dimanche et lundi. Nos lecteurs gourmands mais au régime iront par la rue du Petit-Puits jusqu'à cette minuscule boutique. On y trouve un chocolat sans beurre ni crème. Ne leur demandez pas la recette, c'est un secret de famille ! Également au 35, rue Vacon, 13001, à côté de la *boulangerie Michel.*

❀ *Dromel Aîné (plan général E4)* :

6, rue de Rome, 13001, et 19, av. du Prado, 13006. ☎ 04-91-54-01-91. Ouvert le lundi de 14 h 30 à 19 h (sauf pour la boutique du Prado) et du mardi au samedi de 9 h 30 à 19 h. Un très grand chocolatier-confiseur marseillais depuis 1760. Les chocolats de chez Dromel sont des trésors de finesse et de gourmandise.

❀ *Plauchut* : 168, la Canebière, 13001. ☎ 04-91-48-06-67. Pâtissier, confiseur, chocolatier, glacier et salon de thé. La spécialité de la maison, ce sont « Les Baisers de Nègres ».

Huile d'olive, miel

Fille de Provence, l'*huile d'olive* se conserve beaucoup mieux et plus longtemps que les autres. Rangée à l'abri de la lumière, elle garde ses qualités pendant au moins deux ans. En Provence, elle bénéficie actuellement de quatre AOC, celle du Pays d'Aix donnant une huile de grand caractère. Tout aussi réputés, les *miels de Provence,* fleurons du patrimoine gastronomique régional, sont particulièrement appréciés des connaisseurs pour leurs saveurs fortement aromatiques et leurs odeurs exhalant toutes les senteurs de la garrigue (miel mille fleurs, de lavande ou de romarin).

Pastis

Autre souvenir à rapporter du Midi. Cet apéritif saura mettre le feu aux poudres à l'occasion d'un repas entre amis. Le « pastaga » est né de l'imagination de *Paul Ricard* qui élabora cette mixture dans l'arrière-boutique de son père. Aujourd'hui, cette boisson à base d'anis vert, vanille, cannelle et alcool à 90° se prête à de nombreux mélanges : perroquet (sirop de menthe), tomate (grenadine) et mauresque (sirop d'orgeat).

Une bonne adresse parmi d'autres : *La Maison du pastis,* de grandes marques et des producteurs locaux ; en tout, plus de 60 variétés de pastis et d'absinthe.

Savon de Marseille

Non alimentaire mais presque aussi éphémère, le savon de Marseille tient une place importante dans le top 50 des spécialités de cette ville. Production artisanale avant de devenir industrielle, il a contribué à la gloire de la cité. Bien que Colbert ait institutionnalisé son appellation dès 1688, l'apogée de sa production se situe au XIXᵉ siècle, éparpillée en petites entreprises souvent familiales. Aujourd'hui, le savon est encore fabriqué de manière artisanale à la *savonnerie du Sérail* et empaqueté de bien jolie manière chez la *Compagnie de Provence.* Sachez que l'authentique savon de Marseille est 100 % naturel, fait exclusivement à partir d'huile végétale de coprah, de palme et d'olive, sans aucun colorant ni adjuvant de synthèse. Il doit impérativement contenir 72 % d'huile, pourcentage estampillé sur chaque cube de savon.

❀ *La Compagnie de Provence (centre 1, C4)* : 1, rue Caisserie, 13002. ☎ 04-91-56-20-94. Fermé le

dimanche. Un beau magasin proposant des savons de Marseille présentés sous toutes les formes possibles (traditionnel ou liquide) avec beaucoup de savoir-faire, de goût et de style.

☙ **Philippe Chailloux** *(centre 1, C3) :* 10, rue du Petit-Puits, 13002. ☎ 04-91-91-14-57. • www.philippe chailloux.com • Ouvert de 10 h 30 à 18 h 30. Fermé le dimanche. On y trouve des savons (traditionnels, liquides ou décorés) mais aussi d'autres produits artisanaux et des huiles.

Boules de pétanque

Toujours au top 50 des objets incontournables, les fameuses boules de pétanque. Ce sport est né à La Ciotat où l'on imagina, dès les années 1900, de jouer les pieds « tanqués », c'est-à-dire joints. « Tu pointes ou tu tires ? ». Cette phrase, maintes fois répétée, est connue aujourd'hui de tous les boulistes. *La Boule Bleue* aussi, dernière fabrique artisanale de Marseille, qui tire son nom de la boule en acier bleuté créée en 1947. Des premières boules en bois cloutées de 1904 aux modèles de compétition actuels, cette entreprise familiale fait du sur-mesure et de la personnalisation en les gravant à votre nom.

☙ **La Boule Bleue :** ZI La Valentine, 13011. ☎ 04-91-43-27-20. Sur commande, quelques semaines à l'avance, on peut se faire réaliser des boules personnalisées, à son nom. En voilà une belle idée de cadeau !

■ **Le Cercle des Boulomanes :** 50, rue Montecristo, 13005. Un club de boulistes passionnés, un endroit très fermé existant depuis 1828. On dit que les femmes n'y sont pas admises.

Tarot de Marseille et autres jeux

Au rayon insolite, n'oubliez pas le tarot de Marseille (si cher à André Breton et aux surréalistes), à découvrir à plus d'un titre : pour le jeu de cartes en lui-même, ses illustrations et son utilisation dans l'art divinatoire par le biais de 78 cartes divisées en arcanes majeurs et mineurs (bateleur, papesse, chariot, épées...).

Et pour découvrir la ville avec des yeux d'enfant, misez sur un jeu de société thématique : le **Marsimil** (parcours initiatique à travers la ville) ou le **Monopoly marseillais.**

Santons

Le santon traditionnel de Provence est fait en argile cuite, dans un style naïf et rustique. Les amateurs de querelles de clochers noteront qu'Aubagne et Marseille se disputent le titre de capitale du santon. On vous dira ici que c'est Lagnel, un Marseillais, qui inventa le santon au XVIIIᵉ siècle. Les premiers santons, produits à Marseille, le furent dans les ateliers du quartier du Panier. Compter de 10 à 122 €, pour un santon, selon la taille et la beauté du motif.

☙ **Le Cabanon des Accoules** *(centre 1, C4) :* 24, montée des Accoules, 13002. ☎ 06-73-74-77-52. Ouvert tous les jours de 9 h à 13 h et de 14 h 30 à 18 h 30. Dans une ruelle du quartier du Panier, ce magasin-atelier fabrique des santons selon la vraie tradition du santon. Pas de santons représentant Fernandel, Zinedine Zidane ou Jean-Claude Gaudin. Non, l'esprit d'André Robbe de l'Adret, maître des lieux, et santonnier depuis 4 générations, est tourné vers les origines : argile cuite, costumes entre 1820 et 1860 et vieux métiers d'antan.

☙ **L'atelier de Marcel Carbonel** *(centre 1, C5) :* 47, rue Neuve-Sainte-Catherine, 13007. ☎ 04-91-54-26-58. • www.santonsmarcelcar bonel.com • Ouvert du lundi au jeudi de 8 h à 13 h et de 14 h à 17 h 15. Santonnier depuis plusieurs générations. On peut y acheter les figurines pastorales classiques, visiter un petit musée au n° 49 (sauf les dimanche et lundi) et l'atelier lui-même.

☙ **Santons Jacques Flore** *(centre 1,*

C4) : 48, rue du Lacydon (pl. Jules-Verne), 13002. ☎ et fax : 04-91-90-67-56. Il fabrique des santons selon la méthode traditionnelle mais dans un style non conventionnel, avec des personnages modernes et originaux.

Artisanat divers

Côté artisanat, enfin, citons les *faïences de la maison Figuères* (un véritable marché : figues, courges, pâtissons... tous plus vrais que nature) et les *tissus provençaux* empruntant à la nature ses motifs et ses couleurs chatoyantes, les ustensiles de cuisine et les sculptures en bois d'olivier.

CLICHÉS ET LIEUX COMMUNS

Aucune autre ville de France ne suscite autant d'images stéréotypées et contradictoires que Marseille. *« Ville-lumière »*, *« ville-rebelle »*, *« Porte de l'Orient » :* la *« cité phocéenne »* (encore un cliché prisé des journalistes !) n'en a jamais fini avec les qualificatifs. Ce sont ces multiples images, souvent contradictoires, qui font à la fois la singularité et l'attrait de la ville. Marseille est avant tout une ville qui traîne depuis au moins deux siècles une lourde réputation. Elle conjugue en fait deux imaginaires apparemment opposés et tous deux très ambigus : on connaît surtout la ville ensoleillée, légère, rigolarde *« avec l'accent »* (ou *avé l'assent*), telle qu'elle a été décrite dans de nombreux récits, films et même publicités. Cette image s'accompagne des attributs traditionnels du Marseillais : le *« marcel »* ou le tricot rayé qui colle au corps, le *pastis,* les *boules de pétanque,* les *cartes* (la fameuse partie de cartes au *Bar de la Marine,* le jeu que les Marseillais appellent la *« contrée »*) et, depuis moins longtemps, l'*écharpe de l'OM.* Mais à partir des années 1930 se renforce et se diffuse l'image, déjà en germe au XIXe siècle, d'un Marseille « noir », rongé par le vice, le crime, la corruption et la faune grouillante des ports. La presse nationale, complaisante, jouera un rôle non négligeable en amplifiant certains faits divers pas plus nombreux ici qu'ailleurs. Le cinéma prendra le relais dans les années 1960-1970 avec des films qui ont marqué les esprits comme *Borsalino* ou *French Connection,* évoquant un Marseille plaque tournante de tous les trafics internationaux : c'est l'image de *« Marseille-Chicago »* ou *« Marseille-Naples »,* comme on continue encore de l'appeler. De nos jours, la suspicion n'est pas levée : le Marseillais est facilement perçu comme menteur et magouilleur, et la ville souffre encore de cette *mauvaise réputation* ; nombreux sont les visiteurs (vous serez peut-être de ceux-là) qui sont tout surpris de trouver une ville bien moins dangereuse que celle qu'on leur avait décrite !

Marseille grâce aux Marseillais

La ville est surtout réputée pour ses habitants, les Marseillais, qui sont réduits à un stéréotype : LE Marseillais. Contrairement à ce qu'on entend dire, Pagnol n'est en rien coupable puisque le stéréotype apparaît au cours du XIXe siècle, sous la plume de quelques écrivains et dans les airs de chansonniers marseillais. Il prend racine dans un ouvrage fondateur du Marseillais Joseph Méry, *Marseille et les Marseillais* (1860), puis se diffuse en France à travers les « histoires marseillaises », et finit par trouver une cristallisation sonore et visuelle dans l'œuvre cinématographique de Marcel Pagnol, notamment la fameuse trilogie *Marius, Fanny, César.* On a ainsi taxé de *pagnolades* toutes les comédies, blagues et chansons marseillaises un peu légères ; mais si la réception de l'œuvre de Pagnol a pu faire un certain « mal » à l'image globale de Marseille, cela ne fut pas sans la demande d'un public français en mal d'exotisme.

Le stéréotype se balade ensuite dans les opérettes et revues « marseillaises » des années 1930 et se prolonge aujourd'hui dans les facéties des humoristes locaux (le regretté Élie Kakou, Patrick Bosso, Kamel), des chanteurs (Massilia Sound System, Quartiers Nord) ou chez les Marseillais eux-mêmes, qui adorent « jouer » au Marseillais, pour rire.

Le stéréotype du Marseillais a son pendant féminin : il s'agit de la **poissonnière au langage cru** – qui interpelle le client en faisant des jeux de mots grivois (pensez à Honorine de la trilogie !) – ou de la **cagole.**

Si le stéréotype du Marseillais est relativement stable, il a quelque peu évolué ces dernières années. De nouveaux clichés sont apparus : il y a celui très sombre du Marseillais raciste, votant à l'extrême-droite. Il y a aussi le supporter de l'OM, passionné, déchaîné et souvent vulgaire (merveilleusement incarné par l'humoriste Patrick Bosso), le frimeur local, vulgaire et macho (le *mia* ou *càcou*), ou encore le jeune rappeur des cités, « petit frère » d'IAM.

– **Pour en savoir plus :** d'Olivier Boura, *Marseille ou la mauvaise réputation,* Arléa, 1998. Et, de Philippe Carrese et Jean-Pierre Cassely, *The Guide of the Provence,* L'Écailler du Sud, 2001. Un pseudo-guide qui passe en revue de manière très caustique tous les clichés sur la Provence... Très drôle et très dur !

CLIMAT

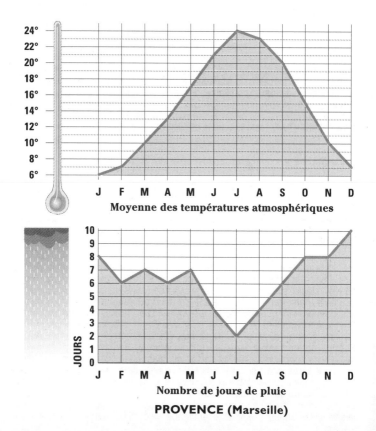

Moyenne des températures atmosphériques

Nombre de jours de pluie

PROVENCE (Marseille)

ÉCONOMIE

Euroméditerranée, le très grand chantier de Marseille

Euroméditerranée (« Euromed » pour les intimes)... Si le nom est familier à tous, bien peu sont capables d'expliquer ce qui se cache derrière. Pour schématiser, il s'agit d'un vaste programme ambitionnant de faire de Marseille le pôle central des échanges entre le nord riche de l'Europe et les marchés en croissance du pourtour méditerranéen. L'occasion, pour la ville, de retrouver son lustre d'antan. Déclarée d'intérêt national, cette opération d'aménagement et de développement économique est pilotée par l'Établissement Public d'Aménagement Euroméditerranée (EPAEM) créé en 1995. À cette époque, ce dernier, qui rassemble l'État et les collectivités locales (Ville de Marseille, Conseil général des Bouches-du-Rhône, Conseil régional, Communauté urbaine Marseille-Provence-Métropole), bénéficie d'un budget de 380 millions d'euros jusqu'en 2006.

Concrètement, Euroméditerranée se développe sur 311 ha, compris entre le port et le centre-ville, et sur quatre quartiers emblématiques de Marseille : Joliette, Saint-Charles-Porte d'Aix, Belle-de-Mai et Arenc.

Les travaux, entrepris depuis octobre 2000 (premiers chantiers concernant les quartiers Joliette, Belle-de-Mai et Saint-Charles), répondent à une double volonté : la première vise à redonner à Marseille les moyens d'affronter les défis des prochaines années, grâce à un tissu économique consolidé, renforcé par l'apport de nouvelles sociétés, et répondant aux exigences de la compétition internationale. Cela suppose de mettre à la disposition de ces entreprises une offre immobilière adaptée.

La seconde, indissociable de la précédente, porte sur l'amélioration de la qualité de vie dans l'ensemble du secteur. Sans espace urbain repensé, impossible d'attirer des entreprises performantes. Ce qui nécessite une redéfinition des flux et des voies de circulation (parkings souterrains, lignes de tramways, tunnels), des programmes de rénovation du bâti, la construction de nouvelles habitations et la réalisation d'équipements et d'espaces publics (parcs, places, musées, lieux de spectacles, écoles...).

Les sites en restructuration

Située en bord de mer, la *Joliette* s'étend sur 22 ha et devient un quartier international des affaires. Elle se développe à partir de l'immeuble des Docks, rénové à partir de 1994 par *Éric Castaldi*, qui s'impose naturellement comme vitrine d'Euroméditerranée. Entièrement commercialisé, ce dernier accueille 220 entreprises (3 000 personnes) œuvrant dans des domaines aussi divers et porteurs que les télécoms, l'informatique, le négoce ou la communication. Idéalement connecté à l'aéroport Marseille-Provence (15 mn) et proche de la gare Saint-Charles, le quartier d'affaires est relié à l'hyper-centre par une grande artère haussmannienne, dont la réhabilitation est annoncée, la rue de la République.

Un peu plus loin, le *quartier Saint-Charles-Porte d'Aix* s'étend sur 16 ha. Il est le point de convergence de nombreux axes routiers et autoroutiers, et se caractérise par la présence de grandes institutions régionales, de sièges administratifs, d'une université réputée et de la gare terminale du TGV Méditerranée, qui met Paris à 3 h 15 de Marseille depuis 2001. L'entrée dans la ville par la porte d'Aix sera totalement redessinée d'ici 2007.

Le pôle de la *Belle-de-Mai* se développe sur les 120 000 m² des anciennes manufactures des tabacs réhabilitées. Vaste ensemble, au croisement de l'économie et de la culture, la Belle-de-Mai deviendra à terme, et par le biais des entreprises qui s'y installeront, l'un des principaux sites européens en matière de production culturelle, audiovisuelle et multimédia. Des studios de cinéma devront traiter 15 % de la production audiovisuelle française.

Enfin, de l'*Espace Saint-Jean,* situé à l'entrée du Vieux-Port, à Arenc, au nord du bâtiment des Docks, se déploie, sur 2,7 km en front de mer, un

espace prestigieux : la **Cité de la Méditerranée** (réalisation prévue pour 2006-2007). Sur 110 ha, différents équipements publics et privés à vocations culturelle, scientifique et de loisirs formeront, avec ceux du port – dont la nouvelle gare maritime –, un lieu attractif ouvert au public. Ainsi, le musée des Civilisations de l'Europe et de la Méditerranée, que l'État a décidé de réaliser, tiendra un rôle prépondérant dans la dynamique du lieu.
Site Internet : ● www.euromediterranee.org ●

FÊTES ET MANIFESTATIONS

Danse, musique, sport, cinéma... Chaque année, les fêtes, foires, festivals et autres manifestations se déclinent à l'infini, témoignant d'un extraordinaire bouillonnement culturel.
– **En mars :** le **Carnaval.** À cette occasion, les chariots thématiques et leurs personnages bigarrés déambulent jusque sur la Canebière.
– **En juin :** le **Cinestival.** Une semaine de promotion du cinéma, de nombreuses avant-premières sont accessibles, dans toutes les salles, pour le prix d'un billet Scoop. Le 21 juin, place à la **Fête de la musique,** où les groupes investissent trottoirs, places et devantures de cafés (Castellane, cours d'Estienne-d'Orves, Vieux-Port...). **La Massalia :** grand spectacle de rue gratuit qui retrace l'histoire de Marseille. A lieu en principe tous les deux ans (le prochain, donc, fin juin 2006).
– **En juillet :** le 6 de ce mois, la cité rime avec liberté d'aimer. La **Lesbian & Gay Pride** s'y décline en effet en une longue marche à travers les rues et une soirée de clôture au Dock des Suds.
– **En septembre :** pour la **Fête du vent,** les Marseillais ont rendez-vous sur les plages du Prado pour célébrer le vent et ses ambassadeurs, les cerfs-volants.
– **En octobre :** de son côté, la **Fiesta des Suds** ouvre ses portes au cœur des anciens docks de la ville. Ses soirées thématiques, développées autour des musiques et cultures latines, rencontrent un large succès populaire.

Fêtes de quartier

Bon nombre de quartiers, par le biais d'associations énergiques, organisent des manifestations devenues pérennes. Ainsi, fin juin, la **Fête du Panier** (concerts, danse, théâtre de rue...) ou celle de la **Saint-Éloi,** à Château-Gombert, avec son traditionnel défilé de cavaliers.

Les foires

Pour le plaisir de flâner, goûter et repartir les bras chargés de beaux objets, ne négligez pas les foires. À citer, parmi les plus courues :
– **Les Journées des plantes et jardins :** en avril et septembre, sur le cours Julien.
– **La Foire à l'ail et aux taraïettes :** en juillet, sur le cours Belsunce.
– **La Foire internationale de Marseille :** en septembre, et ses nombreuses délégations de pays étrangers (artisanat, gastronomie...) au Parc des Expositions Chanot.
– Enfin, la célèbre **Foire aux santons :** en novembre-décembre, la plus ancienne de Provence (200 ans). Outre les illuminations qui parent la Canebière, l'église des Réformés et les allées de Meilhan où elle se tient, des groupes de musiciens et de danseurs viennent célébrer cet incontournable rendez-vous de Noël (entrée gratuite).

Les festivals

➤ Côté festivals, la ville n'est pas non plus en reste.

– *Le Festival de musique sacrée :* de fin avril à fin mai. Il offre au public un répertoire d'œuvres majeures interprétées en l'église Saint-Michel.

– *Le Festival international des musiques d'aujourd'hui :* de mai à juin, il investit plusieurs lieux culturels de Marseille (TNM La Criée, église Saint-Laurent...) pour rendre hommage à la création contemporaine.

– *Les Nuits Caroline :* musique, danses et contes à l'hôpital Caroline sur l'île du Frioul. Un cadre superbe.

– *Le Festival de Marseille :* en juillet. Dédié aux arts vivants, à la danse, à la musique et au théâtre, il propose un programme éclectique en des lieux magiques (Vieille-Charité, Théâtre de la Sucrière...). Pour la programmation, consulter le site ● www.festivaldemarseille.com ●

– Et en été, place à l'éclectisme des goûts, par le biais de *Musiques à Bagatelle* (fin juin-début juillet) et ses concertos classiques à savourer sous les étoiles (prévoir plaid et siège pliant), du *Festival de jazz des 5 continents* (juillet), organisé dans le cadre enchanteur des jardins du palais Longchamp, et du *Festival Marsatac* (septembre), donné à l'Espace Saint-Jean, qui présente l'essentiel des tendances actuelles *(électro, house, hip-hop...)*.

– *Festival de musique à Saint-Victor :* de septembre à décembre. Cher aux mélomanes, il programme, en son abbaye, des concerts de qualité.

➤ Si vous êtes cinéphile, ne manquez pas :

– *le Festival Ciné Plein Air :* de juin à août, propose des projections au clair de lune. Un brin « intello ».

– *Le Festival international du film documentaire :* fin juin-début juillet ; dédié à la promotion de ce genre de plus en plus prisé, il présente aussi bien documentaires de création que reportages télévisuels ou œuvres vidéo d'artistes contemporains.

➤ Pour les amoureux de l'art corporel :

– *Le Festival international de folklore :* en juillet, à Château-Gombert, un festival qui n'a pas pris une ride malgré le temps et les années.

Lieux culturels

– *Théâtre :* Marseille se place après Paris pour le dynamisme de son activité théâtrale. Les scènes sont nombreuses et variées. Parmi celles-ci, le théâtre national de Marseille de La Criée, que dirigea *Marcel Maréchal* et qui est aujourd'hui sous la direction de Jean-Louis Benoît. Riche programmation dans ce théâtre installé depuis 1981 au 30, quai de Rive-Neuve, dans l'ancien marché aux poissons ● www.theatre-lacriee.com ● D'autres théâtres marquent le paysage marseillais comme le Gymnase, le Gyptis (quartier de la Belle-de-Mai), mais aussi le Cabaret Aléatoire de la Friche, le Merlan, les Bernardines (17, bd Garibaldi), la Minoterie (théâtre de la Joliette, 9/11, rue d'Hozier), le théâtre de Lenche (pl. de Lenche, quartier du Panier). Les compagnies sont à l'image de cette effervescence : la compagnie Blaguebolle, Arc-en-Terre, les Bancs Publics, Cartoon Sardines...

– *Danse :* des chorégraphes et danseurs de renom comme *Marius Petipa, Roland Petit* et *Maurice Béjart* (natif de Marseille) ont donné à Marseille ses lettres de noblesse dans ce domaine. Aujourd'hui, la ville est un haut lieu de la danse en France. Cet élan créatif s'incarne dans le Ballet national de Marseille et l'École nationale de Danse.

Manifestations sportives

Pour une envie de se remuer les gambettes, une multitude de manifestations sportives trouvent aussi leur place dans la cité phocéenne : *Open 13 de tennis* en février ; *Défi de Monte-Cristo* (natation) fin juin ; *Tournoi international de volley-ball* des Catalans ; *Championnat du monde de beach-volley* et *Mondial de pétanque/La Marseillaise* en juillet ; *Joutes provençales de L'Estaque* en août ; *Juris Cup* (voile) en septembre ; *Septembre en mer* (pêche au gros, régates, etc.)... Tous les sports connaissent leurs temps forts et sont prétextes à faire la fête. Et pour vous mesurer à des champions de la course à pied, n'hésitez pas à vous inscrire au semi-marathon Marseille-Cassis (octobre) dont vous reviendrez flapi mais bougrement fier !

GÉOGRAPHIE

Les calanques

À l'opposé de la côte du Languedoc, plate et monotone, le littoral provençal autour de Marseille alterne caps, calanques et baies souvent très sauvages lorsqu'ils ne sont pas défigurés par l'urbanisation. Ici les précipitations sont assez rares (75 jours en moyenne par an). Pour ne garder que le meilleur de ce littoral maltraité, il faut relire les magnifiques pages de Jean-Claude Izzo sur les calanques de Marseille dans sa trilogie policière (voir le chapitre « Livres de route »). Parc naturel ou réserve d'Indiens, quel avenir envisager pour les calanques ? La question est, plus que jamais, d'actualité... à chaque échéance électorale ! Actuellement, il est à nouveau question de la création d'un parc national...

S'il est facile de planter le décor, et d'entrer dans un monde préservé – mais pour combien de temps encore, diront les sceptiques, qui se méfient des ravages du progrès sur les mentalités –, il est encore un point à préciser, pour éviter toute querelle. Un point de géographie !

Il y a calanque et calanque ! Bien sûr, tout le monde a dans l'esprit des falaises blanches, à peine vêtues d'un zeste de végétation et colorées par d'anciens cabanons de pêcheurs (eh oui, c'était autrefois l'activité principale !). Mais n'allez surtout pas dire à un Marseillais que vous êtes allé vous promener dans les calanques du côté de Cassis ! Le vrai massif des calanques appartient au 8e arrondissement de Marseille. Laissons un peu rêver les citadins des autres grandes cités qui aimeraient pouvoir atteindre, en quelques dizaines de minutes, ce décor de rêve où les vagues viennent doucettement « calancher » (d'où le nom !)...

Pour découvrir ce site de 5 600 ha, il vous faudra le faire à pied ou en bateau. Un site, classé depuis plus de vingt ans, qui fera votre conquête comme vous devrez faire la sienne, en marchant longtemps sous le soleil, sur des sentiers odorants, et des pistes plus difficiles.

HABITAT

Qu'est-ce qui différencie un mas d'une bastide ? Si le mas désigne la petite exploitation familiale, la bastide, dans cette région, évoque une habitation secondaire jouxtée par des bâtiments ruraux.

– **Le mas :** lieu de l'exploitation familiale, c'est la demeure de petits propriétaires aisés. En plaine, il comporte en général deux niveaux : le rez-de-chaussée abrite la pièce à vivre, la « salle » et les dépendances agricoles. Au premier se trouvent les chambres et le grenier. En montagne, le mas a le plus souvent trois niveaux, le rez-de-chaussée abrite la bergerie, la cave, l'écurie, etc. Au 1er étage, on trouve la salle de séjour et au 2e les chambres. La toiture du mas est en appentis (un seul pan) ou en bâtière (deux pans). Les matériaux utilisés proviennent des environs mêmes : pierre, chaux, argile, sable, etc. On est bien éloigné de la mode actuelle des pierres apparentes : autrefois, les murs de pierres étaient vite cachés par un crépi constitué de chaux et de sable coloré. La façade est exposée au sud et les murs latéraux sont aveugles, permettant facilement l'ajout de nouveaux bâtiments, faisant du mas une demeure qui évolue au gré des besoins.

– **La bastide :** vaste demeure, à la façade agrémentée de balcons et sculptures, les ouvertures étant réparties symétriquement. Les murs sont en pierre de taille. À côté de la bastide, se trouvent les bâtiments d'exploitation. Les bastides sont installées non loin des villes (pays d'Aix, littoral) et constituent en quelque sorte la résidence secondaire de la bourgeoisie aisée des villes. À l'arrivée des premiers chaleurs, les familles de riches négociants ou de grands bourgeois quittent leurs hôtels particuliers pour s'installer dans les bastides. Avec armes et bagages : chaque printemps, c'est un véritable cortège de voitures attelées, pleines de malles remplies d'argenterie, de bibelots de famille, de petits meubles, de tableaux, voire de tapisseries !

Au départ, la bastide est surtout l'occasion de revenir, le temps d'un été, à une vie plus tranquille, à l'abri des regards. Une vie saine, faite de joies simples et de fêtes familiales. Pour les uns du moins. Pour qui a besoin de paraître, l'été peut n'être qu'une succession de réceptions. Des moissons aux vendanges, des fêtes de Pâques aux chasses d'automne, elle accueille famille et amis, jusqu'aux premiers froids. Au fond d'eux-mêmes, les propriétaires de bastides provençales restent de vrais conservateurs, qui s'enorgueillissent de pouvoir faire goûter à leur table les produits de leurs récoltes. On va manger les légumes du jardin, boire le vin de la propriété. Pas besoin que ce soient de grands crus, pourvu qu'ils soient au goût des familles... De la ferme voisine arrivent les œufs, le lait, les volailles, les fruits et les légumes.

Au début du XIXe siècle on dénombrait quelque cinq mille bastides aux environs de Marseille.

– **Le cabanon :** Marseille reste la ville des contrastes. Contraste entre les villas somptueuses de la Corniche et les cabanons des calanques.

Si les cabanons des champs sont tombés devant l'avancée des quartiers périphériques, ceux du bord de mer se sont endurcis, pour affronter le temps. Ces petites constructions de plain-pied, toutes simples et parfois construites dans l'illégalité, se sont progressivement imposées dans le paysage... Ici, on a toujours le parasol, parfois l'électricité, jamais la télé.

HISTOIRE : MARSEILLE À CŒUR OUVERT

La fille de Phocée

Mythe ou réalité, l'un et l'autre sans doute, l'histoire de Marseille commence là où se terminent habituellement les grandes sagas hollywoodiennes. Au lieu d'être final, le baiser y est originel. La cité naît de la rencontre de la mer et de la terre, du mariage de **Protis** le Phocéen (Grec d'Asie Mineure) avec **Gyptis** la Ségobrige (un peuple celto-ligure). Comment rêver d'un mythe fondateur mieux adapté à ce qui sera pendant vingt-six siècles la vocation même de Marseille : l'ouverture au monde ? Quant à la date arbitraire de sa naissance (600 av. J.-C.), les découvertes archéologiques les plus récentes, en bordure du Lacydon (Vieux-Port), ne cessent d'en affiner la probabilité à quelques dizaines d'années près.

Sans pénétrer profondément à l'intérieur du territoire, les Marseillais créent aux siècles suivants une série de comptoirs portuaires (Nice, Antibes, Olbia-Hyères, La Ciotat, Agde, Ampurias...), qui ajoutent encore à leur richesse et à leur réussite. Vers 340 av. J.-C., à l'époque d'Alexandre le Grand, Massalia va connaître son premier grand homme : **Pythéas.**

Savant mathématicien et astronome, aventurier, navigateur et, bien sûr, commerçant, il est le premier, grâce à son gnomon, à fixer avec exactitude la latitude de Marseille. Il est aussi le premier, dit-on, à oser sortir de Méditerranée pour affronter l'Atlantique et le remonter au nord vers le cercle polaire en passant par la Grande-Bretagne et la mer Baltique. Un exploit réel mais extraordinaire : on le traita de menteur.

Pythéas symbolise avec *Euthymènes,* qui navigua, lui, en direction des côtes d'Afrique, la vitalité à la fois commerciale et scientifique d'une ville qui sut rester pendant des siècles, y compris sous la domination romaine, le conservatoire occidental de la culture grecque que chantent Tacite et Cicéron. Grâce aux nouveaux Phocéens, la Gaule a connu la culture de la vigne et de l'olivier, la monnaie, l'écriture ; plus tard, ils ont transmis les connaissances médicales et ouvert des écoles célèbres jusqu'à Rome.

La ville chrétienne

Puissante cité navale, commerciale et culturelle, Marseille est l'alliée des Romains en Méditerranée occidentale. Mais elle refuse de choisir César contre Pompée. Au terme d'un long siège, les Marseillais doivent capituler en 49 av. J.-C. *César* triomphe et se contente d'établir sa domination sur la ville sans la détruire. Impliquée aux IIIe et IVe siècles de notre ère dans les luttes politiques et religieuses qui secouent l'Empire romain, soumise en 309 par Constantin, Massilia connaît au Ve siècle une embellie spirituelle avec l'arrivée en 415 de Jean Cassien, un moine voyageur pétri des expériences orientales du monachisme.

Cassien installe dans la ville, de part et d'autre du port, deux communautés monastiques, l'une de femmes *(Saint-Sauveur,* aujourd'hui disparue), l'autre d'hommes *(Saint-Victor)* sur les restes des premiers chrétiens martyrisés à Marseille sous Dèce et Dioclétien. Au même siècle, Marseille dispose déjà du plus grand baptistère des Gaules (aujourd'hui disparu, sous l'actuelle cathédrale) et les débats de prêtres éminents comme Prosper d'Aquitaine et Salvien retentissent dans toute la chrétienté.

Désormais en charge des lettres grecques et latines, l'Église va préserver tant bien que mal, à travers les troubles internes, les pressions barbares puis sarrasines, des bribes de culture classique jusqu'au redressement matériel et intellectuel des XIe et XIIe siècles. Il aura survécu sous la triple impulsion de Saint-Victor (restaurée par Honorat en 977 et qui « colonise » la Provence), des Croisades (qui s'arment en partie dans le port dès la troisième croisade, en 1188, et édifient à son entrée la commanderie des hospitaliers de Saint-Jean-de-Jérusalem), et, enfin, des vicomtes de Marseille qui se sont partagé avec l'Église le pouvoir sur la ville.

Du pouvoir communal au rattachement national

À partir du XIIIe siècle, un troisième pouvoir, celui de la commune, s'affirme quelque temps selon le modèle italien sous l'impulsion des négociants et grâce à l'accroissement du trafic portuaire. Mais, en 1257, la ville doit reconnaître la domination de Charles d'Anjou, comte de Provence. Après quelques velléités de résistance, elle se montre fidèle à ses successeurs sous la reine Jeanne puis la deuxième maison comtale Anjou-Provence et son principal représentant le roi René (1434-1480). Entre-temps, Marseille a connu, comme tout le Midi, les troubadours qui, tel Folquet dans le dernier tiers du XIIe siècle, ont diffusé les formes poétiques de la langue d'oc. Elle a édifié sur sa rive orientale un important chantier de constructions navales et renforcé ses liens maritimes avec le Levant lors de nouvelles croisades.

En 1362, *Guillaume Grimoard,* abbé de Saint-Victor, devenu pape en Avignon sous le nom d'Urbain V, fait bénéficier la ville et son ancienne abbaye de largesses qui donnent au bâtiment son allure générale. Au XVe siècle, alors que Marseille souffre déjà depuis quelques décennies d'un marasme ambiant, la rivalité maritime qui l'oppose aux Catalans mène à la catastrophe de 1423. L'escadre du roi d'Aragon, allié des Catalans, débarque en plusieurs points, s'empare de la ville et la livre au pillage pendant quatre jours. Les assaillants repartent avec un riche butin ainsi qu'avec la chaîne servant à fermer le port (encore exposée de nos jours sur les murs de la cathédrale de Valence en Espagne).

Un moment abandonnée par nombre de ses habitants, la ville se rétablit assez vite. Elle reprend ses activités maritimes, bénéficiant de l'installation des foires de Lyon qui lui offrent de nouveaux débouchés. Du coup, *Jacques Cœur,* argentier de Charles VII et armateur d'une importante flotte, abandonne son comptoir de Montpellier et vient s'établir à Marseille, dont il devient citoyen en 1446, pour commercer avec le Levant. S'ouvrent alors trente-cinq années d'expansion commerciale et économique qui préludent au rattachement de Marseille et de la Provence au royaume de France (1481-1482). C'est aussi le moment où l'ancienne Massalia des Grecs (devenue Massilia chez les Romains) prend son nom moderne de Marseille.

Soumise ou insoumise

Aux XVIe et XVIIe siècles, les rapports de Marseille avec le pouvoir royal sont marqués par des alternances de fidélité et de révolte, reflet des luttes et des factions qui s'affrontent dans le pays comme dans la cité. Fidélité d'abord à *François Ier*, qui la visite plusieurs fois, la dote des fortifications de Notre-Dame-de-la-Garde et du château d'If. Il bénéficie en 1524 de sa résistance héroïque, animée par les « Dames de Marseille », contre les troupes de Charles Quint aux ordres du connétable de Bourbon. C'est aussi à Marseille qu'il fait célébrer par le pape Clément VII le mariage de son second fils, le futur Henri II, avec Catherine de Médicis. Pour sa part, la vieille cité portuaire tire profit du corail algérien et des échanges commerciaux fructueux menés par la compagnie de Thomas Lenche entre le monde méditerranéen et l'Europe continentale.

Mieux encore, les relations privilégiées que la France initie avec l'Empire ottoman qui, par les Capitulations de 1535, accorde au commerce français des privilèges dans le Levant, vont assurer la fortune de la ville jusqu'à la fin de l'Ancien Régime et au-delà. Les années 1590 sont au contraire des années de crise. Durant cinq ans, le chef des ligueurs hostiles à Henri IV, *Charles de Casaulx,* exerce sur la cité phocéenne un pouvoir fort et indépendant, qui n'exclut pas certaines réussites administratives, urbanistiques et culturelles (première imprimerie marseillaise en 1594-1595), mais frappe de lourds impôts les négociants et les notables. Ville rebelle, Marseille se place même en janvier 1596 sous la protection de Philippe II d'Espagne et se prépare à soutenir un siège face aux troupes du duc de Guise, comte de Provence, lorsqu'un complot intérieur mené par Libertat aboutit le 17 février à l'assassinat de Casaulx et à la soumission des Marseillais à Henri IV, qui se serait alors écrié : « C'est maintenant que je suis roi de France ! »

Trois ans plus tard, le 5 août 1599, le Conseil de ville décide de nommer chaque année quatre négociants députés du commerce pour surveiller les affaires de négoce. C'est l'origine de la première chambre de commerce créée dans le monde. Un an encore, et, le 3 novembre 1600, Marseille fait un accueil chaleureux à Marie de Médicis venue en France pour épouser Henri IV. Les frictions avec le pouvoir sont effacées... jusqu'à la prochaine incartade.

Ainsi, dans la première moitié du XVIIe siècle, la *famille Valbelle* exerce-t-elle sur Marseille un pouvoir qui, tout en respectant le Roi, vise à une certaine autonomie. La situation s'aggrave lorsqu'en 1660, au terme de cinq ans d'agitation, les consuls nommés par le roi sont chassés de l'hôtel de ville. Louis XIV, suivi de sa cour, entre en conquérant dans la cité, l'occupe militairement, désarme la population et fait construire citadelle et fort (Saint-Jean et Saint-Nicolas) destinés à la maintenir dans l'obéissance.

La montée en puissance aux XVIIe et XVIIIe siècles

Rentré dans le rang, Marseille va néanmoins connaître une nouvelle prospérité grâce à l'édit de Colbert (1669) qui lui accorde le monopole du commerce du Levant, grâce aussi au retour dans le port du corps des Galères et de son arsenal, gonflant sa population de 20 000 hommes supplémentaires. La présence momentanée d'un petit noyau d'Arméniens se traduit, entre autres, par l'accroissement du trafic des soieries et la première ouverture en France d'un café public en 1671.

La ville sort enfin de ses anciens remparts pour tripler de superficie. Elle se dote de nouvelles promenades, tel le Grand Cours (1670-1687, actuel cours Belsunce), l'un des plus beaux d'Europe en son temps, d'un nouvel hôtel de ville (1673) et d'ensembles monumentaux qui, pour être à but charitable ou utilitaire, n'en sont pas moins devenus, depuis, des témoignages architecturaux de premier ordre (Vieille Charité, 1679-1707). Sur eux plane le souvenir de l'architecte, sculpteur et peintre d'exception que fut le Marseillais *Pierre Puget*, malheureusement bridé dans les vastes projets d'aménagement qu'il avait pour sa petite patrie.

Marques évidentes aussi d'un rayonnement qui s'affirme, Marseille brille alors dans les sciences de la vie et de la nature à travers quelques-uns de ses pères Minimes, grands voyageurs, botanistes et zoologistes, tels Charles Plumier et Louis Feuillet, ou de jésuites astronomes comme Laval et Chazelle qui créent en 1702, au quartier des Accoules, l'Observatoire du collège Sainte-Croix, futur observatoire royal de la Marine. Elle devient, grâce à l'installation des Clérissy à Saint-Jean-du-Désert, un *important centre faïencier,* qui maintiendra sa réputation jusqu'à la Révolution française avec Leroy, Fauchier ou la veuve Perrin. La ville enfin, grâce à Pierre Gautier, est la première de province, depuis 1685, à goûter aux plaisirs de l'Opéra.

La Grande Peste de 1720

En juin 1720, cet élan marseillais est brusquement brisé par la *Grande Peste* apportée du Levant par le vaisseau *Le Grand Saint-Antoine.* Prise en faute dans sa fonction nationale de rempart sanitaire, la ville paye pour la dernière fois un lourd tribut au fléau qui, franchissant les barrières du Lazaret, tue en quelques mois 40 000 Marseillais, soit la moitié de la population, et donne lieu à de nombreux actes héroïques de dévouement dont le souvenir est perpétué par les figures emblématiques du chevalier Roze et de *Mgr de Belsunce.* Preuve nouvelle de sa capacité à réagir, la cité portuaire opère alors en quelques années un redressement démographique spectaculaire qui, grâce à l'accueil de nombreux immigrés de l'intérieur ou étrangers, renforce son cosmopolitisme traditionnel.

Ses navires retrouvent le chemin des Amériques, de la Barbarie et de l'Orient, pour achever d'en faire non seulement le premier port méditerranéen, mais un port mondial qui atteint 120 000 habitants en 1790. L'hôtel Roux de Corse (1743-1745), le château Borély (1767-1778), de nombreuses bastides et hôtels particuliers témoignent de l'enrichissement d'une ville vouée au négoce, au grand commerce maritime et international, en dépit de crises passagères. Les créations successives des académies de Musique (1719), des Belles Lettres (1726) et de Peinture (1753) affirment aussi un élan culturel qui s'inscrit dans le mouvement général des Lumières (*Voltaire* est reçu membre associé de l'Académie de Marseille en 1745) et que souligne en 1787 l'ouverture d'un majestueux Grand Théâtre sur les terrains de l'ancien arsenal.

Troubles et difficultés : la période révolutionnaire

Tôt entrés en Révolution, maîtres depuis avril 1790 des « bastilles marseillaises » (forts de Notre-Dame-de-la-Garde, Saint-Jean et Saint-Nicolas), habitués des « courses révolutionnaires » punitives à travers la Provence, les Marseillais, à la demande de leur député Barbaroux, lèvent en juin 1792 un bataillon de volontaires de 500 à 600 hommes pour rejoindre à Paris les 20 000 fédérés destinés à la défense de la capitale face aux Autrichiens. Au terme d'une longue marche d'un mois, au cours de laquelle ils font entendre le « Chant de guerre de l'Armée du Rhin » composé par **Rouget de l'Isle** qui prend dès lors le titre de **Marseillaise**, les volontaires arrivent triomphalement à Paris où ils étaient impatiemment attendus et deviennent, le 10 août, les héros de la prise des Tuileries et de l'effondrement de la monarchie. C'est sans doute le moment de son histoire où Marseille, « Montagne de la République », se retrouve le plus fortement en phase avec le reste du pays. Un an et demi plus tard, compromise dans le mouvement fédéraliste, la ville est mise au ban de la Nation par les Jacobins : pendant un mois, début 1794, Marseille devient officiellement la « Ville sans nom » ! Saisissant raccourci des multiples rebondissements et des renversements d'image que la ville n'a cessé de subir dans toute son histoire. Et la période qui suit, de la Terreur révolutionnaire à la chute du Premier Empire et à la Terreur blanche, reste fertile en événements douloureux : répressions, démolitions de bâtiments civils ou religieux, pénurie liée à la ruine de la navigation et du commerce du temps de la guerre et du blocus maritime anglais, chute démographique, massacre des Mameluks en 1815... que contrebalancent mal, passée la Révolution, l'émancipation de Marseille, devenue chef-lieu de département, face au pouvoir aixois, l'ouverture d'un des premiers lycées de province (1802-1803), la création de musées ou encore la réorganisation de la chambre de commerce et de l'Académie.

Alors que renaît l'espoir d'une reprise du grand commerce avec l'Atlantique et la Méditerranée, c'est une ville largement acquise au retour de la royauté que découvre la Restauration. Mais l'ultra-royalisme et l'ultra-catholicisme n'y font pas recette longtemps face à la montée d'un fort courant libéral et à une large tolérance vis-à-vis des minorités religieuses protestante, juive et orthodoxe. Le divorce politique tourne au système : après avoir repoussé Napoléon au profit de Louis XVIII, Marseille le boude, ainsi que Charles X, elle rêve de République à la fin de la Monarchie de Juillet et s'insurge, en juin 1848, avant Paris. Elle s'oppose pendant vingt ans à Napoléon III et, sous la République modérée, sera l'une des premières villes en France à voter, en 1892, pour une municipalité socialiste !

En fait, la prospérité de la ville, bourgeois et peuple confondus, est trop étroitement liée depuis de longs siècles aux intérêts vitaux de sa navigation et de son commerce (et le reste encore au temps de la conquête coloniale et du canal de Suez) pour suivre aveuglément les choix politiques nationaux. Et quand bien même, comme sous Napoléon III, l'essor économique leur serait-il favorable, c'est alors le souvenir d'un Premier Empire ruineux qui pousse les Marseillais à s'opposer au pouvoir central. Enfin, l'empreinte d'une langue, d'une culture et de coutumes populaires méridionales est encore forte et pèse elle aussi en faveur d'une sorte de marginalisation plus ou moins volontaire que symbolise, autour de 1840, une « renaissance marseillaise » animée par Pierre Bellot, Gustave Bénédit, Victor Gelu et Antoine Maurel, le créateur de la Pastorale moderne (1842).

Rêves et triomphes : le Second Empire

Pourtant, de 1830 à 1880, Marseille connaît un essor remarquable qui lui fait sérieusement envisager, à défaut de pouvoir être capitale de la France, de devenir à terme l'une des capitales économiques du monde, à l'égal de Londres ou de New York. Enthousiaste, Edmond About s'exclame : « Marseille sera bientôt en mesure de sucrer la Méditerranée d'une simple tasse de café. » Sous la Monarchie de Juillet, déjà, la ville a entrepris de profondes mutations : canal de la Durance au plateau Longchamp (1839-1849), début de construction des nouveaux ports (1840), inauguration de la ligne ferroviaire Marseille-Avignon (janvier 1848), prélude au P.L.M. (1857). Ses industries traditionnelles (huile, savon, sucre...) se modernisent et se développent, ainsi que sa chimie, ses constructions mécaniques et navales, entraînant l'essor rapide de sa navigation à vapeur et de ses grandes compagnies (Messageries Impériales puis Maritimes) qui poussent leurs relations sur toutes les mers du monde et attendent plus encore (et trop!) de l'ouverture du canal de Suez (1869). Le système bancaire évolue et développe des racines locales (Société Marseillaise de Crédit), tandis que les milieux d'affaire nationaux (Talabot, Mirès, Pereire) prennent une part déterminante dans les grands travaux (ports, docks, rue Impériale...).

C'est aussi sous le Second Empire que la ville se dote de nombreux grands édifices publics civils ou religieux : *préfecture, palais Longchamp, palais de justice, Pharo, basilique de Notre-Dame-de-la-Garde, cathédrale...* De multiples et luxueux lieux de spectacles ou de loisirs s'installent autour de sa Canebière tels que *l'Alcazar, les grands cafés, les grands hôtels.* Y défilent les grands de ce monde, qui découvrent en Marseille et son soleil, ses odeurs, ses couleurs, le *vestibule de l'Italie,* de la Méditerranée (A. Dumas et son Monte-Cristo) et la *Porte de l'Orient* (tel Théophile Gautier dans les premières pages de son *Constantinople*). Quitte à développer par la même occasion (sous l'influence de Joseph Méry) le mythe d'un farniente généralisé qui ternira bientôt l'image des Marseillais, injustement accusés par ailleurs d'inculture (George Sand) et de dépravation (Zola), sans compter leur égocentrisme provincial.

La ville 1900 et les immigrés

Au cœur d'un siècle qui voit sa population quintupler pour atteindre 500 000 habitants autour de 1900, Marseille reçoit des flots continus de nouveaux arrivants attirés par son intense activité, qui passent, séjournent ou s'y fixent. Parmi eux, les plus nombreux sont *italiens* (près de 20 % des habitants en 1900). Venus offrir leurs bras aux grands travaux, ils vivent dans des conditions précaires, en butte à la misère, aux tentations de regroupement et d'enfermement intra-communautaire, au rejet parfois brutal d'une population qui confond dans une même crainte sécuritaire le cosmopolite et l'interlope et redoute leur concurrence sur le marché du travail. Perpétuée durant plusieurs générations, cette incompréhension n'empêchera pas, en définitive, les Italiens de Marseille de devenir peu à peu les plus fervents des Marseillais.

À l'épreuve du XXᵉ siècle

Le dernier siècle a laissé des traces profondes dans la mémoire des Marseillais. Des réalisations spectaculaires ont marqué, dès l'abord, l'imaginaire de la ville d'une empreinte symbolique immédiate ou plus lointaine : fêtes du XXVᵉ centenaire en octobre 1899; fondation de l'Olympique de Marseille (la même année); érection du pont Transbordeur (décembre 1904), tour Eiffel des Marseillais; organisation en 1906 et 1922 des deux premières Expositions coloniales de France, témoins de la place essentielle désormais tenue par notre Empire colonial dans la fragile survie commerciale et économique d'une ville qui s'y raccroche avec ses anciens rêves de grandeur, en même temps qu'elle poursuit sa marche vers l'ouest, en direction du Rhône, annexant les étangs de Caronte et de Berre à son domaine portuaire (1919) et créant l'aéroport de Marseille-Marignane (1922).

Cité refuge, Marseille reçoit dans les années 1920, par dizaines de milliers, des Arméniens et des Grecs, rescapés des massacres turcs, des Italiens, encore, fuyant le fascisme, et, plus tard, des juifs allemands et d'Europe centrale échappés du nazisme. Elle fait aussi rire et chanter la France entière, à l'heure des congés payés, sur les airs d'opérette d'Alibert et Scotto célébrant la galéjade, le pastis, les boules et l'aïoli.

Mais c'est, pour lors, une ville perdue de réputation par son cosmopolitisme jugé négatif, par la mainmise passagère de la pègre des *Carbone et Spirito* politiquement appuyés par *Sabiani,* par la frivolité de son farniente et l'incurie supposée de ses édiles (assassinat d'Alexandre de Yougoslavie en 1934 et incendie des Nouvelles Galeries en 1938) qui aboutit à la mise en tutelle de sa municipalité en mars 1939 et jusqu'en 1946. Une mauvaise réputation très chèrement payée en janvier-février 1943 par la destruction « exemplaire » (et sans égale en France) des vieux quartiers de la bordure du Vieux-Port désignés comme des nids de clandestinité en tout genre. Elle marque la prise en main de la zone sud par les autorités allemandes appuyées sur la collaboration française et, avec elle, la fin des années où, port du Transit de la zone libre, elle avait servi de repli aux intellectuels et artistes en rupture de ban et à l'organisation de leur fuite vers l'Amérique par *Varian Fry* et ses amis.

Marseille aujourd'hui

La seconde moitié du siècle n'est pas mieux lotie. Aux mutations obligées du port et des techniques, au développement pétrolier et sidérurgique de Fos, répond une grave crise d'adaptation économique et humaine avec la disparition des industries traditionnelles, la perte de colonies et la nécessité d'absorber dans l'été 1962 plus de 100 000 pieds-noirs, tandis que les Maghrébins, venus eux aussi en grand nombre, subissent d'une partie de la population les rejets xénophobes qui, jadis, avaient atteint les Italiens. Remodelée par la multiplication des groupes d'habitation et des cités qui transforme son cadre de vie, affectée par une normalisation et une banalisation du genre de vie rompant elles aussi avec les traditions (dépréciation du cœur de ville, fermeture des cafés, des théâtres puis des cinémas), touchée de plein fouet par la crise économique des années 1970-1980, la ville de *Gaston Defferre* (1953-1986) n'en marque pas moins des points : Cité radieuse du Corbusier, hôpital Nord, premier CHU de France, et prestigieuse réussite d'une greffe du cœur sur Emmanuel Vitria en 1968, équipements du métro (1975-1985), installation des technopoles de Luminy et Château-Gombert... Mais elle rate sa communauté urbaine et s'affaiblit économiquement, démographiquement et médiatiquement.

Une fois encore, pourtant, le sursaut n'est pas loin. L'embellie est d'abord culturelle. Préparée sous Defferre avec les ballets *Roland Petit* et l'ouverture de la Criée par *Marcel Maréchal* (1981), elle s'affirme sous *Robert Vigouroux* et *Jean-Claude Gaudin.* Marseille retrouve son ancienne passion pour le spectacle : les théâtres se multiplient, les créateurs reviennent à la une, souvent avec une nouvelle verve populaire *(IAM, Massilia Sound System...)* parfois avec l'humanité de clichés revisités et surpassés (Izzo, Guédiguian...). La réussite des grandes fêtes populaires et multi-ethniques de la Coupe du monde de football (1998), du 26ᵉ centenaire (1999) et du troisième millénaire confirme l'attrait qu'exerce désormais la ville sur les jeunes générations. Marseille, qui s'est découvert un nouveau passé de 260 siècles avec la grotte Cosquer (1991), peut désormais rêver d'un autre futur avec *Euromed* qui, depuis son lancement en 1995, promet de brûler les étapes d'une relance urbaine et économique à l'échelle du IIIᵉ millénaire.

IMMIGRATION : MARSEILLE ET LA « QUESTION DES ÉTRANGERS »

> « Marseille appartient à l'exil.
> Cette ville ne sera jamais rien d'autre,
> la dernière escale du monde.
> Son avenir appartient à ceux qui arrivent.
> Jamais à ceux qui partent. »
>
> Jean-Claude Izzo, *Chourmo* (Éd. Gallimard).

Quand on demandait à l'écrivain Jean-Claude Izzo de parler de cuisine marseillaise, il déclarait volontiers que sa ville n'était pas provençale, mais qu'elle restait, sur ce plan comme pour tout le reste, le lieu de rencontre de tous les exils.

Marseille a, de tout temps, eu vocation de terre d'asile et d'assimilation.

La ville fut tour à tour grecque, romaine, fief wisigoth (en 480 avec le roi Euric), fief ostrogoth (quelques années plus tard avec Théodoric). On y vit débarquer Grecs, puis Latins, Juifs (dès le Bas-Empire), Arméniens, Italiens en quantité, Corses, Espagnols, pieds-noirs, et enfin Maghrébins, Vietnamiens, Cambodgiens, Comoriens, Antillais, Réunionnais, Africains. Marseille a connu une histoire mouvementée. Mais c'est ce mouvement – et la multiplicité des peuples qui l'accompagne – qui ont formé « l'unité » marseillaise. Prenons quelques exemples.

En 1822, afflux de Grecs, rescapés des massacres turcs à Chios. Ils deviennent cordonniers, tailleurs, pêcheurs, négociants. Puis, c'est le tour des Italiens ruinés par leur crise agricole, avec une grosse vague à la fin du XIXe siècle. Les patrons les paient moins et les utilisent parfois pour briser les grèves. Surnommés « Babbis » par les Français, ils les concurrencent rudement sur les docks, dans les manufactures de tabac et dans le bâtiment. Grosses tensions et incidents xénophobes en 1885 et 1886. De véritables « chasses aux Babbis » sont organisées, ancêtres des « ratonnades », faisant de nombreux morts. Puis, vers la fin du siècle, les tensions disparaissent grâce à l'essor du commerce colonial et au développement du syndicalisme.

Le génocide arménien à partir de 1915, puis la guerre d'indépendance des Turcs en 1922 amènent à Marseille des milliers d'Arméniens et de Grecs. Beaucoup y restent. Un certain Hagop Malakian ouvre une boutique de confection. Son fils fera du cinéma sous le nom d'**Henri Verneuil.** Une autre famille produira le petit **Charles Aznavourian,** la voix cassée la plus célèbre du monde.

À partir de 1925, nouvelle vague d'immigration transalpine avec les antifascistes italiens. Parmi eux, la famille Livi. Le petit Ivo Livi sera contraint de travailler à l'âge de 11 ans dans une savonnerie, puis plus tard comme docker. Formé à la rude école de la rue, le jeune Ivo y puisera d'ailleurs sa force instinctive dénuée d'intellectualisme. En 1938, trouvant les docks trop durs, Ivo Livi se lance dans la chanson et débute à l'*Alcazar*. À force d'avoir entendu sa mère lui crier de son balcon : « Ivo monta ! », il en fait son nom de scène. L'extraordinaire carrière d'**Yves Montand** a commencé ici ! Puis une autre vague d'arrivants, celle des républicains espagnols battus par le régime franquiste qui viennent s'installer à Marseille.

Quant à l'immigration maghrébine, elle est déjà ancienne. Au début du XXe siècle, les habitants d'Afrique du Nord, des Algériens surtout, sont « importés » en masse pour travailler dans les huileries et les sucreries. Ils s'installent dans le quartier de la porte d'Aix. Pour le complexe sidérurgique de Fos, on fait à nouveau venir plusieurs milliers d'Algériens. Puis c'est la crise économique et le retour des tensions raciales. La guerre d'Algérie créa un profond traumatisme chez certains Français, dont on ne mesurera jamais assez les graves conséquences psychologiques, sans compter la communauté pied-noir toujours amère et obligée de coexister avec l'ennemi d'hier. Si bien que des tensions existent certes à Marseille, mais pas plus qu'ailleurs, et notamment à Paris, Lyon et Lille. Les étrangers se fondent dans la cité, qui les « moule » à son image. Aujourd'hui, les enfants et petits-enfants des « Babbis », haïs au XIXe siècle et dans les années 1920, sont ceux qui défendent cette identité marseillaise, demain ce seront ceux des Maghrébins qui le feront à leur tour, et déjà chantent au Vélodrome (le stade de foot) « qu'ils sont fiers d'être marseillais ».

Et cette mosaïque de cultures est aujourd'hui bien représentée, entre autres par *Marseille Espérance,* un groupe laïque constitué en 1984, sous l'impulsion de l'ancien maire Robert Vigouroux, qui rassemble les chefs de file religieux de toutes les communautés coexistant à Marseille. Le groupe est aujourd'hui devenu un incontournable outil du dialogue social souvent consulté, notamment par la municipalité. Il est de toutes les manifestations

– au sens large – et de toutes les initiatives en faveur du « mieux-vivre » ensemble et de la rencontre de l'autre. Un mot d'ordre qui pourrait être en quelque sorte « plus on se connaît, plus on se respecte ». Une mobilisation à saluer !

LANGAGE MARSEILLAIS

Dans nulle autre ville de France le langage n'a autant d'importance qu'à Marseille. Ici, l'identité est fortement liée aux façons de parler. Les Marseillais distinguent même plusieurs accents : l'accent « des vrais Marseillais » (celui des pêcheurs ou des vieux joueurs de boules, lié à l'univers de Pagnol), l'accent « quartiers Nord » (proche des accents « banlieue » de France) et les accents ambigus de la bourgeoisie marseillaise, qui tantôt se pique de posséder un léger accent provençal mais qui parfois le masque pour parler « pointu » – sacrilège à Marseille !

Le français de Marseille a émergé entre la fin du XIXe et le début du XXe siècle, lorsque les Marseillais, contraints de parler français, ont mêlé à celui-ci la phonétique et des tournures de leur langue maternelle, le provençal. Il faut savoir que dans certains quartiers, on a couramment parlé provençal jusqu'aux années 1930.

Le « parler marseillais » est un français régional comme les autres, à ceci près qu'il est sans doute beaucoup plus emblématique de l'identité locale qu'ailleurs. Il est principalement constitué d'un lexique issu du provençal, soit francisé (ex. : *bazarette,* du provençal *basaruto*), soit gardé tel quel (ex. : *capèu,* « chapeau »). Il comporte aussi quelques emprunts aux langues méditerranéennes, essentiellement à l'italien (*engatse, fatche de !, chiapacan,* etc.). Les Marseillais adorent jouer avec la langue, ils la ponctuent de mots provençaux ou de suffixes qui donnent une force particulière à leur discours : on préfère parler d'une *fillasse* que d'une grosse fille, d'un *boutonas* plutôt que d'un gros bouton... Ils aiment aussi en rajouter sur l'accent : ils pourront vous souhaiter un « bon appè'tit », avec un accent tonique sur le « é » devenu « è » !

Certains propos pourront vous choquer mais sachez qu'ici le seuil de la vulgarité n'est pas le même qu'ailleurs, et que nombre d'expressions en apparence vulgaires ne sont pas perçues comme telles. Pour désigner une façon vraiment vulgaire de parler, on utilise l'expression « parler gras ».

Le petit lexique de base donné ci-dessous ne doit pas faire oublier qu'un langage n'est pas simplement une liste de mots ou d'expressions, mais qu'il est aussi une façon de dire et d'imaginer les choses, un état d'esprit. Rien ne vaut donc un apprentissage sur le terrain, au comptoir, au stade ou à mille endroits encore.

Petit lexique marseillais

– **Aïoli :** sauce à l'ail et à l'huile d'olive *(òli),* l'aïoli (on dit aussi l'aïet) désigne également le plat avec lequel on le mange, essentiellement composé de morue et de légumes bouillis. Le mot « aïoli » est aussi employé comme signe de salutation dans certains milieux musicaux (« aïoli ! » pour « salut ! ») et comme symbole du grand mélange marseillais. On peut aussi faire monter l'aïoli, c'est-à-dire faire monter l'ambiance. À écouter, l'album *Aïollywood* de Massilia Sound System ou la chanson « Zou, un peu d'aïoli ! » d'Andrex qui, en 1932, parlait de ses vertus aphrodisiaques ! À vous de voir, mais c'est risqué !

– **Arapède :** mollusque qui adhère aux parois rocheuses ; par extension, personne collante.

– **Ballon :** football, dans l'expression « jouer au ballon » ou « match de ballon ».

– **Baiser Fanny :** expression du jeu de boules. À l'origine, celui qui perdait la partie de pétanque 0-13 devait embrasser l'image représentant le derrière d'une nommée Fanny. Au baby-foot, celui qui perd une partie sans marquer le moindre point est « Fanny ». Il doit passer sous le baby (« Fanny sous le baby ») ou régler les consommations (« Fanny au comptoir »).

– **Bazarette :** bavard ou bavarde. On dit que les coiffeuses marseillaises sont de vraies bazarettes...

– **Blond :** adjectif employé comme nom pour interpeller familièrement quelqu'un, qu'il soit blond, brun ou... *roucaou*, c'est-à-dire roux : « Oh blond ! mets la tienne ! »

– **Bon bout d'an et à l'an qué vèn ! :** formule rituelle prononcée entre Noël et le Jour de l'An en Provence, pour littéralement se souhaiter un « bon bout d'an » et se donner rendez-vous « à l'année qui arrive ». On peut ajouter la phrase : « *si sian pas mai, que siguen pas mens* » (« si nous ne sommes pas plus, que nous ne soyons pas moins »).

– **Bouléguer :** bouger, remuer, s'agiter : « *boulègue collègue !* » (expression fréquente). Un *boulégan* (ou *boulégon*) est une personne très remuante, qui a la bougeotte.

– **Càcou :** frimeur local. Le terme a des connotations à la fois railleuses et sympathiques. Le *càcou* a toute une panoplie pour « se la jouer » : coupe de cheveux qui descend sur le cou, dite « nuque-longue », chaîne en or bien visible sur un poitrail tapissé de moquette, une voiture customisée au maximum, etc. Si vous voulez passer une soirée à vous *estrasser de rire,* faites une partie du jeu *Les càcous de Marseille* (par Jean Jaque) avec des Marseillais... Il vous faudra par exemple raconter *Le Petit Chaperon rouge* avec l'accent càcou ou mimer le càcou qui joue à la pétanque !...

– **Cafi :** plein, farci, rempli de. Le stade est régulièrement *cafi* de monde.

– **Cagade :** grosse bêtise, boulette, bévue.

– **Cagole :** fille un peu vulgaire, aimant attirer l'attention des hommes par des tenues, des manières ou des paroles très voyantes. La *cagole* est, dit-on, la compagne préférée du càcou. Avec son accent très prononcé, des talons démesurés, des tenues très sexy, un maquillage outrancier et des manières peu délicates, la cagole est devenue le stéréotype de la fille aguicheuse, même si on éprouve pour elle une certaine sympathie. Des supportrices de l'OM se sont même baptisées, par autodérision, « Les Cagoles ». Et, désormais, la cagole est aussi une bière aromatisée au miel et brassée à Marseille. À tester !

– **Caguer :** déféquer. Pour envoyer paître un importun, on lui dit : « Vai cagar a Endoumo (Va caguer à Endoume) ! »

– **Caguer (se) :** avoir peur. « Les Parisiens, ils se caguent de venir jouer au Vélodrome. »

– **Capèu** (prononcer « capew ») **:** chapeau. L'expression *l'as paga lou capèu* (« tu l'as acheté, le chapeau ? ») est une moquerie destinée au porteur d'un couvre-chef ridicule.

– **Chaler :** transporter quelqu'un à l'arrière d'un vélo ou d'un scooter.

– **Chourmo :** désigne à l'origine la chiourme, la bande de rameurs de la galère. Par extension, et à travers les actions du Massilia Sound System, il est devenu le synonyme de la bande, l'équivalent du *posse* des rappeurs. On peut écouter l'album du même nom ou adhérer à l'association Massilia Chourmo... On peut aussi lire le roman de Jean-Claude Izzo, *Chourmo* (Série Noire, Gallimard, 1996).

– **Collègue :** ami, pas forcément une relation de travail. « Nico, c'est vraiment mon meilleur collègue... »

– **Cousin :** interpellation familière. Si l'on entend beaucoup des « oh cousin ! » à Marseille, ce n'est nullement en raison de la consanguinité locale, mais tout simplement parce que « cousin » est une façon d'appeler familièrement quelqu'un. Ça marche aussi avec cousine : dans la chanson d'IAM « Je danse le mia », si elle ne vient pas, elle se fait exploser !

– *Dégun :* personne ; « à Marseille, on craint dégun ! ». Les Marseillais disent tellement souvent « y'a dégun » ou « y'avait dégun » que les *estrangers* sont persuadés qu'il s'agit de la personnalité la plus célèbre de la ville : on croit que « dégun » est partout ! À lire, l'excellent roman *La Faute à Dégun* de François Thomazeau.

– *Empéguer (s') :* coller, mais par extension s'enivrer (variante : se niasquer). On peut *s'empéguer avec du jaune, s'empéguer une arapède au comptoir* toute la soirée et ne plus pouvoir *s'en dépéguer* (décoller), et *s'empéguer un arbre* au retour..., ce qui n'est pas très malin. L'adjectif *pégueux*, parfois prononcé à la provençale « pégous », renvoie à tout ce qui est collant : « Va te laver les mains qu'elles sont toutes pégueuses ! »

– *Encatané :* approximativement « enfoiré ». Fréquemment utilisé au volant.

– *Engàmbi :* problème, embrouille, pépin : « Il m'est arrivé une drôle d'engàmbi ! » Insister sur la deuxième syllabe pour une prononciation correcte. On dit un ou une *engàmbi*, le genre est hésitant.

– *Engatse :* synonyme de *engàmbi*, bien que certains y voient des nuances. Il s'agit d'un gros problème, des « emmerdements ». À lire, le polar *Trois jours d'engatse* de Philippe Carrese (Fleuve Noir, 1995).

– *Engatser (s') :* le verbe s'engatser a plusieurs sens, mais il veut d'abord dire « s'énerver » : « Je me suis engatsé avec Dédou, je lui parle plus. »

– *Ensuqué :* assommé, mais aussi avec le sens péjoratif de « endormi » : si vous tardez à démarrer au feu vert, on vous dira « eh avance, ensuqué ! ».

– *Escagasser :* assommer (sens propre ou figuré), frapper.

– *Estranger :* « étranger »... à la ville ! Vaste catégorie qui comprend au mieux les habitants du nord de Valence, au pire les résidents du nord de Gardanne... surtout les Aixois.

– *Estrasse :* vieux chiffons, loques, mais peut aussi s'appliquer aux personnes : « C'est une estrasse ce mec, il se lave jamais ou quoi ? »

– *Fada :* fou, « ti'es pas un peu fada toi ?! ». Le *fada* est aussi un passionné : « je suis fada du *Guide du routard*. » Variantes : *fadòli, fadade* (féminin). À écouter, les albums *Fou mais pas fada* de Quartiers Nord et *Commando Fada* de Massilia Sound System. Lire aussi *La Cité du fada* de Ridha Aati et Nordine Zoghdani (L'Écailler du Sud, 2000), roman sur les quartiers Nord de Marseille.

– *Fan ! :* diminutif d'enfant en provençal, cette interjection qui marque la surprise s'emploie seule ou accompagnée de compléments : *fan des pieds !, fan de chichourlo !, fan de putain !,* etc. « Oh fan des pieds ! Qu'il est long à se préparer celui-là ! »

– *Fatche de ! :* juron d'origine italienne (« face de... ») marquant la surprise et l'agacement, qui s'emploie seul ou accompagné : *fatche de con ! fatche d'enti !...* « L'OM a encore a perdu ? Oh fatche de ! »

– *Figure :* insulte, équivalent à « tête de con », « abruti » ou « fanfaron ». Plus clair lorsque l'expression est accompagnée de qualificatifs : « figure de poulpe ».

– *Gabian :* mouette. On dit que les gabians du Vieux-Port ont l'accent marseillais ! À vous de juger !

– *Languir (se) :* attendre avec impatience. « Je me languis que tu reviennes » ; « Demain l'OM joue contre le PSG, je languis. »

– *Mains de pàti :* maladroit, appliqué à quelqu'un qui touche à tout et qui casse ou fait tomber tout ce qu'il touche. Variante : *mains de plâtre*.

– *Manquer (se) :* commettre un impair, être maladroit ou malpoli avec quelqu'un. Élie Kakou disait : « Ne te manque pas, parce que si tu te manques, nous, on te manquera pas ! »

– *Marquer mal :* se faire remarquer, être ridicule. Un marque mal est quelqu'un de ridicule : « Oh ! marque mal que tu es avec tes mocassins à pompons ! »

– *Méchant :* très bien. « J'ai acheté un méchant disque d'IAM. »

– **Mèfi :** mise en garde impérative pour « méfie-toi ! ».

– **Mia :** frimeur. Terme rendu célèbre par la chanson d'IAM « Je danse le mia », qui évoquait l'ambiance des boîtes de nuit marseillaises des années 1980.

– **Minot :** enfant.

– **Moulon :** tas. « Range tes affaires qui sont en moulon. » Peut s'employer comme adverbe : « Y'avait un moulon de monde au *Bar de La Plaine*. »

– **Mourre :** visage. S'emploie dans l'expression *ne fais pas le mourre !*, « ne fais pas la gueule ! ».

– **Nine :** petite fille. Le terme est aussi employé par les marchandes pour *aganter* les clientes (« Allez ma nine ! »). Très affectif, on le renforce avec un possessif et des diminutifs (ma *ninette,* ma *ninoulette*).

– **Oaï :** pagaille (« range un peu ta chambre que c'est le oaï »), désordre festif (« on a mis le oaï hier soir au stade ! »). D'origine napolitaine, le mot a été largement diffusé grâce à la chanson de Massilia Sound System qui disait : « On met le oaï partout ! » Le mot est devenu le symbole de l'enthousiasme marseillais.

– **Pacoulin :** terme péjoratif qui désigne les *estrangers* du dedans, les résidents non urbains des zones rurales de l'agglomération marseillaise ou, plus simplement, les ringards venus de la campagne, la *pacoule*.

– **Pastis :** apéritif anisé aussi appelé jaune ou fly. Variantes : mauresque (avec orgeat), tomate (avec grenadine) ou perroquet (avec menthe). En provençal, le mot a un sens de mélange, que l'on retrouve encore dans l'expression : « Dans quel pastis je me suis mis ! »

– **Pébron :** poivron. Mais désigne surtout quelqu'un de ringard, de nul.

– **Piter :** mordre à l'hameçon pour un poisson. Au sens figuré, les naïfs « pitent » à tout ce qu'on leur raconte. À l'apéritif, on « pite » les cacahuètes et les *kemias*.

– **Peuchère :** expression qui marque l'apitoiement sur le sort de quelqu'un, avec un réel sentiment de commisération.

– **Ràspi :** avare, radin : « 'Tain qué *ràspi,* tu pourrais payer la tienne ! »

– **Santons :** si vous venez à Marseille pendant les fêtes de Noël, il faut connaître les mots liés à la crèche et aux santons (du provençal *santoun,* « petit saint ») : il y a ainsi l'ange Boufarèu, qui souffle dans une trompette mais par métaphore, l'expression désigne plaisamment un individu bien joufflu. On trouve aussi les tambourinaïres, le *Boumian* (bohémien) ou le « ravi de la crèche » qui désigne aussi par moquerie un individu naïf et étonné.

– **Sgoumfi :** spleen marseillais, sentiment d'angoisse et de vague à l'âme. Mot rare rendu célèbre par le romancier François Thomazeau dans *Qui a tué Monsieur Cul ?* Exemple : « Des fois, quand je regarde le large, il me vient un de ces *sgoumfis...* »

– **Straou :** trou. « Je me suis fait un straou à mon survêt en jouant au ballon. »

– **Tafanàri :** généralement employé pour désigner les gros derrières, le *tafanàri* peut malgré tout désigner toutes sortes de paires de fesses... On peut entendre dire d'une fille qu'elle a un *tafanàri* gros comme la porte d'Aix...

– **Tè :** tiens !

– **Vé :** regarde !

– **Vier :** sexe de l'homme. Fréquemment utilisé dans l'interjection de colère : « Eh mon vier ! ». Existent aussi des variantes très poétiques comme *vier d'âne, vier d'ours* ou *vier marin*.

– **Y'a rien là ? :** expression à multiples sens. Elle est surtout utilisée pour forcer l'admiration autour de soi mais toujours avec humour. Par exemple, en jouant à la pétanque, vous réussissez un superbe carreau, vous pouvez dire à vos amis : « Y'a rien là ? » Ou alors, vous étrennez une nouvelle chemise et vous dites : « Y'a rien là?... »

Le provençal de Marseille

Pour les Provençaux, le provençal n'est pas un dialecte de l'occitan, mais bien une langue à part entière qu'ils érigent volontiers en symbole de leur identité culturelle. Comme Marseille se singularise sur tous les points, elle possède aussi sa forme spécifique de provençal, que l'on appelle le provençal marseillais *(lou prouvençau marsihès)*. Cette variété se distingue par quelques traits de prononciation et surtout une graphie plus phonétique et moins rigide que la norme codifiée par Frédéric Mistral. On la qualifie de plus « savoureuse », plus « rude » et plus « mâle » ; certains l'ont même stigmatisée comme simple « patois » en regard de la « langue » littéraire promue par Mistral et le Félibrige.

Ce provençal a pourtant eu sa propre littérature avec une grande figure du XIXe siècle, l'incontournable poète et chansonnier marseillais **Victor Gelu** (1803-1855), qui a sa stèle sur le Vieux-Port. Certains refrains de ses *Chansons marseillaises* (1856) comme *Fenian é grouman* (« Fainéant et gourmand »), écrites dans le provençal populaire de l'époque, sont encore sur les lèvres des vieux Marseillais. C'est en provençal de Marseille que furent écrites les poésies de **Pierre Bellot** (1783-1859) dont *Lou poueto cassaire* (« Le poète chasseur »), la chanson *Lou cabanoun* d'**Étienne Bibal** (1808-1854) que d'aucuns fredonnent encore sur le chemin du cabanon, ou la série des *Chichois* de **Gustave Bénédit** (1802-1870) qui racontent les mésaventures comiques d'un petit voyou *(nervi)* de La Plaine. Le provençal marseillais a également vu la naissance d'œuvres plus graves comme le roman *Nouvè Grané* de Gelu ou le roman « social » et « réaliste » *Bagatouni* (1894) de **Valère Bernard** (1860-1936), qui décrit la misère des vieux quartiers marseillais dans une langue populaire et crue.

Une immense valeur affective

Loin d'être une langue morte, *le provençal est très présent* à Marseille. Beaucoup vous diront ne pas le parler (par timidité ou par honte), mais en réalité, ils sont plus nombreux que ce que l'on croit à connaître le provençal. En tout cas, ils sont un *moulon* à le comprendre et les Marseillais adorent écouter les émissions en provençal de France 3, ne serait-ce que pour le fond sonore agréable qu'elles leur procurent ! On retrouve aussi le provençal au détour des phrases, dans le parler quotidien et dans les expressions qui émaillent les conversations (voir le lexique).

Les plus anciens, eux, aiment à se rappeler les mots de leur enfance. Le provençal est chargé d'une immense valeur affective, comme dans ses douces appellations pour les enfants : *ma nine, mon gàrri, ma quique,* etc. N'hésitez pas à engager une conversation sur le parler local : les Marseillais en sont friands, et ils vous apprendront plein de choses !

Le provençal est très dynamique dans les chansons des groupes locaux, comme Massilia Sound System. Leurs chansons, pour moitié en français et pour moitié en provençal (en « occitan » comme ils disent), ont pour titre « Lo oaï », « Reggae Fadoli », « Tafanari », « Chourmo », « Commando Fada », « M'en foti », « Mèfi ! » : autant de références à des expressions quotidiennement employées par les Marseillais.

À Marseille et autour de la ville gravitent des dizaines d'associations et groupes folkloriques qui défendent la culture provençale non seulement à travers la langue, mais aussi en développant chants, danses et pratiques culinaires : *L'Escolo de la Mar* (l'École de la Mer), *La Couqueto,* etc. On peut les trouver rassemblés à l'occasion des fêtes de Noël, lors de l'inauguration de la **Foire aux santons,** après une messe dite en provençal en l'église des Réformés.

À cette même période de Noël se jouent dans toute la Provence des *pastorales,* des pièces de théâtre en provençal et en chansons relatant, de manière tendre et comique, la naissance du Christ... en Provence bien sûr !

La plus célèbre et la plus jouée reste la *pastorale Maurel,* du nom de son auteur, qui l'a créée à la rue Nau (où elle se joue encore)... en 1842 ! Beaucoup de Marseillais connaissent les répliques par cœur, et même ceux qui ne parlent pas provençal y vont volontiers (on comprend l'essentiel et on rit devant les facéties des personnages).

Il existe aussi tout un réseau de militants occitanistes dont la convivialité ressemble au quartier de La Plaine dans lequel on peut les rencontrer : au comptoir du *Bar de La Plaine* (place Jean-Jaurès), à un concert de l'Intermédiaire (place Jean-Jaurès), ou dans les murs de leur centre culturel, *L'Ostau dau païs marselhés* (« La Maison du pays marseillais », 5, rue des Trois-Mages), un lieu convivial où sont donnés cours de langue et chant, entre débats littéraires et rencontres musicales. N'hésitez pas à aller aborder ces passionnés, ils vous montreront que l'on peut parler de l'OM en provençal tout en buvant une bonne bière !

LIVRES DE ROUTE

– *Marseille, porte du Sud,* d'Albert Londres (Jeanne Laffitte, 1999). En 1926, le grand reporter s'installe sur le port. Au fil des rues, il rencontre les marins, les aventuriers, les immigrés, tous sur le départ ou sur l'arrivée, tous prêts à s'embarquer pour le Sud. À travers ces récits, c'est l'histoire de l'empire colonial qui se dessine...

– **Les œuvres de Marcel Pagnol** (éd. De Fallois, poche) *: La Gloire de mon père, Le Château de ma mère, La Femme du boulanger* et le cycle *L'Eau des collines (Jean de Florette, Manon des Sources)...* autant d'incontournables écrits par cet enfant d'Aubagne.

– *Gens de Provence* (Presses de la Cité, Omnibus, 1997). Ouvrage collectif de Paul Arène, Frédéric Mistral, Jean Aicard, Joseph d'Arbaud, Jean Giono et Thyde Monnier, qui incarnent avec des bonheurs différents l'esprit de la Provence, sa diversité géographique et humaine.

– *Marseille ou la mauvaise réputation,* d'Olivier Boura (Arléa, 2001, poche). L'auteur se propose dans ce livre de rechercher les racines de la mauvaise réputation de Marseille. Évoquant l'histoire de la cité, ainsi que sa mémoire littéraire et cinématographique, sans oublier sa culture populaire, l'essai se présente comme une succession de chapitres à caractère historique, anecdotique et parfois polémique.

– *Dictionnaire historique des rues de Marseille,* d'Adrien Blès (Jeanne Laffitte, 2001). Paru en 1990, cet ouvrage a été réédité, augmenté de toutes les rues nouvellement baptisées jusqu'en 2000 et agrémenté d'une iconographie soignée, elle aussi d'une grande valeur documentaire. Un monument fiable et sans égal de la mémoire de Marseille.

– *Marseille année 40,* de Mary-Jane Gold (Phébus, 2001). Les mémoires d'une jeune Américaine engagée dans la Résistance aux côtés du célèbre Varian Fry, l'homme qui réussit à tirer des griffes de Hitler la fine fleur de l'intelligentsia européenne. Une plongée inattendue dans la Marseille interlope de la guerre et un portrait de femme amoureuse (de l'amour, mais plus encore de la liberté). Préface d'Edmonde Charles-Roux.

– *À la grâce de Marseille,* de James Welch (Albin Michel, 2001, et collection de poche 10-18, 2003). Inspiré d'un fait historique, ce roman, gros succès de l'année 2001, raconte l'histoire d'un Sioux qui franchit l'immense distance géographique et culturelle séparant la vie tribale dans le Dakota du Sud de celle dans les rues de Marseille. Enfant, Charging Elk a été témoin du massacre des siens. Après des années d'errance, il est recruté par Buffalo Bill pour son Wild West Show.

– *Total Khéops, Chourmo, Soléa,* de Jean-Claude Izzo (Gallimard, Série Noire, 2002). La trilogie mythique de cet auteur parti trop tôt et qui, derrière une histoire policière tragique et bien ficelée, nous décrit le vrai Marseille des petites rues et surtout la beauté inépuisable des calanques.

– **Les polars de L'Écailler du Sud,** cette petite maison d'édition marseillaise, qui s'est spécialisée dans le polar humoristique de sensibilité sudiste, s'enrichit chaque année de nouveaux auteurs. À citer, pour les plus connus, Serge Scotto *(Alerte à la vache folle),* François Thomazeau *(Bonne mère)* et René Merle *(Opération Barberousse).*

– **La cuisinière provençale,** de J.-B. Reboul (P. Tacussel Éditeur, 1989). « Le Reboul », constamment réédité depuis 1897, est apprécié des amateurs de vraie cuisine au point d'être considéré, par les grands chefs et les bonnes ménagères du Midi, comme la Bible culinaire. L'ouvrage aborde le nouveau millénaire pour transmettre aux futures générations un savoir-faire plus que centenaire qui met en valeur toutes les saveurs de la cuisine provençale.

– **Quand nos grands-mères cuisinaient en Provence,** de Frédérique Féraud-Espérandieu (éd. Équinoxe, collection Carrés gourmands, 2003). L'auteur propose à ses enfants, amis, ainsi qu'aux amoureux de la gastronomie, de découvrir dans cet ouvrage quelques règles d'or de la cuisine provençale et des recettes présentées de manière originale. Les unes sont nouvelles, d'autres traditionnelles et certaines reproduites avec une petite touche de modernité. Illustrations à l'ancienne de Cécile Colombo.

– **Les aventures de Leo Loden** (Soleil Productions, 1999), *Grillade provençale, Terminus Canebière, Adieu ma Joliette...* ou Marseille vue et imaginée par deux éternels enfants, Arleston (scénario) et Carrere (illustrations). Une série de bandes dessinées au succès retentissant.

Sur le langage marseillais

Pour parfaire votre marseillais, vous n'avez que l'embarras du choix : « le Bouvier », l'ouvrage pionnier et le plus célèbre (Robert Bouvier, **Le parler marseillais,** Jeanne Laffitte, 1985) ; **Les càcous** de Jean Jaque, plus « gras » et plus ludique (Aubéron, 1997) ; le **Dico marseillais** par deux universitaires, plus « branché » (Jeanne Laffitte, 1998). Le travail plus sérieux mais très drôle aussi de Philippe Blanchet : **Zou boulégan !** (Bonneton, 2000).

MARSEILLE ET LA LITTÉRATURE

Comme l'indiquait le titre d'un ouvrage de Maurice Ricord, Marseille est bien une cité littéraire, même si on l'a souvent considérée comme une « ville de marchands et d'épiciers où la vie de l'intelligence est parfaitement inconnue » (George Sand). Marseille a eu ses auteurs locaux qui écrivaient dans le provençal de Marseille : **Victor Gelu, Pierre Bellot, Gustave Bénédit, Valère Bernard** et des dizaines d'autres moins connus. La ville a aussi donné de nombreux grands écrivains ou poètes de la langue française : on connaît **Marcel Pagnol** (bien qu'il soit né à Aubagne), mais on rappellera qu'**Edmond Rostand** et **Antonin Artaud** sont des minots du coin, tout comme le romancier contemporain **Patrick Cauvin.** Marseille est aussi la mère d'**André Suarès** qui dressera d'elle un portrait féroce dans son *Marsiho* de 1931 ; il y écrira notamment : « La pensée est la dernière denrée qui puisse trouver preneur entre la Major, la Palud et la Canebière... »

Marseille vu par les écrivains

Mais le plus intéressant reste le traitement de l'image de Marseille dans la littérature française. Peu à peu, l'écriture littéraire nationale finit par l'emporter sur une littérature locale encore très vivante au XIXe siècle : c'est ainsi qu'émerge et se solidifie le stéréotype du Marseillais.

L'essor de Marseille au XIXᵉ siècle, largement dû aux effets conjugués de l'industrialisation et de la colonisation sur l'économie locale, a contribué à la multiplication des discours sur la ville. Les récits de voyages et surtout les écrits des romantiques ont marqué l'entrée de la ville dans la littérature française. Ces écrivains (**Chateaubriand, Stendhal, Lamartine, Sand, Nerval, Dumas** avec son *Comte de Monte-Cristo,* et bien d'autres), de passage à Marseille avant leur voyage initiatique vers l'Italie ou l'Orient, trouvaient dans la ville une certaine singularité qui préfigurait déjà ce qu'ils pensaient trouver ailleurs : la ville est une curiosité « exotique » pour eux. La description du Vieux-Port va ainsi devenir un véritable *topos* littéraire au cours du XIXᵉ siècle : on évoquera l'intense activité du port, le manège des navires, le va-et-vient des portefaix sur les quais, l'enchevêtrement des couleurs de peaux et des langues qui feront de la ville une Babel moderne. Côté marseillais, deux poètes célébreront le port et l'imaginaire qui lui est lié : **Émile Sicard,** qui a merveilleusement su narrer la légende de la fondation de Marseille et décrit le Vieux-Port dans un recueil du même nom, mais surtout le poète **Louis Brauquier,** inspirateur du Marius de Pagnol, puis d'Izzo, et dont les superbes textes ont été recueillis dans un volume, *Je connais des îles lointaines* (La Table Ronde, 1994), à lire sur toutes les mers du globe !

Les Cahiers du Sud et les surréalistes

Des années 1930, on a surtout retenu l'œuvre de Pagnol. Mais on ne doit pas oublier que celui-ci contribua bien avant à la naissance d'une grande revue littéraire marseillaise : d'abord appelée *Fortunio* en 1913, elle sera connue sous le nom des *Cahiers du Sud* et devra beaucoup au travail de **Jean Ballard.** La revue publiera entre autres des textes d'auteurs comme Benjamin Péret, Joe Bousquet, Jean-Paul Sartre, Simone Weil... Cette effervescence culturelle s'amplifia même pendant la Seconde Guerre mondiale lorsque des dizaines d'intellectuels français et européens, fuyant le nazisme, se retrouvèrent à Marseille en attente d'un visa pour l'Amérique : **Breton, Ernst, Tzara, Char** et des dizaines d'autres trouvèrent en Marseille un havre pour poursuivre leur œuvre. C'est à cette période que fut créé le Tarot de Marseille des surréalistes.

Un lieu d'inspiration

Marseille a attiré la plume de dizaines d'écrivains, francophones ou non. La ville est présente chez **Camus, Cendrars** *(L'Homme foudroyé),* **Albert Cohen** (qui vécut ici), **Le Clézio, Van Cauwelaert, Ben Jelloun,** mais aussi chez **Hemingway, Joseph Conrad** *(La Flèche d'or),* **Koestler,** etc. Aucun intellectuel de passage n'est resté insensible à la ville, et tous ont au moins écrit quelques notes, féroces ou élogieuses, à son sujet.
Marseille a aussi produit des romanciers « classiques », comme le célèbre **Patrick Cauvin** *(Rue des Bons-Enfants,* mais aussi *E = MC² mon amour)* ou le moins connu **André Remacle,** auteur d'un roman poétique et envoûtant, *La Calanque de Maldormé.* Enfin, les pitchouns n'ont pas été oubliés avec une spécialiste du genre, **Nicole Ciravégna,** et sa série des *Chichois,* où un petit Marseillais découvre le monde... et le parler marseillais.

Une ville faite pour le roman policier

La ville semble bien se prêter au genre policier : c'est tout de même ici que se déroulait le premier **San Antonio** *(Réglez-lui son compte,* 1949) ! Les années 1990 ont été marquées par une production littéraire effrénée, dont beaucoup de polars : on a parlé de l'école du « polar aïoli », même si les écrivains refusent cette étiquette. Si **Jean-Claude Izzo** (à travers sa trilogie *Total Khéops, Chourmo* et *Solea,* adaptée au cinéma et pour la télévision) apparaît comme le plus célèbre, il n'est pas le « père » des « autres » écrivains comme on l'entend parfois. Les *Philippe Carrese, François Thomazeau, Gilles Del Pappas* et leurs confrères de plume ont des styles et des personnalités bien à eux. Le point commun de toutes ces œuvres demeure l'attrait qu'exerce la ville qui, plus qu'un décor, apparaît souvent comme l'actrice principale. Les romans marseillais contemporains sont marqués par un ancrage très fort dans Marseille et ses quartiers. Chaque roman peut se lire comme un petit guide subjectif à travers la cité, et ils regorgent tous de petits détails qui en disent long sur les mœurs des Marseillais ; lisez par exemple le roman collectif écrit par une dizaine d'auteurs *13, passage Gachimpega* (éd. du Ricochet, 1998). Certains auteurs vous fournissent même, au détour des pérégrinations de leurs héros, les adresses des meilleures tables de Marseille : c'est le cas d'Izzo et de Del Pappas, ce dernier n'hésitant pas à donner les recettes !

Les romans jouent aussi sur l'utilisation d'un style humoristique (souvent noir d'ailleurs) et l'emploi du parler marseillais dans les dialogues ou dans les récits. Plusieurs d'entre eux sont même accompagnés de lexiques. Ce parler marseillais se retrouve jusque dans les titres : *Chourmo* (Izzo), *Trois jours d'engatse, Le Bal des cagoles* (Carrese), *La Faute à Dégun* (Thomazeau), *Les Chapacans* (Courbou), *Le Jobi du Racati* (Del Pappas), *Méfi !* (Aniorte-Paz).

Marseille a vu naître récemment une maison d'édition, *L'Écailler du Sud,* un clin d'œil facétieux aux Cahiers du Sud de Jean Ballard. Au départ éditeur de polars marseillais, L'Écailler du Sud a rapidement enrichi et diversifié son catalogue pour devenir « éditeur marseillais de polars », prouvant ainsi le dynamisme culturel de la ville au-delà de l'utilisation du langage et des clichés.

Pour en savoir plus

– *Les Écrivains et Marseille, anthologie* (Jeanne Laffitte, 1997) par Julie Agostini et Yannick Forno. Une anthologie très bien faite.

MÉDIAS

– *France Bleu Provence :* 103.6 FM, radio n° 1 à Marseille (musique, chroniques sur la culture locale, informations régionales, trafic automobile, etc.). *Radio Grenouille* (88.8 FM) est la radio de Système Friche Théâtre.
– *La Provence :* ce quotidien est une institution à Marseille.
– *La Marseillaise :* le quotidien du Parti communiste dans les Bouches-du-Rhône.
– *Marseille L'Hebdo :* hebdo généraliste, avec guide de sorties et suggestion de balades. Paraît le mercredi.
– *Le Pavé :* journal plus « politique ».
– *Marseille :* revue culturelle trimestrielle de très grande qualité.
– *Rive Sud :* magazine consacré à la vie culturelle et artistique de la ville.

MERVEILLES DE GUEULE

Depuis quelques années, certains journalistes écrivent que « les cuisines régionales redeviennent à la mode ». Ici, cela n'a jamais cessé d'être. Simples et généreuses, les recettes marseillaises figurent parmi les plus variées et les plus parfumées de France. Elles aiment les produits frais et les herbes de Provence, leurs meilleurs complices en terme de saveur.
– *La bouillabaisse :* à Marseille, on a coutume de dire que les poissons vivent dans l'eau et meurent dans l'huile d'olive. Une règle appliquée à la lettre pour la fameuse bouillabaisse. Le mot vient du provençal « boui-abaisso » : *ça bout et on abaisse le feu.* Quand on songe que ce plat était à l'origine celui des pêcheurs, fait à partir de poissons trop petits ou abîmés pour être vendus, et qu'il fait l'objet aujourd'hui d'une charte de qualité... Sachez que, comme le

dit la chanson : « Pour faire une bonne bouillabaisse, il faut se lever de bon matin. » Et, si possible, commander à l'avance les poissons de roche qui entreront dans sa composition. Plusieurs variétés sont en effet nécessaires qui, une fois bouillis et roussis à l'huile d'olive, seront servis entiers avec une rouille, des pommes de terre et des tranches de pain grillé. Et si cette recette connaît, le long du littoral, de très nombreuses variantes (avec des seiches à Martigues), la plus renommée reste celle de Marseille.

– **Les pieds et paquets :** ou pieds-paquets comme on dit dans le vocabulaire populaire. Autre plat typiquement marseillais. Il s'agit de petits carrés de panse de mouton (ou d'agneau) minutieusement roulés en paquets et farcis de petit salé, ail et persil. Accompagnés de pieds de mouton (ou d'agneau), ils mijotent très longuement avec du vin blanc et plus ou moins de tomates, selon les recettes familiales. La tradition dit que plus les paquets sont petits, meilleure est la cuisinière, tant ce travail est délicat. Pour la petite histoire, sachez que c'est un cuisinier du quartier de la Pomme, *Ginouvès,* qui élabora cette recette au XIXe siècle : s'inspirant de la panse de mouton farcie que l'on préparait en Écosse et des fameuses tripes à la mode de Caen faites à partir de bœuf, il s'aperçut que les abats d'agneau étaient beaucoup plus fins et décida de les accompagner de pieds de mouton. Une association, La Charte des pieds et paquets marseillais, a même été créée, en 1993, par des restaurateurs et personnalités de cette ville, comme un gage très sérieux de qualité.

– **L'aïoli :** toujours et encore une affaire de Marseillais. C'est une sorte de mayonnaise à l'ail finement pilé avec de l'huile d'olive, accompagnée de morue et de légumes de saison bouillis (carottes, pommes de terre...). L'aïoli se déguste, en été, dans les fêtes de villages (où il fait l'objet de vrais concours), mais aussi pour certaines fêtes religieuses (le Vendredi saint à Marseille, le Mardi gras à Grans). Plus simplement, il s'apprécie dans les cabanons marseillais et bastidons aixois. Une seule règle d'or, pour éviter certains désagréments : de la mesure, une gousse par personne suffisant amplement (dans le cas contraire, sucer un grain de café pour se débarrasser d'un goût trop prononcé...).

– **L'anchoïade :** réalisée à partir d'anchois écrasés que l'on fait fondre dans l'huile d'olive, plus légère que l'aïoli, elle accompagne toutes sortes de crudités.

– **La soupe au pistou :** pour les longues soirées d'été, rien de tel qu'une bonne soupe au pistou, faite de légumes et agrémentée d'une pommade à base de basilic et d'ail pilés, ainsi que d'huile d'olive.

– **Les pizze de Marseille :** enfin, témoignant de la diversité de ses cultures, la cuisine marseillaise s'enrichit, au fil des ans, de recettes hétéroclites et succulentes. C'est ici que vous dégusterez la meilleure pizze (le « a » ne se prononce pas) de votre vie, dotée, si elle est cuite au feu de bois, d'une saveur incomparable. De même, les différents chiches-kebabs, keuftés, couscous, tajines et autres pâtisseries orientales. Sans oublier la fameuse *kémia,* servie à l'heure de l'apéro, qui connaît une variante hispanisante sous la forme des tapas, assortiments de petites entrées (pois-chiches, anchois, olives pimentées, poivrons marinés...) servies sur un plateau.

Les gourmandises

Voir plus haut la rubrique « Achats ».

La cuisine des cabanons

On ne peut pas chercher à comprendre et aimer Marseille si on ne comprend pas ses cabanons « pas plus grands qu'un mouchoir de poche », comme dit la chanson ! Ici, de génération en génération, on a cultivé l'art de ne rien faire, entre parties de boules et bains de mer, apéro et bouillabaisse. C'est la vie de village qui continue, on s'invite, on joue aux cartes, on connaît tout de l'autre, ses peines, ses joies, ses bonnes histoires... *marseillaises.* La nuit apporte des odeurs d'aïoli, de sardinade, de soupe de poisson.

Rien ne vaut des pieds-paquets avalés sur un coin de bar, une soupe au pistou servie à l'ombre d'un pin, l'aïoli qu'on digère en terrasse, l'oursinade qui se moque des dates limites de pêche... Des plats simples et goûteux, comme disent les critiques, que l'on mange plus qu'on les déguste, dans d'anciennes cabanes de pêcheurs, ou dans des rades incroyables.

Des plats de pauvres, qui n'arrivaient que rarement sur la table des bastides ou des belles maisons d'armateurs, comme la fameuse bouillabaisse bien sûr.

MUSIQUE : DE LA MARSEILLAISE... À MASSILIA SOUND SYSTEM

Marseille n'a pas attendu le rap des années 1990 pour émerger sur la scène musicale française : elle est depuis longtemps une ville de chansons. Dès le XIXe siècle, les Marseillais étaient réputés pour leur amour de l'art lyrique. On a même dit que jusqu'au plus simple ouvrier, tous les Marseillais connaissaient par cœur des airs d'opéra. Même si cette assertion, due à l'éternel Méry, est un cliché de plus, on sait que beaucoup de Marseillais se passionnaient effectivement pour les spectacles et leurs interprètes.

Les airs entendus dans les revues ou opérettes dites « marseillaises » dans les années 1930 (avec de nombreuses versions cinéma) ont largement contribué à faire chanter toute la France, mais aussi à diffuser l'image ambiguë d'une ville légère et ensoleillée, pleine de Marseillais blagueurs et fanfarons ne pensant qu'à draguer, à faire la sieste, ou à boire du pastis.

Les années 1970-1980

Un tournant notable s'est produit à la fin des années 1980 avec l'apparition de groupes musicaux délaissant la variété et le café-concert, qui avaient fait le succès des chansonniers locaux, pour se lancer dans l'aventure plus rythmée du rock : on doit au groupe Leda Atomica la rude chanson « Marseille, bouche de vieille ». Toutefois, ces artistes n'ont jamais définitivement rompu avec les stéréotypes marseillais qui constituent toujours la référence culturelle populaire. Dès le milieu des années 1970, le mythique groupe Quartiers Nord tente non seulement de faire du rock en français (pari déjà osé pour l'époque), mais décide en plus de chanter du rock... en « marseillais » ! Cela donne des albums comme *Fous, mais pas fadas* ou *Basilic Instinct* et des chansons « ultra-marseillaises » comme « Engatse sur le 31 », « La Nuit des chiapacans », « Enraguer à l'Estaque » ou « Elle vendait des panisses ». Plus récemment, le groupe a créé une extraordinaire « opérette-rock marseillaise » : *2001, l'Odyssée de l'Estaque.* Cette « saga estaquéenne » à *s'estrasser de rire* résume l'esprit Quartiers Nord : du rock aux rythmes puissants, de l'auto-parodie marseillaise à travers des scènes cocasses (la pêche du roi des Muges au large de Saumaty), le tout servi par un « parler gras » très marseillais et très... direct !

Le reggae marseillais

Une place de choix doit être réservée à celui que l'on nomme l'inventeur du « reggae marseillais » ou du *rub-a-dub phocéen,* Jo Corbeau, un chanteur d'origine arménienne, auteur d'hymnes au savon de Marseille, à l'aïoli et bien sûr à l'OM. C'est en partie de cette filiation que naîtra Massilia Sound System, passé maître en la matière des chansons en provençal, en français ou en parler marseillais, et auteur déjà d'une demi-douzaine d'albums aux noms évocateurs : *Parla patois, Chourmo !, Commando Fada, Aïollywood* ou *3968CR13.* Ce groupe de raggamuffin, le plus connu après IAM, décline non seulement le folklore marseillais moderne (l'aïoli, le pastis, l'OM, les *cagoles,* la « fumette »), mais il intègre aussi toutes les questions sociales de la ville, qu'il s'agisse de l'immigration, du chômage ou de la vie des quartiers. Surtout, ne ratez pas un concert de MSS (les distributions de pastis y sont rituelles !) ou les animations que le groupe donne parfois dans le quartier de La Plaine (là aussi, « pastissades, sardinades et tchatchades » à volonté !).

Le mouvement occitan

Le mouvement occitan, très présent à Marseille dans la chanson, a récemment vu émerger des groupes comme Gacha Empega *(Polyphonies marseillaises)* ou Dupain *(L'Usina),* qui allient des chants traditionnels en provençal à une musique moderne, très rythmée, parfois appuyée par l'électronique : c'est ce que les Dupain appellent la « tradinnovation ». Là aussi, n'hésitez pas à rôder du côté de La Plaine pour croiser les chanteurs de ces deux groupes, le tchatcheur Sam Karpiénia et l'extravagant Manu Théron.
Pour les amateurs de funk, signalons aussi le groupe Monsieur Brun qui, tout en se référant officiellement à James Brown, n'en continue pas moins de s'inspirer du folklore local avec des chansons comme « Mad in Marseille », « Cabanon aux Goudes » ou « M'engatse pas ».

Le rap marseillais

Côté rap, on connaît la saga IAM, groupe internationalement connu. Les initiales du groupe ont plusieurs sens : « je suis » (*I am* en anglais), Imperial Asiatic Men, Indépendantistes Autonomes Marseillais, mais aussi Invasion Arrivant de Mars. C'est en effet IAM qui a lancé le diminutif « Mars » pour désigner... la planète Marseille, comme le titre de leur premier album. D'ailleurs, de nombreux auto-stoppeurs des alentours se contentent désormais d'écrire « Mars » sur leur carton... et ça marche ! Beaucoup de Marseillais vous diront effectivement que « Marseille est une autre planète » ! Chacun des membres d'IAM a sorti son album solo, le meilleur demeurant sans doute le *Métèque et Mat* (1995) d'Akhénaton, suivi depuis peu par son *Sol invictus* (2001).
Mais il y a aussi la vague des « petits-frères » devenus grands comme la Fonky Family *(Si Dieu veut, Art de rue)* ou le 3e Œil, qui vendent des dizaines de milliers d'albums dans toute la France. Il existe bien une école, un label marseillais du rap, une « norme marseillaise » même, comme l'illustre une étiquette sur la compilation *Chroniques de Mars.*
– **À lire :** *Paroles et musiques à Marseille,* par Médéric Gasquet-Cyrus, G. Kosmicki et C. Van den Avenne (L'Harmattan, 1999). Une série d'études universitaires mais accessibles sur la musique marseillaise rock-rap-ragga.

PERSONNAGES

Les comédiens, les acteurs, les cinéastes

– **Robert Guédiguian** (né en 1953) **:** cinéaste social, né d'un père arménien et d'une mère allemande à l'Estaque, Guédiguian n'a jamais tourné ailleurs qu'à Marseille. Ses « petits films » faits avec de « petits moyens » sur de « petites gens » ont, étonnamment (et tant mieux !), rencontré le grand public à la sortie de *Marius et Jeannette* en 1997, puis de *Marie-Jo et ses deux amours* en 2001.
– **Paul Carpita** (1922) **:** ce vieux routier du 7e Art possède des admirateurs dans toute la France. Il a raconté la vie des Marseillais depuis les

années 1950, montrant particulièrement la vie des travailleurs du port dans *Le Rendez-vous des Quais*. Réalisé en 1953, ce film fut censuré pendant 35 ans. A réalisé des courts-métrages sobres et très différents de la tradition pagnolesque.

– **Fernandel** *(1903-1971)* : « Je suis laid, vindicatif et prétentieux, j'aime les cravates voyantes et les calembours, je gagne trop d'argent, je manque de goût, j'ai horreur de la lecture, je préfère Scotto à Beethoven, Dubout à Daumier, Létraz à Racine, j'ai un petit cerveau de bureaucrate dans un crâne de cheval »... Autoportrait sans concession (c'est rien de le dire !) de l'acteur d'origine marseillaise de son vrai nom Fernand Contandin, qui, dans une filmographie pléthorique (plus de 125 films), a alterné navets et chefs-d'œuvre sans se départir de son sourire d'anthologie.

– **Yves Montand** *(1921-1991)* : Ivo Livi est né à Monsumano en Toscane (Italie). En route pour les États-Unis, la famille Livi s'installa à Marseille, impasse des Mûriers (15e arrondissement) où Ivo passa son enfance. Très jeune, après avoir travaillé comme docker et connu le chômage, il se produisit comme artiste de music-hall dans les salles des quartiers Nord. Puis en 1939, il joua à l'*Alcazar*. C'est là que commença sa brillante carrière. Marié à Simone Signoret (1949), il joua dans près de 50 films et tourna avec Marylin Monroe en 1960. Artiste (à la fois chanteur et acteur) aux idées de gauche, très engagé, il s'opposa à l'URSS après les interventions de l'armée rouge en Hongrie et en Tchécoslovaquie. Jusqu'à la fin de sa vie, il n'a cessé de dénoncer les pratiques d'emprisonnement arbitraire en URSS et milita en faveur des Droits de l'homme aux côtés d'Amnesty International.

– **Henri Verneuil** *(1920-2002)* : de son vrai nom Achod Malakian, né à Rodosto (Turquie), il est le fils d'un immigré arménien. Il passa son enfance au 588, rue Paradis. Devenu journaliste, puis cinéaste, il produisit son premier film en 1947. Il engagea Fernandel, un autre Marseillais, en 1950 pour le tournage de *La Table aux Crevés*. Sa renommée devint vite internationale avec *Mélodie en sous-sol* (1963). Il travailla pour Hollywood en 1966 et 1967 puis revint en France, fort de son succès. Ses derniers films, *Mayrig* et *588, rue Paradis* racontent l'histoire de sa famille et son enfance à Marseille. Il est enterré à Marseille au cimetière Saint-Pierre.

Les artistes, les chanteurs, les musiciens

– **Marie-Claude Pietragalla** *(née en 1963)* : chorégraphe et ex-directrice du Ballet national de Marseille, cette « fée dansante » a adopté Marseille comme sa ville de cœur après avoir vécu à Paris, sa ville de raison, où elle était danseuse à l'Opéra de Paris. Elle a redonné un nouveau souffle à la vie culturelle marseillaise. ● www.pietragalla.com ●

– **IAM** : le groupe de rap français le plus connu (avec NTM) du grand public, pour un tube, *Le Mia*, qui cache une œuvre beaucoup plus riche, où des titres comme *L'Aimant* ou *Petit frère* décrivent une chronique sans concession d'une Marseille très loin de celle de Pagnol.

– **Maurice Béjart** *(né en 1927)* : né dans le quartier de La Plaine, au 127, rue Ferrari, d'un père philosophe (Gaston Berger) qui possédait une usine d'engrais chimiques. Ce Marseillais est devenu une des grandes figures de la danse française et de la chorégraphie moderne. Rénovateur du ballet contemporain, il travailla longtemps à Bruxelles avant de se fixer à Lausanne. Il s'est converti à l'islam.

– **César** *(1921-1999)* : le plus célèbre des sculpteurs contemporains français. Né César Baldiccini, dans le quartier de la Belle-de-Mai (au 71, rue Loubon) dans une famille d'immigrés italiens. Son père tenait un commerce de vins. Dès 1946, après un passage à Paris, il revient à Marseille où il soude des rebuts de ferraille, des tiges et des blocs de métal. Il trouve là son style. Il serait dommage de réduire son œuvre à sa partie la plus célèbre (et la plus incomprise du grand public), les fameuses « compressions ». Marseille possède trois de ses œuvres : les portes de la bibliothèque de la ville (rue du 141e-RIA), la pale d'hélice sur la corniche Kennedy et le pouce en bronze poli (6 m de hauteur, 6 t) sur l'avenue de Hambourg, près du musée d'Art contemporain.

– **Honoré Daumier** *(1808-1879) :* né à Marseille, place Saint-Martin, il a suivi son père, maître vitrier, parti tenter sa chance à Paris en 1816. Dommage pour les politiques et la bonne bourgeoisie sur lesquels ce caricaturiste incisif tirera plus tard à boulets rouges dans le *Charivari,* ancêtre de notre *Canard Enchaîné.* Copain de Corot et de Delacroix, il a aussi laissé quelques belles toiles qui ne lui ont pas apporté la gloire. Il est mort fauché et à moitié aveugle.

– **Vincent Scotto** *(1876-1952) :* on a tous eu un jour ou l'autre sur le bout des lèvres, l'une ou l'autre des increvables ritournelles de Scotto : *J'ai deux amours, Sous les ponts de Paris, Marinella.* Ce Marseillais d'origine et de cœur a aussi écrit des opérettes *(Un de la Canebière)* et la musique des films de Pagnol.

– **Élie Kakou** *(1960-2001) :* le fameux comique (mort trop jeune), devenu célèbre grâce à *Madame Sarfaty,* était originaire de Marseille.

Les écrivains

– **Marcel Pagnol** *(1895-1974) :* né à Aubagne, il passa son enfance dans les faubourgs de Marseille, dans les quartiers de La Barasse, puis de Saint-Loup, où son père était instituteur. Sa famille s'installa ensuite dans le quartier de La Plaine (au 52, rue Terrusse). Le petit Marcel fut élève au lycée Thiers où son meilleur camarade était **Albert Cohen** (prix Nobel de Littérature). Pagnol utilisa souvent le Vieux-Port de Marseille, qu'il adorait, comme décor dans ses films, ainsi que le quartier des Quatre-Saisons et le village de La Treille, où son père louait la Bastide Neuve (hameau des Bellons). Autre lieu « pagnolesque » important : le château de la Buzine (voir plus loin) dans le 11e arrondissement (futur musée Pagnol), où l'écrivain-cinéaste rêva d'installer son « Hollywood provençal ». Ses studios marseillais se trouvaient impasse des Peupliers puis au 11, rue Jean-Mermoz. Il y tourna les scènes d'intérieur de ses nombreux films, les extérieurs étant tournés dans les collines de Marseille (La Treille). Il repose au cimetière de La Treille.

– **Edmonde Charles-Roux** *(née en 1920) :* fille d'une famille de diplomates et d'industriels marseillais et avignonnais proches du félibrige (mouvement littéraire provençal). Infirmière, elle est affectée dans un corps d'ambulancières, puis nommée à l'état-major de l'armée du général de Lattre en 1944. Épouse de Gaston Defferre, présidente de l'académie Goncourt depuis mars 2002, c'est une grande dame des Lettres et une personne courageuse. Elle est la figure majeure de l'actualité littéraire marseillaise. Son œuvre comprend plusieurs romans marqués par sa jeunesse et son engagement dans la guerre : *Oublier Palerme,* prix Goncourt 1966, *Une enfance sicilienne,* 1981.

– **Jean-Claude Izzo** *(1945-2000) :* disparu trop tôt, il a écrit de superbes polars qui auront marqué la littérature policière française de la fin du XXe siècle. Sa trilogie marseillaise des temps modernes se poursuit avec des romans et quelques nouvelles. Une œuvre « à l'arrachée », pleine de colère et de tendresse. Izzo a su décrire, mieux que quiconque, le Marseille en mutation que vous découvrirez aujourd'hui.

– **Antonin Artaud** *(1896-1948) :* né à Marseille au 15, rue du Jardin-des-Plantes (aujourd'hui la rue des Trois-Frères-Carasso). Son père était employé aux docks de la Joliette. À 20 ans, il monta à Paris où il devint l'assistant de Louis Jouvet au théâtre Pigalle. Auteur, on lui doit : *Le Théâtre et son double* et *Van Gogh le suicidé.* Acteur, il joue dans *Jeanne d'Arc* et dans le *Napoléon* d'Abel Gance dans lequel il tient le rôle de Marat. De santé fragile, il fait de nombreux séjours dans des maisons de repos. A longtemps été classé parmi les artistes « écorchés-vif » et les « poètes maudits ».

– *André Suarès* *(1868-1948)* : né au 91, rue Saint-Jacques, d'une famille d'ascendance judéo-espagnole et bretonne. C'est dans sa ville natale, Marseille, au cours d'une nuit mystique en 1888 qu'il a trouvé sa voie : l'art à tout prix. Son œuvre (articles de revue, poèmes et portraits) reste aujourd'hui moins connue que celle de Gide, de Claudel ou de Valéry avec lesquels il entretenait une correspondance soutenue. Et pourtant Suarès est un grand des Lettres. *Le Voyage du Condottiere* est son chef-d'œuvre. Les routards pourront redécouvrir les superbes pages qu'il a consacrées à la Provence, à la Bretagne ou à l'Italie.

– *Edmond Rostand* *(1868-1918)* : né dans un immeuble bourgeois de style parisien, au 14, rue Edmond-Rostand, au sein d'une famille de négociants aisés. Si ses premiers poèmes ont fait un flop, il a connu une gloire immortelle avec *Cyrano de Bergerac* en 1897. D'autres pièces dont *L'Aiglon* avec Sarah Bernardt suivront.

– *Louis Brauquier* *(1900-1976)* : ce Marseillais était à la fois marin et écrivain, comme Joseph Conrad. Commissaire de la Marine marchande, il a bourlingué sur toutes les mers du monde, a vécu à Shanghai dans les années 1930, sans jamais oublier son port d'attache. A écrit *L'Au-delà de Suez*, *Eau Douce pour navires*, *Écrits à Shanghai*, *Le Bar de l'Escale*.

– Et aussi : *Marcel Brion* (1985-1984), *Saint-Pol Roux* (1861-1940), *Gabriel Audisio* (1900-1978), *Edmond Jaloux* (1878-1949), *Francis de Miomandre* (1880-1959), *André Roussin* (1911-1987).

Les sportifs

– *Zinedine Zidane* *(né en 1972)* : né dans les quartiers nord de Marseille, ce fils de Kabyle a grandi dans une cité défavorisée où il découvre, très jeune, le ballon rond. À l'école, il ne pense qu'au foot. Suite à un accord avec son père, Zidane se lance corps et âme dans sa passion et entre dans l'équipe de France des minimes. À 16 ans, il est milieu de terrain dans l'équipe de Cannes. À 18 ans, le voilà titulaire. Meneur de jeu de l'équipe de France, il entre dans la légende en marquant 2 buts décisifs contre le Brésil, lors de la finale de la Coupe du Monde 1998 remportée par les Bleus à Saint-Denis. Son surnom de « Zizou » est scandé par toute la France (ou presque!). Depuis que son portrait géant a été projeté sur l'Arc de Triomphe le soir de la victoire, Zidane est devenu le symbole de l'intégration à la française.

– *Jacques Mayol* *(1927-2002)* : le plongeur qui servit de modèle au héros du film *Le Grand Bleu* de Luc Besson. Né à Shanghai, fils d'un architecte et d'une pianiste marseillaise, il bourlingua dans sa jeunesse. Chroniqueur radio au Canada puis bûcheron en Suède. En Floride, il découvrit les dauphins, la passion de sa vie. Il s'installa sur l'île d'Elbe où, à 56 ans (1983), il pulvérisa la barre des 105 m, ouvrant la voie à la plongée profonde en apnée. À la fin de sa vie, il prit une orientation résolument zen et détachée face à l'existence.

Les entrepreneurs

– *Paul Ricard* *(1909-1997)* : un petit Marseillais, devenu un grand patron et un très grand humaniste. Le créateur du pastis et de l'anisette est né à Sainte-Marthe où son père tenait une entreprise de négoce de vin. En 1932, Paul met au point la formule du pastis et fonde la société Ricard. C'est le début d'une aventure industrielle unique. Aujourd'hui, Ricard est la 3e marque mondiale de spiritueux, présente dans 140 pays. Voilà un capitaine d'industrie talentueux et protéiforme, touche-à-tout, polyvalent et inclassable. Ancien élève de l'École des Beaux-Arts, c'était aussi un humaniste et un visionnaire. Il a signé plus d'un millier de toiles, produit des films, acheté 600 ha sur les rives de l'étang de Vaccarès pour les protéger, relancé la culture du riz en Camargue, et réactivé le tourisme dans les îles de Bendor (Var) et des Embiez. Passionné d'aviation et de course automobile, il a fait construire le circuit Paul-Ricard au Castelet et ouvert une école de pilotage.

Dans le domaine social, il était d'avant-garde, distribuant des actions à ses salariés quand aucun patron ne le faisait. Chez Pernod-Ricard, les femmes disposaient de cinq semaines de congés annuels dès 1965 et les hommes dès 1979, soit deux ans avant la loi officielle ! Sur le plan politique, Paul Ricard n'appartenait à aucun parti mais un fait dans sa vie illustre bien le caractère déterminé du personnage. Pendant l'Occupation, pour que son outil industriel ne travaille pas pour l'ennemi, il ordonna la fermeture de ses usines mais il continua à payer quand même ses employés et ses ouvriers !
– **Éric Castaldi** (né en 1954) : « Je suis un vrai Marseillais, je suis petit-fils d'immigrés italiens. » Ancien ouvrier tuyauteur, il a grandi dans une cité construite à la hâte pour accueillir des rapatriés d'Algérie. Ayant entrepris des études sur le tard, il devient architecte et le voilà maintenant à la tête de la plus grande agence de Marseille où il est considéré comme le chef de file, passionné et anticonformiste, du renouveau de l'urbanisme dans cette ville. Spécialiste de la restructuration des bâtiments anciens, il est notamment l'auteur des docks de la Joliette, de l'immeuble Generali et du Silo à grains d'Arenc, pour ne citer que 3 projets parmi les 1 800 sur lesquels il a travaillé ! Son site web : ● www.castaldi-architecte.com ●
– **Maryline Vigouroux** : épouse de l'ancien maire **Robert Vigouroux,** successeur de Defferre à la mairie dans les années 1980. Marseillaise engagée dans le domaine culturel et de la mode, elle s'active pour donner une image « mode et glamour » à la vieille cité phocéenne. À travers le musée de la Mode qu'elle dirige, de nombreux talents ont pu créer leurs marques et développer leurs activités.

Les politiques

– **Adolphe Thiers** (1797-1877) : de Thiers, Marseillais d'origine, avocat de métier puis homme politique intervenant dans les hautes sphères de l'État, on se souviendra (malheureusement...) parce qu'il a donné l'ordre de réprimer dans le sang la Commune de Paris. L'immeuble de la famille Thiers, situé rue Thiers (quartier de La Plaine), est aujourd'hui le siège de l'Académie de Marseille.
– **Gaston Defferre** (1910-1986) : né dans l'Hérault, de vieille souche protestante, il entra dans la Résistance pendant l'Occupation, pour diriger le réseau Brutus. À la Libération, élu maire socialiste de Marseille jusqu'en 1945, il fut à nouveau réélu en 1953, et resta à la tête de la ville, sans interruption, jusqu'en 1986. Gaston, pilier de la vie politique marseillaise, personnalité charismatique (mélange d'autoritarisme et de populisme), a marqué la ville de son empreinte. Il a été plusieurs fois ministre sous François Mitterrand. Il restera un des grands maires de Marseille, ce que même des Marseillais de droite reconnaissent.
– **Jean-Claude Gaudin** (né en 1939) : né à Mazargues dans les quartiers Sud, il enseigne l'histoire-géo pendant 15 ans, tout en faisant de la politique son cheval de bataille. Benjamin, à 26 ans, du conseil municipal de Marseille, il est d'abord socialo-centriste, proche de Defferre puis, s'orientant plus à droite, il s'oppose à celui-ci et devient député puis sénateur UDF. Élu maire de Marseille depuis 1995, il est président de la Communauté urbaine de Marseille-Provence et vice-président du Sénat.
– **Renaud Muselier** (né en 1959) : petit-fils de l'amiral Muselier, fils d'un pharmacien résistant déporté à Dachau, ce jeune médecin marseillais a d'abord dirigé une clinique privée avant de se lancer en politique (à droite). Élu député de la 5e circonscription, il est considéré comme une étoile montante du paysage politique marseillais. Sa généalogie l'ancre résolument en Méditerranée : il est le cousin germain du roi Leka Ier d'Albanie (en exil) et est apparenté à l'écrivain André Suarès ! Nommé secrétaire d'État aux Affaires étrangères en juin 2002 dans le gouvernement Raffarin.
– Et aussi : **Marius Masse,** élu PS qui a mis toute sa masse à s'opposer à la poussée de l'extrême-droite et au FN ; **René Olmeta,** chef de file de la gauche plurielle ; et **Guy Hermier,** élu communiste décédé en 2001.

Des inconnus célèbres

– **Varian Fry** *(1908-1967)* : Max Ernst, André Breton, André Masson, Wifredo Lam, Victor Serge, Benjamin Péret et des centaines d'anonymes lui doivent la liberté et la vie. Pendant près d'un an (1940-1941), cet intellectuel new-yorkais avait mis en place à Marseille une organisation, l'*American Relief Center,* dont le but caché était d'arracher aux griffes des autorités de Vichy des personnes pourchassées, leur permettant ensuite de gagner les États-Unis avec un visa américain. Une propriété (la villa Bel Air) du quartier de la Pomme servait de cache. Le gratin des surréalistes s'y réfugia : André Breton, sa femme Jacqueline et Aube, leur fille, Wifredo Lam, Victor Brauner, Oscar Dominguez et l'écrivain trotskyste Victor Serge. Au centre de ce réseau, Varian Fry sera débusqué en juin 1942. Rentré aux États-Unis, il demeura un suspect pour le FBI qui lui interdit de travailler pour le gouvernement fédéral. Il finit sa vie comme modeste professeur de latin dans un collège du Connecticut. Juste avant sa mort, le gouvernement français l'avait décoré de la Légion d'honneur. L'État d'Israël lui a décerné en 1995 le titre de « Juste Parmi les Nations ». Hélas, la villa Bel Air a été détruite par une municipalité sans mémoire et sans scrupules pour y construire... une banale maison de retraite.

– **Le Grand Mufti Soheib Bencheikh** *(1962)* : Marseillais d'origine algérienne, le chef religieux des musulmans de la deuxième ville de France est considéré comme le « visage progressiste de l'Islam en France et en Europe ». Il a soutenu les frappes américaines en Afghanistan, en dénonçant l'intégrisme musulman qu'il qualifie de fasciste. Il prône une interprétation réformiste et modernisée du Coran. Partisan d'un islam à la française respectueux des lois et de la démocratie, il pense que « les musulmans ont perdu l'intelligence créative et interprétative qui a accompagné l'islam pendant les quatre premiers siècles de son existence ». Le Grand Mufti de Marseille a des rêves de changement pour sa religion comme Luther en son temps. Que les hommes de progrès entendent la voix moderniste du Grand Mufti de Marseille !

– **Désirée Clary** *(1777-1860)* : fiancée éphémère de Napoléon Ier, quand il n'était que Bonaparte, officier d'artillerie. Cette Marseillaise devint ensuite reine de Suède. Elle est à l'origine de l'actuelle dynastie suédoise.

PERSONNES HANDICAPÉES

Chers lecteurs, nous indiquons désormais par le logo ♿ les établissements qui possèdent un accès ou des chambres pouvant accueillir des personnes handicapées. Certaines adresses sont parfaitement équipées selon les critères les plus modernes. D'autres, plus simples, plus anciennes aussi, sans répondre aux normes les plus récentes, favorisent leur accueil, facilitent l'accès aux chambres ou au resto. Évidemment, les handicaps étant très divers, des lieux accessibles à certaines personnes ne le seront pas pour d'autres. Appelez auparavant pour savoir si l'équipement de l'hôtel ou du resto est compatible avec votre niveau de mobilité.

Malgré les combats menés par les nombreuses associations, l'intégration des personnes handicapées à la vie de tous les jours est encore balbutiante en France. Il tient à chacun de nous de faire changer les choses. Nous sommes tous concernés par cette prise de conscience nécessaire.

PLONGÉE SOUS-MARINE

Jetez-vous à l'eau !

Pourquoi ne pas profiter de votre escapade dans ces régions maritimes pour vous initier à la plongée sous-marine ? Quel bonheur de virevolter librement en compagnie des poissons, animaux les plus chatoyants de notre planète ;

de s'extasier devant les couleurs vives de cette vie insoupçonnée... Pour faire vos premières bulles, pas besoin d'être sportif, ni bon nageur. Il suffit d'avoir plus de 8 ans et d'être en bonne santé. Sachez que l'usage des médicaments est incompatible avec la plongée. De même, les femmes enceintes s'abstiendront formellement de toute incursion sous-marine. Enfin, vérifiez l'état de vos dents, il est toujours désagréable de se retrouver avec un plombage qui saute pendant les vacances. Sauf pour le baptême, un certificat médical vous est demandé, et c'est dans votre intérêt. L'initiation des enfants requiert un encadrement qualifié dans un environnement adapté (eaux tempérées, sans courant, matériel adapté).

Non, la plongée ne fait pas mal aux oreilles ! Il suffit de souffler en se bouchant le nez. Il ne faut pas forcer dans cet étrange « détendeur » que l'on met dans votre bouche, au contraire. Le fait d'avoir une expiration active est décontractant puisque c'est la base de toute relaxation. Sachez aussi qu'être dans l'eau modifie l'état de conscience car les paramètres du temps et de l'espace sont changés : on se sent (à juste titre) ailleurs. En contrepartie de cet émerveillement, respectez impérativement les règles de sécurité, expliquées au fur et à mesure par votre moniteur. En vacances, c'est le moment ou jamais de vous jeter à l'eau... de jour comme de nuit !

ATTENTION : pensez à respecter un intervalle de 12 à 24 h avant de prendre l'avion, afin de ne pas modifier le déroulement de la désaturation.

Les centres de plongée

En France, la grande majorité des clubs de plongée est affiliée à la *Fédération française d'études et de sports sous-marins (FFESSM)*. Les autres sont rattachés à l'*Association nationale des moniteurs de plongée (ANMP)* ou bien au *Syndicat national des moniteurs de plongée (SNMP)* ou encore à la *Fédération sportive gymnique du travail (FSGT)*... L'encadrement – équivalent quelle que soit la structure – est assuré par des moniteurs brevetés d'État – véritables professionnels de la mer – qui maîtrisent le cadre des plongées et connaissent tous leurs spots « sur le bout des palmes ». Un bon centre de plongée est un centre qui respecte toutes les règles de sécurité, sans négliger le plaisir. Méfiez-vous d'un club qui vous embarque sans aucune question préalable sur votre niveau ; il n'est pas « sympa », il est dangereux. Regardez si le centre est bien entretenu (rouille, propreté...), si le matériel de sécurité – obligatoire – (oxygène, trousse de secours, téléphone portable ou radio...) est à bord. Les diplômes des moniteurs doivent être affichés. N'hésitez pas à vous renseigner car vous payez pour plonger. En échange, vous devez obtenir les meilleures prestations... Enfin, à vous de voir si vous préférez un club genre « usine bien huilée » ou une petite structure souple, pratiquant la plongée « à la carte et en petit comité ». Prix de la plongée : de 35 à 45 €.

C'est la première fois ?

Alors, l'histoire commence par un baptême : une petite demi-heure pendant laquelle le moniteur s'occupe de tout et vous tient la main. Laissez-vous aller au plaisir ! Même si vous vous sentez harnaché comme un sapin de Noël déraciné hors saison, tout cet équipement s'oublie complètement une fois dans l'eau. Vous ne descendrez pas au-delà de 5 m. Pour votre confort, sachez que la combinaison doit être la plus ajustée possible afin d'éviter les poches d'eau qui vous refroidissent. Comptez de 36 à 55 € pour un baptême. Puis l'histoire se poursuit par un apprentissage progressif...

Formation et niveaux

Les clubs délivrent des formations graduées par niveaux. Avec le niveau I, vous descendez à 20 m accompagné d'un moniteur. Avec le niveau II, vous êtes autonome dans la zone des 20 m, mais encadré jusqu'à la profondeur maxi de 40 m. Ensuite, en passant le niveau III, vous serez totalement autonome, dans la limite des tables de plongée (65 m). Enfin, le niveau IV prépare les futurs moniteurs à l'encadrement...

Le passage de ces brevets doit être étalé dans le temps, afin de pouvoir acquérir l'expérience indispensable. Demandez conseil à votre moniteur (il y est passé avant vous!). Enfin, tous les clubs délivrent un « carnet de plongée » indiquant l'expérience du plongeur, ainsi qu'un « passeport » mentionnant ses brevets.

Reconnaissance internationale

Indispensable si vous envisagez de plonger à l'étranger. Demandez absolument l'équivalence CMAS (*Confédération mondiale des activités subaquatiques*) ou CEDIP (*European Committee of Professional Diving Instruct*) de votre diplôme. Le meilleur plan consiste à choisir un club où les moniteurs diplômés d'État sont aussi instructeurs PADI (*Professional Association of Diving Instructors,* association d'origine américaine), pour obtenir le brevet le plus reconnu du monde! En France, de plus en plus de clubs ont cette double casquette, profitez-en. À l'inverse, si vous avez fait vos premières bulles à l'étranger, vos aptitudes à la plongée seront jaugées – en France – par un moniteur qui – souvent après quelques exercices supplémentaires – vous délivrera un niveau correspondant...

En Provence

Bercée par son climat velouté, la Méditerranée représente une véritable « mer de prédilection » pour la plongée. Ce n'est donc pas un hasard si ses eaux chaudes et limpides furent « l'atelier-laboratoire » privilégié des grands pionniers de l'aventure sous-marine... La *Mare Nostrum* livre des épaves mythiques aux plongeurs et concentre – en certains points – les fabuleuses richesses de sa vie sous-marine. Mais aujourd'hui, cette mer fermée – à l'équilibre si fragile – est continuellement blessée par des activités humaines intenses et souvent irréfléchies... Au dernier acte des dégradations, on trouve la *Caulerpa taxifolia* – algue mutante d'origine tropicale – introduite accidentellement voici plus de 15 ans. Partout où elle se développe, l'algue étouffe les autres espèces (en particulier la posidonie) et devient dominante. Son expansion est alarmante, et certains sites de plongée magnifiques dans les Alpes-Maritimes et le Var sont d'ores et déjà transformés en luxuriants tapis vert fluo... À défaut de pouvoir enrayer ce fléau, les scientifiques tentent de contrôler et limiter le développement de « l'algue tueuse » en détruisant systématiquement de petites colonies isolées, en créant des zones sanctuaires, et en s'impliquant dans des campagnes d'information et de prévention auprès des plaisanciers, pêcheurs et, bien sûr, des plongeurs. Attention, l'algue peut être transportée involontairement vers des zones encore saines, simplement par les ancres des bateaux, et même par les sacs et équipements de plongée qu'il convient de vérifier avant toute nouvelle immersion. Pour suivre la progression de cette algue aux allures de fougère, toute information est précieuse. Si vous la rencontrez, contactez le *Laboratoire Environnement Marin Littoral* de l'Université de Nice-Sophia-Antipolis : ☎ 04-92-07-68-46. ● www. unice.fr/LEML ● www.caulerpa.org ●

– *La météo :* le beau temps améliore la qualité de la plongée. Période idéale : entre juin et novembre, avec température très confortable de 18 à 25 °C, en surface (au fond, l'eau est plus froide). Attention, les rafales cinglantes de mistral ou vent d'est peuvent remettre en question la plongée; mais certains coins ont des spots abrités en fonction de chaque régime météo.

■ Répondeur de Météo France : ☎ 0892-68-08, suivi du numéro du département.

– *La profondeur :* un handicap, car très rapidement importante. Si plonger sur une roche permet, en général, de se maintenir à des petites profondeurs (ce n'est pas une raison pour faire n'importe quoi !), l'exploration des épaves – entre 40 et 60 m de profondeur – n'est réservée qu'aux seuls plongeurs aguerris aux conditions de la plongée profonde.

– *La visibilité :* excellente ! 20 m en moyenne. Sachez que l'eau est cristalline autour des îles et souvent trouble sur les épaves.

– *Les courants :* ils sont bien localisés, mais peuvent être violents et conduire à l'annulation de la plongée. Donc méfiance !

– *Vie sous-marine :* concentrée à certains endroits où elle est très riche. Votre moniteur vous familiarisera avec les beautés et pièges des fonds méditerranéens, tout en dégotant les choses intéressantes à voir. Certaines espèces affichent une présence systématique sur les spots : posidonies, gorgones, anémones, éponges, girelles, congres, murènes, sars, castagnoles, saupes, loups, rascasses... Actuellement, le mérou – poisson débonnaire et curieux – revient en force sur tous les spots de Méditerranée. Espérons que « messieurs les pêcheurs » auront pitié de cette espèce protégée... Règle d'or : respectez cet environnement fragile. Ne nourrissez pas les poissons, même si vous trouvez cela spectaculaire. Outre les raisons écologiques évidentes, certains « bestiaux » – trop habitués – risqueraient de se retourner contre vous (imaginez donc un bisou de murène !). Enfin, ne prélevez rien, et attention où vous mettez vos palmes !

– *Derniers conseils :* en plongée, restez absolument en contact visuel avec vos équipiers. Attention aux filets abandonnés sur les roches ou les épaves. Sachez enfin qu'en cas de pépin (il faut bien en parler !), votre bateau de plongée dispose d'oxygène (c'est obligatoire !) et qu'il existe des caissons de recompression à Marseille et à Toulon.

Quelques lectures

– *La Provence sous-marine,* par Frédéric di Meglio. Éditions Romain Pages.

– *Épaves en Méditerranée,* par Amsler, Ghisotti, Rinaldi et Trainito. Éditions Gründ.

– *Guide des sites de plongée à Marseille,* par Stéphane Régnier et Luc Rigaud. Édition d'auteur.

– *Découvrir la Méditerranée,* par Steven Weinberg. Éditions Nathan.

– *Code Vagnon Plongée Niveau 1,* par Denis Jeant. Éditions du Plaisancier.

– *Plongée plaisir niveau II,* par Alain Forêt. Éditions Gap.

– *La Plongée expliquée aux enfants,* par Caroline Hardy. Éditions Amphora.

– *La Planète bleue,* par Andrew Byatt, Alastair Fothergill et Martha Holmes. Éditions Larousse.

– *Trésors engloutis – journal de bord d'un archéologue,* par Franck Goddio. Éditions du Chêne.

– En kiosque, le magazine *Plongeurs international.* ● www.plongeursinter national.com ●

SAVOIR-VIVRE, US ET COUTUMES

(ou quelques petits « trucs »
pour ne pas [trop] passer pour un estranger...)

Mèfi ! comme on dit à Marseille : en présence d'une population très fière de son identité (et parfois même susceptible !), il vaut mieux connaître quelques petits « trucs » pour éviter de *marquer mal*.

– *L'accent :* une première chose bonne à savoir : les Marseillais sont très sensibles à tout ce qui touche leur langage... Évitez d'imiter l'accent marseillais et d'employer des expressions stéréotypées pour les « taquiner ». Sachez qu'ils détestent les publicités qui mettent en scène de faux Provençaux « avé l'assent ». Les Marseillais ne manquent aucunement de sens de l'humour, mais ils se réservent à eux seuls le droit de se moquer de leurs défauts : l'autodérision est l'un des caractères majeurs de l'humour marseillais.

– *L'humour marseillais :* il est impossible de comprendre les Marseillais sans saisir la nature ambiguë de leur caractère. Fanfarons, tchatcheurs, enjoués et vite familiers, ils se conforment volontiers à l'image stéréotypée que l'on donne d'eux : ils « jouent » au Marseillais, comme s'ils ne voulaient pas « vexer » les « estrangers ». Mais attention ! Cette naïveté feinte fait partie de l'humour marseillais... et ce sont eux qui rient des « fadas de Parisiens », comme disent César et Escartefigue dans *Fanny*.
Marseille a fait rire la France entière à travers les humoristes comme Fernandel ou Raimu, et de nos jours avec Patrick Bosso, Titoff ou le regretté Élie Kakou. Pour rire de bon cœur avec l'esprit local, n'hésitez pas à fréquenter *Le Quai du Rire* (16, quai de Rive-Neuve, sur le Vieux-Port) ou *L'Antidote* (132, bd de la Blancarde, 13004) qui programment régulièrement des spectacles des meilleurs humoristes marseillais : Patrick Coppolani, Kamel, mais aussi la truculente Provençale Louise Bouriffé et le désopilant duo Gachu et Nervé.

– *En voiture :* habituez-vous à la conduite marseillaise qui interprète de manière relativement large les règles du code de la route. Ne vous étonnez pas aussi d'entendre fleurir les jurons les plus virulents (*estourdi* ou *encatané* étant ici les plus légers) aux angles des carrefours. Le journaliste Albert Londres écrivait déjà en 1927 : « La circulation à Marseille est régie par une loi unique : *Toute voiture doit, par tous les moyens, dépasser la voiture qui la précède.* » Bon courage !

– *Au bar :* le pastis est la boisson populaire, emblématique et « identitaire » de Marseille : Alibert le qualifiait d'« hydromel du paradis » dans une chanson de 1937. À l'apéro, si vous êtes commis au dosage de pastis, veillez à ne pas servir un *flan* (trop de pastis donne une couleur jaune foncé), mais ne le faites pas trop « clair », sinon, un Marseillais pourra vous dire : « Tu veux m'empoisonner avec toute cette eau ! ça rouille ! »...
Au comptoir, évitez de commander un « pastaga ». Certains Marseillais emploient ce mot pour désigner le pastis, mais l'usage est délicat dans la bouche des non-Marseillais : il fait trop cliché. Prenez un *jaune* ou un *fly*; pour faire plus simple, donnez votre marque préférée. Ici, on boit un *51,* un *Ricard,* un *Casa* ou un *Janot.* Vous pouvez aussi opter pour une *mauresque* (pastis avec orgeat), un *perroquet* (avec menthe) ou une *tomate* (avec grenadine).
N'oubliez pas de payer votre tournée en disant simplement « c'est la mienne »... Familiarisez-vous aussi avec les expressions du comptoir, comme « 51, craint dégun », « moins le quart, c'est l'heure du Ricard » ou « moins dix, c'est l'heure du Casanis »...
Après avoir mangé, le patron peut vous servir le café dans un verre en signe d'amitié, « comme à la maison ».

– *La bise :* à Marseille, ne vous étonnez pas, les hommes se font facilement la bise. Bien sûr, n'allez pas faire de grandes embrassades au premier venu que l'on vous présente. Mais il est fréquent qu'après deux ou trois contacts, les hommes, surtout les jeunes, se fassent la bise. Attention : dès que vous quittez Marseille, le code peut changer.

– *Le retard :* la ponctualité n'est pas l'apanage des Marseillais. Le retard aux rendez-vous est presque ici une institution, puisque l'on parle du « quart d'heure marseillais »...

– *L'exagération :* on a beaucoup exagéré, justement, la propension à la démesure des Marseillais (!). Il n'en demeure pas moins qu'ici, les mesures doivent êtres vues dans des proportions particulières. Ne vous étonnez donc pas d'entendre : « Ça fait un milliard de fois que je te le dis de te dépêcher, on va mettre cent ans pour arriver si on roule pas à six cents. » On connaît aussi l'histoire de *la « sardine » qui a bouché le port.* Elle a fait vendre beaucoup de cartes postales au début du XXe siècle, et l'on en parle aujourd'hui encore comme le symbole de l'exagération marseillaise. Or, il ne s'agit pas d'un effet de l'imagination des Marseillais, mais sans doute d'un navire appelé « la Sartine » échoué en travers de la passe du Vieux-Port au XVIIIe siècle (une version parmi des dizaines d'autres !).

SITES INTERNET

● *www.routard.com* ● Tout pour préparer votre périple : des fiches pratiques, des cartes, des infos météo et santé, la possibilité de réserver vos prestations en ligne. Sans oublier *routard mag,* véritable magazine avec, entre autres, ses carnets de route et ses infos du monde pour mieux vous informer avant votre départ.

● *www.marseille-tourisme.com* ● Le site officiel de l'office de tourisme de Marseille. Complet et bien fait. Propose notamment des visites guidées de Marseille, à pied, en voiture ou en bus, thématiques ou plus générales. Également un itinéraire *fil rouge* pour ceux qui veulent se promener seuls.

● *www.provence-insolite.org* ● Site réalisé par Jean-Pierre Cassely, co-auteur de *The Guide of the Provence*. Il a imaginé des visites insolites – qu'il anime également – dans plusieurs villes de Provence, dont Marseille. Anecdotes et humour garantis ! Photos, résumés et horaires des circuits.

● *www.marseillais-du-monde.org* ● Un site riche et bien documenté sur Marseille, avec pages culture, livres, histoire, blagues, OM, parler marseillais, etc. Son originalité : une rubrique sur les « Marseillais exilés » dans le monde (avec liste des pays et forum).

● *www.marseille-sur-web.fr* ● Excellent site généraliste sur la ville. Avec des rubriques variées : visiter, manger, dormir, loisirs, l'OM, coups de cœur, coups de gueule.

● *www.allmarseille.com* ● « Le hall de la vie à Marseille ». Un site sur Marseille, bien fait, avec des idées de sortie, propositions de co-voiturage et même un lexique de parler marseillais !

● *http://fernandel.online.fr* ● Le site officiel de Fernandel, l'un des maîtres incontestés du comique français. Pour vous remémorer ses films, les chansons qu'il a interprétées... ou son inoubliable sourire. Plein de rubriques avec des photos : biographie, films, relations, *fan club* et reportage sur son fils, Franck.

● *www.marcel-pagnol.com* ● Le site officiel sur Marcel Pagnol, soutenu par Jacqueline Pagnol, veuve de l'écrivain, et organisé par Harry Baran, propriétaire du « Monde de Marcel Pagnol », la boutique du château de la Buzine.

● *www.marseille.webcity.fr* ● Un site qui se présente comme étant « le guide de vos loisirs, l'annuaire de vos envies » : spectacles, concerts, covoiturage, hébergement, restos, garde d'enfants... Un site informé et bien actualisé.

MARSEILLE

Pour se repérer, voir le plan général de la ville
ainsi que les centres 1 (Vieux-Port) et 2 (cours Julien) en fin de guide.

Deuxième ville de France, Marseille est une immense scène de théâtre dont les habitants ont des talents innés de comédiens et qui se moquent bien d'avoir des spectateurs complices, car ils jouent d'abord pour eux, sur une scène à la taille d'une métropole ayant gardé l'esprit de province (et l'accent de Provence). Vous êtes là ? Tant mieux. Vous aimez ? C'est encore mieux. Dans ces conditions, oubliez les idées toutes faites que vous aviez en tête avant le lever du rideau. On daignera oublier que vous avez vidé toute votre voiture au parking, en jetant des regards inquiets, après avoir pesté contre les embouteillages, regardé d'un air effaré, depuis l'autoroute, le paysage gâché par des blocs de béton, alors que vous pensiez arriver au « Pays du soleil »... Un titre d'opérette marseillaise, de celles qui donnèrent à la France entière, dans les années 1930, l'accent de Fernandel, Raimu ou Sardou (Fernand, pas Michel !). L'opérette, la trilogie de Pagnol, les poissonnières... il ne manque plus que le pastis, la pétanque, le savon et la petite sieste, et nous voilà avec quelques-uns des clichés qui ont fait la réputation de Marseille, en bien comme en mal, d'ailleurs.
Cette mauvaise réputation, au départ, les Marseillais l'ont un peu cherchée. Ça les amusait, dans les années 1930, de se voir mis en boîte par des « collègues » à peine plus comédiens qu'eux, qui en rajoutaient, *avé l'assent*. Des opérettes marseillaises au théâtre de Marcel Pagnol, tout un petit peuple se retrouvait sur le devant de la scène.
Toutes les grandes vedettes de l'époque ont chanté les airs légers, populaires, de Vincent Scotto, ce compositeur marseillais qui allait faire rêver la France des premiers congés payés. Ceux qui n'avaient jamais vu la mer et n'avaient de Marseille qu'une vision post-coloniale allaient découvrir, médusés, à travers des opérettes comme *Les Gangsters du château d'If, Arènes Joyeuses* ou *Un de la Canebière,* ces drôles de Marseillais. Resteront dans les têtes, longtemps après, les chansons toujours ensoleillées, mais aussi – et c'est plus pervers – les images de marlous feignants, truqueurs, menteurs, au sens de l'honneur tout relatif.
Les décennies passent et on se retrouve à jouer la figuration dans des règlements de comptes entre gangs, dans des scandales politiques et financiers... À cause de cette image péjorative, amplifiée par celle donnée par les films et les médias qui en feront la capitale du vice et de l'insécurité, Marseille resta une ville à qui les touristes, en l'épargnant, ont rendu plutôt service, car elle n'était pas vraiment prête pour les recevoir.
Parlez de Marseille autour de vous : encore au début des années 1990, peu de gens auraient eu l'idée d'y faire un tour autrement qu'en transit, pour voir de la famille ou pour le boulot. Rajoutez-y le trafic automobile, la réputation de saleté, un fort taux de chômage, les tensions d'une grande ville, c'est vrai qu'apparemment il n'y a pas moins provençal que Marseille.
Et pourtant Marseille vaut la peine d'y passer plus que quelques heures, quelques jours. Ne serait-ce que pour l'atmosphère unique de certains quartiers, pour les multiples visages que la ville offre et pour ses remarquables musées. Il suffit d'une petite promenade pour faire comprendre à tous ceux qui disent du mal de Marseille qu'elle est l'une des plus belles villes de France et du

Bassin méditerranéen. Il suffit de pousser jusqu'à *Callelongue* (on vous expliquera plus loin), de faire un tour de corniche ou d'aller jusqu'aux jardins du *Pharo* et de regarder le soleil se coucher sur le Vieux-Port. Une fois cette promenade accomplie, sans doute comprendrez-vous mieux pourquoi les Marseillais, premièrement, aiment leur ville, deuxièmement, répugnent à livrer ses secrets aux « étrangers » (le domaine des « étrangers » commençant *grosso modo* à Aix-en-Provence au nord, Hyères à l'est, et s'étendant jusqu'au Rhône à l'ouest et à la mer au sud).

CARTE D'IDENTITÉ

- *Superficie de la commune :* 241 km^2.
- *Population :* environ 800 000 hab.
- *Densité :* 3 318 hab./km^2.

TOPOGRAPHIE DE LA VILLE

Difficile d'imaginer aujourd'hui l'allure qu'avait ce coin de Provence avant l'urbanisation. Les nombreuses collines qui composent Marseille sont tellement recouvertes de bâtiments qu'elles semblent presque aplanies, sauf, bien sûr, celle couronnée par Notre-Dame-de-la-Garde. Mais il suffit d'arpenter quelque peu la ville à pied pour vérifier que tous ces mamelons sont bel et bien escarpés.

Si vous arrivez en train, sortez de la gare Saint-Charles à gauche et descendez les escaliers. Les boulevards d'Athènes et Dugommier vous conduisent rapidement sur la Canebière qu'il suffit de descendre, à droite, pour rejoindre le Vieux-Port.

Si vous arrivez en voiture, choisissez sur l'autoroute A 55 l'entrée Marseille-Vieux-Port, vous pénétrerez ainsi dans Marseille en « survolant » littéralement ses quartiers portuaires et les docks qui s'étendent de L'Estaque au fort Saint-Jean (si vous allez vers les calanques, prenez le tunnel *Prado-Carénage* – payant – pour passer sous le centre-ville et gagner du temps ; vous retrouvez la lumière du jour aux alentours du stade Vélodrome). Si vous arrivez par l'autoroute A 7, vous voilà porte d'Aix et peut-être verrez-vous, tout au fond devant vous, au-delà de l'avenue du Prado, l'obélisque de Mazargues. Perpendiculaire à cet axe, la Canebière, qui mène d'un côté au Vieux-Port et de l'autre vers le palais Longchamp.

Une fois arrivé dans Marseille, laissez votre voiture et partez à la découverte de la ville à pied, quartier par quartier. De toute façon, circuler dans le centre est vraiment difficile pour un non-Marseillais...

Et puis, n'oubliez pas les prodigieuses **calanques** que la ville possède en copropriété avec la mer, et peut-être l'Infini. Elles sont là, tout près, derrière ces petites montagnes qui ferment la ville au sud. Marseille : la seule grande ville où le paradis est à 20 mn de voiture du centre.

Adresses et infos utiles

Infos touristiques

Office de tourisme *(centre 1, D4, 1)* : 4, la Canebière, 13001. ☎ 04-91-13-89-00. Fax : 04-91-13-89-20. ● www.marseille-tourisme.com ● Ouvert du lundi au samedi de 9 h à 19 h et les dimanche et jours fériés de 10 h à 17 h. Excellent accueil, bonne documentation sur la ville et toutes ses possibilités, réservation d'hôtels (sur place et sans commission), organisation d'intéressantes visites commentées (comme celle du quartier du Panier et *Marseille Insolite*). Annexe à la gare Saint-Charles (☎ 04-91-50-59-18).

🅱 *Comité départemental de tourisme (plan général D5, 2) :* Le Montesquieu, 13, rue Roux-de-Brignoles, 13006. ☎ 04-91-13-84-13. Fax : 04-91-33-01-82. Ouvert du lundi au vendredi de 9 h à 12 h 30 et de 13 h 40 à 17 h 30. Excellente documentation thématique (sites, loisirs, manifestations, hébergements...) sur Marseille et les Bouches-du-Rhône.

■ *Gîtes ruraux :* domaine du Vergon, 13370 Mallemort. Réservations : ☎ 04-90-59-49-39. Ouvert du lundi au vendredi de 9 h à 12 h 30 et de 14 h à 18 h. Gère les gîtes ruraux et les chambres d'hôtes du département.

■ *Centre Information Jeunesse :* 96, la Canebière, 13001. ☎ 04-91-24-33-50. Ouvert le lundi de 10 h à 17 h, le mardi de 13 h à 17 h et du mercredi au vendredi de 10 h à 17 h; pendant les vacances scolaires, du lundi au vendredi de 9 h à 13 h.

■ *Centre d'information Euroméditerranée (plan général C2, 3) :* docks de la Joliette, 10, pl. de la Joliette, 13002. ☎ 0800-111-114. ● www.euromediterrannee.fr ● Ouvert du lundi au vendredi de 10 h à 13 h et de 14 h à 18 h (17 h le vendredi).

Poste et télécommunications

✉ *Poste (plan général D4) :* bureau central, pl. de l'Hôtel-des-Postes, 13001. À l'angle Henri-Barbusse et Colbert, à côté du centre commercial Bourse. Poste restante du lundi au vendredi de 8 h à 19 h et le samedi de 8 h à 12 h. Pas mal de postes de quartier également (dans les docks de la Joliette ; en bas de la rue de la République, tout près de la Joliette ; rue de la Caisserie, face à la montée des Accoules ; pl. Jean-Jaurès, etc.).

@ *Info Café (centre 1, D5, 4) :* 1, quai de Rive-Neuve, 13001. ☎ 04-91-33-53-05. Ouvert de 9 h à 22 h (de 14 h 30 à 19 h 30 le dimanche). Autour de 4 € l'heure. Sur le Vieux-Port. Un des plus beaux cybercafés de Marseille.

@ *Le Rezo (centre 2, E5, 5) :* 68, cours Julien, 13006. ☎ 04-91-42-70-02. Dans le quartier de La Plaine. Il y a un autre cybercafé *(le Bug's Café)* dans la même rue, au n° 80.

@ *Esc@liq (centre 1, D4, 6) :* 3, rue Coutellerie. ☎ 04-91-91-65-10. À deux pas du Vieux-Port. Ouvert à partir de 11 h en semaine et à partir de 16 h le week-end. Compter 1 € les 15 mn.

Représentations diplomatiques

■ *Consulat de Suisse :* 7, rue d'Arcole, 13006. ☎ 04-96-10-14-10.

■ *Consulat de Belgique :* 75, cours Pierre-Puget, 13006. ☎ 04-96-10-11-16.

Santé, urgences

■ *SOS Médecins :* ☎ 04-91-52-91-52.
■ *SAMU :* ☎ 04-91-49-91-91.

■ *Aide médicale urgente :* ☎ 15.
■ *Centre anti-poison :* ☎ 04-91-75-25-25.

■ *Hôpital de la Timone :* 264, rue Saint-Pierre, 13005. ☎ 04-91-38-60-00.

■ *Pharmacie :* 156, bd National (vers la gare Saint-Charles), 13003. ☎ 04-91-50-74-50. Ouvert de 8 h à 20 h 30. Fermé le dimanche. Pour la pharmacie de garde, appelez la police.

■ *SOS Voyageurs :* gare Saint-Charles, quai A. ☎ 04-91-62-12-80. Ouvert de 9 h à 19 h. Fermé les dimanche et jours fériés. Ouvert aux voyageurs en difficulté, cette antenne d'assistance essaie de trouver des solutions. Les cas les plus fréquents sont les vols.

■ *Police :* 2, rue Antoine-Becker, 13002 *(centre 1, C3* ; c'est le célèbre Évêché). ☎ 04-91-39-80-00. Annexe : 29, rue Nationale, 13001. ☎ 04-91-14-29-50.

■ *Météo France :* ☎ 0892-680-213.

■ *Météo marine :* ☎ 0892-680-877.

Transports

– *Métro :* très pratique. Deux lignes en service. Circule de 5 h à 21 h (minuit et demi les vendredi, samedi et dimanche). Vente de billets de 7 h à 19 h, ou 24 h/24 dans les guichets automatiques existant dans la plupart des stations. Même prix que les bus. Renseignements : *RTM (Régie des transports marseillais),* ☎ 04-91-91-92-10.

– *Bus :* renseignements et abonnements à l'espace infos de la RTM, 6, rue des Fabres, 13001 *(centre 1, E4).* ☎ 04-91-91-92-10. Plan des nombreuses lignes et possibilité d'acheter une *carte Journée* à 4,50 € ou la *carte Liberté,* valables sur tout le réseau (métro, bus et tramway). On se les procure dans les stations de métro équipées de distributeurs ou chez les commerçants agréés RTM. Sinon, les billets se vendent 1,60 € à l'unité. Correspondance bus-métro et ticket valable 1 h. La nuit, un réseau *Fluobus* circule.

✈ *Aéroport Marseille-Provence :* à Marignane, à 25 km vers l'ouest. ☎ 04-42-14-14-14 et ● www.marseille.aeroport ● pour les informations et les confirmations. Aéroport international, qui dessert toutes les grandes villes françaises et un certain nombre de destinations en Europe et dans le monde.

– *Navette pour l'aéroport :* départ de l'esplanade devant la gare Saint-Charles pour l'aéroport de Marseille-Provence. Informations : ☎ 04-91-50-59-34. Toutes les 20 mn de 5 h 30 à 21 h 50. Dans le sens aéroport-Marseille, toutes les 20 mn de 6 h 10 à 22 h 50. Billet : 8,50 €.

🚌 *Gare routière (plan général E3) :* 3, pl. Victor-Hugo, 13003. Renseignements : ☎ 04-91-08-16-40. À côté de la gare SNCF Saint-Charles.

– *Pour Aix-en-Provence :* bus toutes les 10 mn de 5 h 50 à 20 h 30.

– *Pour Cassis et Aubagne :* départs de Castellane, à l'angle de l'avenue Cantini et de la rue du Rouet *(plan général F6).* ☎ 04-91-79-81-82.

🚆 *SNCF gare Saint-Charles (plan général E3) :* ☎ 36-35 (0,34 €/mn). TGV pour Paris (un peu plus de 3 h), Lyon et la Côte d'Azur.

– *Liaisons régionales en TER (Train Express Régional) :* trains réguliers pour Aix (50 mn), Aubagne (15 mn), Cassis (20 mn), L'Estaque, Toulon, au départ de Marseille-Saint-Charles.

■ *Taxis :* ☎ 04-91-03-60-03 ou 04-91-02-20-20 ou 04-91-05-80-80. On en trouve sur le Vieux-Port, à la gare... Faites-vous préciser la course avant de vous embarquer. Attention, les plaintes concernant des arnaques au kilomètre ou des refus de course se multiplient, soyez vigilant et patient. Compter de 30 à 40 € de l'aéroport vers le centre.

■ *Location de scooters :* Point 124, 44, av. des Chartreux, 13004. ☎ 04-91-49-59-89.

■ *Location de vélos et de motos :* Team Bike, 131, cours Lieutaud, 13006. ☎ 04-91-92-76-73. Ouvert du mardi au samedi de 9 h à 19 h.

⚓ *Gare maritime de la Joliette* *(plan général B-C3) :* parvis de la Joliette, entrée terminal 2, port autonome, 13002. ☎ 04-91-39-45-66. Infos trafic : ☎ 04-91-39-42-42. Ⓜ Joliette. Ouvert tous les jours.

■ *Compagnie SNCM (plan général C3) :* 61, bd des Dames, 13002. Informations et réservations pour les bateaux pour la Corse et la Sardaigne : ☎ 0891-701-801 ou 0825-802-701 ; pour l'Espagne et les pays du Maghreb (Algérie, Tunisie, Maroc) : ☎ 0891-702-802. Ouvert du lundi au vendredi de 8 h 30 à 18 h. Départs depuis la gare maritime de la Joliette.

Culture

■ *Espace Culture (plan général E4, 7) :* 42, la Canebière, 13001. ☎ 04-96-11-04-60. Ouvert du lundi au samedi de 10 h à 18 h 45 (en août, ouvert seulement l'après-midi, de 14 h à 18 h 45). Association qui informe sur toutes les activités culturelles de la ville, notamment en éditant un joli petit agenda mensuel gratuit, *In Situ*. On peut, sur place, comme à l'office d'ailleurs, réserver pour certains spectacles.

Marchés

– *Allées de Meilhan (plan général E4) :* la Canebière, dans le 1er arrondissement. Ⓜ Réformés. Les mardi et samedi de 8 h à 13 h. Pour les fleurs.
– *Marché du cours Julien (plan général F5) :* cours Julien, dans le 6e arrondissement. Ⓜ Notre-Dame-du-Mont. De 8 h à 13 h. Fruits, légumes, produits bio le mercredi ; fleurs le samedi et le mercredi matin. Et aussi : brocante, livres anciens et timbres (le 2e dimanche du mois).
– *Marché de La Plaine (plan général F4) :* pl. Jean-Jaurès, dans le 5e arrondissement. Ⓜ Notre-Dame-du-Mont, Cours-Julien. Les mardi, jeudi et samedi de 8 h à 13 h. Alimentation, stands forains et fleurs.
– *Marché aux puces :* av. Cap-Pinède, dans le 15e arrondissement. Bus n° 35. Ouvert le dimanche de 4 h à 15 h. Antiquités, brocante.
– *Marché du Prado (plan général F6) :* allée du Prado, côté impair, à partir de la place Castellane, dans le 6e arrondissement. Ⓜ Castellane. Du lundi au samedi de 7 h 30 à 12 h 30. Alimentation (côté Castellane) mais aussi vêtements. Le vendredi, plantes et fleurs côté impair.
– *Marché aux poissons :* tous les matins, sur le Vieux-Port, quai des Belges *(plan général D4).*
– *Marché des Capucins :* pl. des Capucins. Ⓜ Noailles. Le plus typique et le moins cher. Tous les jours, toute la journée.

OÙ DORMIR ?

L'hôtellerie fut longtemps le point faible de cette ville peu tournée vers le tourisme. D'où l'importance de certaines chaînes au confort standard vis-à-vis d'hôtels indépendants n'ayant pas su s'adapter à l'exigence touristique. Pour éviter les surprises, voici quelques adresses appréciées pour leur calme, leur vue, leur sens de l'accueil, leur atmosphère, et leur côté pratique. Même s'il n'y a pas à Marseille beaucoup d'hôtels de charme, on peut, sous certaines conditions et sans être forcément exigeant sur le confort ni le calme, trouver à se loger de façon agréable, notamment en ayant vue sur la mer, le Vieux-Port ou la Corniche. Et ça, c'est formidable. D'autant que certains hôtels adhèrent à l'opération nationale « Bon week-end en ville », qui vous offre 2 nuits pour le prix d'une dans cette cité où l'on n'hésite plus à venir passer ses fins de semaine... Avec de nombreux avantages à la clé (entrées de musée, théâtre, promenades en bateau, etc.). Offre variable, nécessitant une réservation huit jours à l'avance. Conditions, liste et renseignements à l'office de tourisme. Cela dit, méfiez-vous des hôtels du centre, souvent miteux.

■ *Allotel :* réservation hôtelière de dernière minute. ☎ 0826-886-826. Service 24 h/24 (0,15 €/mn), toute l'année. Marseille a mis en place ce serveur très pratique pour les voyageurs.

Très bon marché

■ *Auberge de jeunesse de Bois-Luzy* (hors plan général par G3) : château de Bois-Luzy, allée des Primevères, 13012. ☎ et fax : 04-91-49-06-18. Dans le nord-est de la ville, à environ 5 km du centre, mais avec vue (lointaine) sur la mer. Bus n° 6 par le quartier Montolivet, arrêt « Marius-Richard ». De la gare Saint-Charles, prendre le métro direction La Rose (ligne n° 1) et descendre à la station « Réformés-Canebière » ; de là, prendre le bus n° 6 (arrêt « Marius-Richard »). Auberge fermée de 12 h à 17 h, comme toutes les AJ officielles, et ouverte jusqu'à 22 h. Congés annuels du 22 décembre au 3 janvier environ. Compter 11 € par personne en dortoir et 12,10 € en chambre double, draps et petit dej' non compris. Situé dans une magnifique bastide construite en 1850, avec un hall impressionnant que dominent deux coursives. Au total, 92 lits en chambres de 4 à 6 lits. Cuisine à disposition pour faire son petit frichti. Parking gratuit.

■ *Auberge de jeunesse de Bonneveine* (plan Marseille – Les plages, J9, **168**) : impasse du Docteur-Bonfils, 13008. ☎ 04-91-17-63-30. Fax : 04-91-73-97-23. ● ajmb3@wanadoo. fr ● Bus n° 44 ; arrêt « Place Bonnefon ». En face du 47, av. J.-Vidal. Ouvert de 17 h à 1 h. Fermé de mi-décembre à mi-janvier. Carte d'adhésion obligatoire. Compter 16 € par personne en dortoir, 17 € (19 € en haute saison) en chambre double avec lavabo, draps et petit dej' compris. En tout, 150 lits dans des dortoirs de 4 à 6 lits. Consignes à bagages et veilleur de nuit pour éviter quelques désagréables surprises, fréquentes par le passé. Snack pour les petites faims. Une auberge moderne, sans grand charme mais pas loin de la plage, dans un quartier tranquille.

Quartiers du Vieux-Port et du Panier

Prix moyens

■ *La Maison de Saint-Jacques* (centre 1, C4, **31**) : 34 et 36, rue du Refuge, 13002. ☎ 06-11-72-54-03. Compter 50 € pour 2 personnes, petit dej' inclus. Marie-Ange de la Pinta est peintre et Jacky Halter photographe d'origine alsacienne. Tous les deux sont de grands randonneurs devant l'éternel. En plein cœur du Panier, leur maison abrite une chambre double et un dortoir de 4 lits pour les randonneurs, dans l'esprit de la route et de Saint-Jacques. Coin cuisine et machine à laver. On prépare son petit déjeuner soi-même, tout est fourni. Ambiance sympathique et conviviale. Animaux acceptés.

■ *Hôtel Alizé* (centre 1, D4, **10**) : 35, quai des Belges, 13001. ☎ 04-91-33-66-97. Fax : 04-91-54-80-06. ● www. alize-hotel.com ● De 65 à 85 € la chambre double avec douche ou salle de bains et w.-c. Un bon rapport qualité-prix pour un hôtel dont une quinzaine de chambres donnent sur le Vieux-Port. Les lève-tôt pourront assister au retour de pêche et flâner sur le marché aux poissons. Accueil charmant (on ne parle pas des poissonnières, mais de l'hôtel !) et bon niveau de confort. En plus, vous serez « au cœur de l'action ». Chambres récentes, qui viennent d'être rafraîchies, pas très grandes mais climatisées et insonorisées. Certaines ont un patio. Les chambres 101 à 104, 201 à 204, etc., donnent sur le Vieux-Port. Remise de 5 € à nos lecteurs sur présentation du *Guide du routard*.

🛏 **La Maison du Petit Canard** (*centre 1, C3, 11*) : 2, impasse Sainte-Françoise, 13002. ☎ 04-91-91-40-31. ● http://maison.petit.canard.free.fr ● Chambres à 55 € pour deux, petit dej' compris, et 45 € pour une personne seule ; salle de bains commune. Table d'hôtes colorée à 14 € le soir seulement. Une adresse sympathique et de caractère au cœur du Panier, à deux pas de la Vieille-Charité, face au *Bar des 13 Coins*. Deux chambres d'hôtes où Stéphanie et Youssef vous reçoivent gentiment, dans le salon à l'orientale.

🛏 **Hôtel Hermès** (*centre 1, D4, 12*) : 2, rue Bonneterie, 13002. ☎ 04-96-11-63-63. Fax : 04-96-11-63-64. ● www.hotelmarseille.com ● Chambres doubles avec salle de bains de 55 à 72 €. Un petit hôtel merveilleusement situé, entre le Panier et le Vieux-Port, avec des chambres climatisées, insonorisées et bien équipées. Notre préférée, la nuptiale en nid d'aigle, au dernier étage, dispose d'une petite terrasse donnant sur le Vieux-Port. 10 % de réduction à nos lecteurs sur le prix de la chambre, sur présentation du *GDR*.

🛏 **Etap Hotel** (*centre 1, D5, 13*) : 46, rue Sainte, 13001. ☎ 08-92-68-05-82. Fax : 04-91-54-95-75. Ouvert toute l'année. Chambres doubles avec douche et w.-c. entre 48,50 et 50 €, sans le petit dej'-buffet. Hôtel moderne et fonctionnel avec des chambres climatisées et insonorisées. Propre, pratique et bien situé. Préférer les chambres donnant côté port ou sur la place piétonne. On y trouve souvent de la place quand les autres hôtels de Marseille sont complets. Paiement de la chambre à l'arrivée. Parking fermé la nuit (payant).

Plus chic

🛏 **Chambres d'hôtes Schaufelberger** (*centre 1, C4, 14*) : 2, rue Saint-Laurent, 13002. ☎ et fax : 04-91-90-29-02. ● schaufel@wanadoo.fr ● ♿ Ouvert toute l'année sur réservation. Chambres doubles avec sanitaires à 60 €, petit dej' compris. Au 14ᵉ étage d'un immeuble moderne très bien situé, à l'extrémité du Vieux-Port et au pied du Panier. Du balcon, vue sublime. Excellent accueil. Attention, 2 chambres seulement, très agréables et qui ne sont louées ensemble que si vous êtes en famille ou entre amis : la salle de bains est commune ! Un de nos coups de cœur à Marseille. N'accepte pas les cartes de paiement. Apéritif maison offert sur présentation du *Guide du routard*.

🛏 **Hôtel la Résidence du Vieux-Port** (*centre 1, D4, 16*) : 18, quai du Port, 13002. ☎ 04-91-91-91-22. Fax : 04-91-56-60-88. ● www.hotelmarseille.com ● Ⓜ Vieux-Port-Hôtel-de-Ville. ♿ Sur le Vieux-Port, côté mairie (donc vue sur Notre-Dame). Chambres doubles de 99,50 à 118,50 €. Un bon hôtel 3 étoiles, idéalement situé pour découvrir la ville. Accueil jovial et bon petit dej'. Les chambres possèdent de larges balcons-terrasses équipés de fauteuils qui dominent le Vieux-Port. Elles sont vastes, lumineuses, agréablement meublées, avec de petites salles de bains. Si vous aimez l'espace et les couleurs *Souleiado*, prenez une « chambre provençale » au 7ᵉ étage. Places au parking Jules-Verne, derrière l'hôtel de ville. 10 % de réduction sur le prix de la chambre sur présentation du *Guide du routard*.

🛏 **New Hotel Vieux-Port** (*centre 1, D4, 15*) : 3 bis, rue Reine-Élisabeth, 13001. ☎ 04-91-99-23-23. Fax : 04-91-90-76-24. ● www.new-hotel.com ● Ⓜ Vieux-Port. À deux pas du Vieux-Port, dans la zone piétonne. Chambres doubles entre 145 et 160 € selon la saison, avec douche ou salle de bains. Immeuble *modern style*, idéalement situé. Hôtel entièrement rénové. La décoration elle-même, différente à chaque étage, est une invitation au voyage. Un voyage, ô combien confortable, avec des échappées tout autour de la Méditerranée, qui séduiront les hommes d'affaires autant que les couples à la recherche d'un hôtel au calme, à deux pas de la Canebière. 10 % de réduction sur le prix de la chambre sur présentation du *Guide du routard*.

Ultra chic

🏠 *Sofitel Vieux-Port* (plan général B5, 18) : 36, bd Charles-Livon, 13007. ☎ 04-91-15-59-00. Fax : 04-91-15-59-50. • www.sofitel.com • ♿ Ouvert toute l'année. Chambres doubles avec salle de bains de 200 à 355 € selon la saison ; petit dej' autour de 21 €. Menus de 41 à 71 €. Un *Sofitel* de charme adossé au rocher du Pharo, à deux pas de ses jardins, et rénové dans un style très local. Certaines chambres ont des terrasses idéales pour un petit dej' de soleil face au Vieux-Port... ou pour admirer le coucher de soleil ! Solarium et piscine sur le côté, avec un bar ; piano-bar tous les jeudis soir. La plus belle vue que l'on puisse rêver sur le port depuis la salle du petit dej'... Apéritif offert (au bar) sur présentation du *Guide du routard*.

Dans le centre-ville (Canebière, préfecture)

De bon marché à prix moyens

🏠 *Hôtel Béarn* (plan général E5, 19) : 63, rue Sylvabelle, 13001. ☎ 04-91-37-75-83. Fax : 04-91-81-54-98. • www.hotel-bearn.com • Ouvert toute l'année. Chambres doubles de 30 à 42 € selon le confort ; petit dej'-buffet à 6 €. Les chambres doubles sont équipées différemment : lavabo, douche, douche-w.-c. ou bains-w.-c. Possède également une chambre pour 5 personnes. Un hôtel familial dans un immeuble ancien remis à neuf, avec un nouveau propriétaire, dans le quartier de la préfecture. Les chambres n⁰ˢ 1, 2, 3, 4, 8, 9 et 10 sont lumineuses, harmonieuses, sans compter de nombreuses rénovations pratiques. Propose des initiations à la plongée ou des sorties pour les plongeurs. 10 % de remise en basse saison pour nos lecteurs sur présentation du *GDR*.

🏠 *Hôtel Beaulieu-Glaris* (plan général E3, 20) : 1 et 3, pl. des Marseillaises, 13001. ☎ 04-91-90-70-59. Fax : 04-91-56-14-04. • www.hotel-beaulieu-marseille.com • Au pied du monumental escalier de la gare Saint-Charles ; pratique, donc, si vous arrivez en train. Fermé entre Noël et le Jour de l'An. Chambres doubles de 28 à 54 € selon le confort sanitaire. C'est l'hôtel typique de voyageurs, aux chambres à la déco passe-partout et qui, sans être luxueux, est propre et bien tenu. Il vient d'ailleurs d'être partiellement rénové. Les chambres sur l'arrière (celles de devant sont vraiment bruyantes) sont vastes, calmes et bénéficient d'un bon ensoleillement.

🏠 *Chambre chez Madame Botella* (plan général F3, 30) : 17, pl. Alexandre-Labadie, 13301. ☎ 04-91-62-95-72. • marie@marseille-hotes.org • Compter 55 € la double, petit dej' inclus. Entre la gare Saint-Charles, l'église des Réformés et la Canebière. Au 3ᵉ étage (avec ascenseur !) d'un immeuble 1930, dominant une place tranquille. Une gentille dame loue une chambre donnant sur une petite rotonde arborée. C'est propre et bien tenu. Un petit dej' par personne et par nuit offert sur présentation de ce guide.

🏠 *Hôtel Montgrand* (centre 1, D5, 17) : 50, rue Montgrand, 13006. ☎ 04-91-00-35-20. Fax : 04-91-33-75-89. • www.hotel-montgrand-marseille.com • Chambres doubles de 43 à 65 € environ, selon le standing (économique ou classique) et la saison. Hôtel modeste aux chambres très simples (avec TV), mais correctes ; certaines ont été repeintes. Réception et couloir bien tristounets toutefois. Là aussi, on voit que plus d'un voyageur de commerce a dormi en ces murs, mais l'hôtel dispose aussi de chambres familiales. Bon accueil. 10 % de remise sur le prix de la chambre de novembre à février sur présentation de ce guide.

🛏 *Hôtel Edmond-Rostand (plan général E6, 21) :* 31, rue Dragon, 13006. ☎ 04-91-37-74-95. Fax : 04-91-57-19-04. ● www.hoteledmondros tand.com ● Ⓜ Castellane ou Estrangin-Préfecture. Entre la place Castellane et la préfecture, à l'angle de la rue Edmond-Rostand. Fermé du 24 décembre au 8 janvier. Chambres doubles à 54 € avec salle de bains, w.-c., TV et téléphone. Dans une rue tranquille, non loin de la maison natale d'Edmond Rostand, un charmant petit hôtel familial, tenu par France-Rodolphe et Tamara de Wurstemberger. Chambres insonorisées, modernes et fonctionnelles. Certaines donnent sur le jardin.

🛏 *Hôtel Rome Saint-Pierre (plan général E4, 22) :* 7, cours Saint-Louis, 13001. ☎ 04-91-54-19-52. Fax : 04-91-54-34-56. ● www.hoteldelrome.com ● Ⓜ Vieux-Port-Noailles. Ouvert toute l'année. Chambres doubles autour de 55 à 87 € sans le petit dej'. Un emplacement idéal pour un séjour d'affaires. La rue d'Aubagne est à deux pas. Un hôtel sérieux (comme un pape, forcément...). Bon confort (minibar et AC), bonnes prestations. Vieilles armoires provençales dans certaines chambres.

🛏 *Hôtel Esterel (plan général E6, 23) :* 124-125, rue Paradis, 13006. ☎ 04-91-37-13-90. Fax : 04-91-81-47-01. ● hotel.esterel1@libertysurf. fr ● Ouvert toute l'année. Chambres doubles de 48 à 56 € avec douche et w.-c. et à environ 63 € avec bains et w.-c. ; petit dej' à 5,70 €. Chambres rénovées, avec clim'. Petit jardin à l'arrière. L'hôtel possède son garage et propose aussi un parking payant, non loin de là.

🛏 *Hôtel Azur (plan général F4, 24) :* 24, cours Franklin-Roosevelt, 13004. ☎ 04-91-42-74-38. Fax : 04-91-47-27-91. ● www.azur-hotel.fr ● Ⓜ Réformés-Canebière. Derrière l'église des Réformés. Ouvert toute l'année. Chambres doubles de 50 à 56 € selon le confort (douche seule, douche et w.-c. ou salle de bains et w.-c.) et selon la saison, sans le petit dej'. Chambres rénovées, avec AC, téléphone, TV (Canal +). Un bel édifice dans une rue relativement calme et pentue, dans le prolongement de la Canebière. Bon accueil. Demandez une chambre côté jardin ; elles sont évidemment très agréables. Bon petit dej' avec des viennoiseries maison. Le café est offert à nos lecteurs sur présentation du *GDR*.

Plus chic

🛏 *Saint-Ferréol's Hotel (plan général E5, 26) :* 19, rue Pisançon, 13001. ☎ 04-91-33-12-21. Fax : 04-91-54-29-97. ● www.hotel-stferreol. com ● Ouvert toute l'année. Chambres doubles de 75 à 90 € selon la saison ; petit dej' à 9 €. Pratique car non loin du Vieux-Port et situé à l'angle de la rue Saint-Ferréol, l'une des rues piétonnes les plus commerçantes de la ville *(Galeries Lafayette, Virgin Megastore...)*. Récemment repris, cet hôtel propose des chambres confortables, avec salle de bains et w.-c. Les nos 10 et 12 ont une baignoire Jacuzzi. Une dizaine ont TV et double vitrage. Elles portent un numéro ou un nom de peintre : Van Gogh, Picasso, Monet, Cézanne, Signac... On retrouve les reproductions et des explications de leurs œuvres sur les murs, et beaucoup de dorures partout. Espace Internet. Remise de 10 % sur la chambre de décembre à mars sur présentation du *GDR*.

Dans les quartiers du stade Vélodrome et du Prado (8ᵉ arrondissement)

🛏 *Hôtel Le Corbusier (plan Marseille – Les plages, K9, 169) :* dans la Cité radieuse de Le Corbusier, 280, bd Michelet, 13008. ☎ 04-91-16-78-00. Fax : 04-91-16-78-28. ● www.hotellecorbusier.com ● Dans le prolongement de la rue de Rome et de l'avenue du Prado. Doubles avec bains à partir de 70 €, petit dej'-buffet à 8 €. Brunch le dimanche. Les plus grandes chambres donnent sur la mer et les plus petites côté parc (à partir de 45 €). Studio avec cuisine Le Corbusier gardée en l'état, grande terrasse avec vue sur la baie de Marseille. Les propriétaires ont relooké les chambres. Dormir ici est une expérience qui ne coûte pas très cher. Cela dit, les travaux prévus cette année auront probablement une répercussion sur les prix. Quartier peu animé, sauf les soirs de match au stade Vélodrome, tout près.

🛏 *Hôtel Mercure Marseille Prado*

(plan Marseille – Les plages, K8, 170) : 11, av. de Mazargues, 13008. ☎ 04-96-20-37-37. Fax : 04-96-20-37-99. Accès par les autoroutes du Littoral, Nord et Est et le tunnel Prado Carénage, direction boulevard du Prado et parc des Expositions. Chambres doubles de 105 à 130 € selon le confort et la saison ; petit dej'-buffet à 13 €. Pour les routards qui ont viré hommes d'affaires, un hôtel entièrement rénové, non loin du Vélodrome et du parc Borély. Les prix sont raisonnables. Déco plutôt ensoleillée et vue sur la mer à partir du 4e étage. Réservation conseillée. Apéritif au bar offert à l'arrivée pour nos lecteurs sur présentation du guide.

Sur la Corniche, près des plages et des calanques

De bon marché à prix moyens

🛏 *La Cigale et la Fourmi, maison d'hôtes des Calanques (hors plan Marseille – Les plages par K8, 171)* : 19-21, rue Théophile-Boudier, 13009, à Mazargues. ☎ et fax : 04-91-40-05-12. ● www.cigale-fourmi.com ● À moins d'un quart d'heure en voiture des calanques. Bus n° 22 jusqu'à Mazargues. Ouvert de début juin à fin septembre (hors saison, téléphoner). Chambres d'hôtes et studios équipés (kitchenette, salle de bains) de 25 à 40 €, selon le confort. Compter 10 ou 15 € la nuit en dortoir. Dans une rue tranquille de Mazargues, quartier de Marseille assez excentré, mais qui a su rester un village. Pas en bord de mer donc, mais l'une des adresses les plus proches des calanques. Jean a ramené des Philippines l'idée de cette *guesthouse* installée dans deux maisons provençales, avec un dédale d'escaliers étroits, de demi-niveaux et de petites terrasses, peu recommandé aux jeunes enfants. Buanderie, point-phone... et déco « côté Sud » pas désagréable. Jean connaît comme sa poche les calanques, qu'il a longuement visitées : utilisez ses connaissances ! Il vous emmènera faire un pique-nique en

bateau, ou même prendre un bain de minuit s'il a le temps. Apéritif ou café offert à nos lecteurs sur présentation du *GDR*.

🛏 *Hôtel Le Richelieu (plan général A5, 27)* : 52, corniche Kennedy, 13007. ☎ 04-91-31-01-92. Fax : 04-91-59-38-09. Bus n° 83 depuis le Vieux-Port ; arrêt « Catalans ». Ouvert toute l'année. Chambres doubles de 34 à 72 € suivant la saison, le confort et la vue (rue ou mer). Hôtel les pieds dans l'eau. Rénovation pleine de bonne volonté et accueil idem. Très bon rapport qualité-prix. Indispensable, donc, de demander une chambre avec vue sur la mer et, si possible, avec balcon. Somptueux panorama sur les îles du Frioul. Terrasse commune bien exposée et en partie abritée pour boire un verre et prendre son petit dej'. La gentille (mais payante) petite plage des Catalans est à deux pas. Réduction, en basse saison, de 10 % sur présentation du *GDR*.

🛏 *Hôtel Mistral (plan Marseille – Les plages, J10, 172)* : 31, av. de la Pointe-Rouge, La Vieille Chapelle, 13008. ☎ 04-91-73-44-69. Fax : 04-91-25-02-19. Bus n° 83 depuis le

Vieux-Port, descendre à Pointe Rouge. Pour changer du béton mais aussi pour ses chambres de 40 à 55 € environ selon le confort (douche ou douche et w.-c.). Demi-pension (demandée de mai à septembre) de 35 à 45 € selon la saison. Chambres récentes mais établissement déconseillé à ceux qui veulent entendre le bruit des vagues, vu la circulation carabinée dans le coin. C'est un rendez-vous de plongeurs et de sportifs. On traverse la rue et on est sur la plage. Clim' mais pas insonorisation (étant donné les prix !). Certaines chambres ont une vue sur la mer et le flot des voitures. Apéro offert sur présentation du *GDR*.

🏠 *Chambres chez Mme Conte-Champigny (plan général A6, 28) :* 12, rue des Pêcheurs, 13007. ☎ 04-91-59-20-73. Fax : 04-91-81-50-89. Chambres doubles entre 50 et 60 € environ, petit dej' compris. Marseille a créé une jolie surprise en multipliant depuis quelques années des chambres en ville pour hôtes nostalgiques de celles des champs. Voici une chambre meublée (la n° 1) à l'ancienne dans une maison avec jardin et terrasse, accrochée à la colline, au-dessus du vallon des Auffes, qui fait bien des heureux. On apprécie, depuis son lit, et même depuis sa baignoire, la fenêtre donnant sur la baie. Jus de fruits offert sur présentation du *Guide du routard.*

🏠 *Hôtel Peron (plan général A6, 29) :* 119, corniche Kennedy, 13007. ☎ 04-91-31-01-41. Fax : 04-91-59-42-01. ● www.hotel-peron.com ● Bus n° 83, arrêt « Corniche-Frégier ». Chambres doubles à 63,80 € avec lavabo et à 72,50 € avec douche. Les chambres n° 15, 25 et 35 sont les plus spacieuses. D'abord la déco. Chaque chambre a, dans les années 1960, été consacrée à un pays ou à une région française : fresques murales en plâtre moulé, poupées déguisées, poissons et fruits de mer en céramique dans les salles de bains... Irrésistiblement kitsch ! Certaines ont été récemment rénovées. Ensuite, l'emplacement : en bord de mer, sans vis-à-vis, d'où une vue réellement sublime des balcons. Ac-

cueil dynamique et prévenant pour une adresse attachante. À noter : les chambres donnant sur la mer (et la route !) sont désormais insonorisées. Parking gratuit. Réduction de 10 % sur le prix de la chambre pour nos lecteurs à partir de 2 nuits de séjour, sur présentation de ce guide.

🏠 |●| *La Petite Maison (plan Marseille – Les plages, I7, 173) :* 5, rue des Flots-Bleus, 13007. ☎ 04-91-31-74-63. ● info@petitemaisonamarseille. com ● Ouvert toute l'année. Chambres doubles à 60 ou 75 €, petit dej' compris. Repas à 18 et 25 €, boissons comprises. Quel joli nom pour une rue ! Et quelle belle adresse, sur les hauteurs de la corniche, avec vue plongeante sur les flots bleus... Du moins pour les deux plus belles. La suite n'est pas mal non plus. Dans le quartier résidentiel dominant la corniche, une de nos adresses préférées à Marseille, grâce à l'accueil d'Alix et de sa petite famille. Table d'hôtes sur commande pour goûter une cuisine très ferme-auberge : oursins, huîtres viennent directement de la pêche, les fruits et légumes de chez les voisins et parents, la viande des réserves de chasse, etc. Petit dej' copieux avec confiture maison que l'on prend sur la terrasse, face au jardin. Autre détail important : on est à 5 mn de la mer. Café ou jus de fruits offert à nos lecteurs sur présentation de ce guide.

🏠 *Villa Valflor (plan Marseille – Les plages, J10, 175) :* 13, bd Molinari, 13008. ☎ 04-91-72-03-54. ● villa-valflor@wanadoo.fr ● Ouvert toute l'année. Pour deux, compter de 69 à 89 €. Trois chambres d'hôtes dans une magnifique bastide à deux pas des plages. La propriétaire, qui en a hérité, a su en faire une très agréable maison à vivre, avec une déco chaleureuse d'inspiration italienne. Les trois chambres, à l'étage, sont spacieuses et lumineuses (l'une d'elles peut accueillir 4 personnes). Petit déjeuner sous la véranda ou dans le jardin tropical. Plus cher que la moyenne des chambres d'hôtes mais les quelques euros dépensés en plus sont mérités. Apéritif offert aux routards sur présentation de ce guide.

Plus chic

🛏 **Hôtel Best Western Marseille Bonneveine Prado** (plan Marseille – Les plages, K10, **176**) : av. Elsa-Triolet, 13008. ☎ 04-91-22-96-00. Fax : 04-91-25-20-02. Chambres standard de 90 à 170 € environ et chambres « privilège » autour de 100 €. Petit déjeuner à 12 €. Hôtel confortable, idéalement placé pour faire un saut dans les calanques, ou dans la piscine, d'ailleurs. Chambres agréables bien équipées (AC, TV, sèche-cheveux), fraîchement rénovées pour certaines d'entre elles. 10 % de remise sur le prix de la chambre du vendredi au dimanche (à préciser à la réservation) sur présentation de ce guide. Parking payant.

🛏 **New Hotel Bompard** (plan Marseille – Les plages, I7, **174**) : 2, rue des Flots-Bleus, 13007. ☎ 04-91-99-22-22. Fax : 04-91-31-02-14. ● www.new-hotel.com ● Suivre la corniche Kennedy, tourner à gauche juste avant le restaurant *Le Ruhl*; ensuite, c'est fléché. Chambres doubles de 108 à 120 € ; petit dej' à 11 €. Sur les hauteurs de la corniche, un ensemble hôtelier, avec un bâtiment ancien et une annexe moderne *(Le Mas des Genêts)*, au milieu d'un grand jardin planté d'acacias et de palmiers. Calme absolu, donc, sauf pour les chambres qui donnent sur le parking privé (gratuit) ! Piscine bleu marine et restauration possible. Même chaîne que le *New Hotel Vieux-Port*. Chambres fonctionnelles avec terrasse ou balcon, qui n'ont par contre rien de bien folichon. Heureusement, reste la perspective d'un petit dej' prolongé dans le jardin fleuri. Location de bungalows et de studios. Apéritif offert et remise de 10 % accordée sur le prix de la chambre de novembre à mars pour nos lecteurs sur présentation de ce guide.

Dans le quartier de la Panouse (9ᵉ arrondissement)

Chic

🛏 **Chambres du château de l'Aroumias** (hors plan général par F6) : 198, av. de La Panouse, 13009. ☎ et fax : 04-91-41-01-74. ● laroumias@caramail.com ● À 8 km environ du Vieux-Port, au sud de Marseille, dans les collines de Saint-Cyr. Du centre de Marseille, prendre l'avenue du Prado, puis à gauche, boulevard Gustave-Gamay et boulevard Sainte-Marguerite. Doubles de 60 à 80 € selon la saison, petit dej' compris. Au cœur d'un parc aux essences méditerranéennes, cette bastide du XIXᵉ siècle abrite 2 chambres confortables, avec accès indépendant. Vous pouvez louer la chambre « château d'If » et vous prendre pour Monte-Cristo. Salon avec vue sur la mer. Jolie piscine et bon accueil de Martine et Jean-Yves Dussart. Remise de 10 % sur la chambre hors week-ends et congés scolaires sur présentation du *GDR*.

OÙ MANGER ?

Il existe ici de bons restos, des restos pas chers et des spécialités qui méritent le détour : la bouillabaisse, bien sûr, mais le poisson sous d'autres formes y est excellent aussi (le loup en particulier, appelé également bar). À propos, méfiez-vous des adresses où l'on propose une « vraie » bouillabaisse pour 13 ou 15 € en terrasse, près du Vieux-Port. Compter plutôt 35 € pour une vraie de vraie. Quant à la vraie cuisine provençale, c'est plutôt dans l'arrière-pays que vous allez la découvrir. Profitez du fait que Marseille reste avant tout une ville ouverte sur le monde pour goûter à la cuisine de tous les exilés venus un jour poser ici leurs bagages. À Marseille, le bonheur vous attend, si vous savez déjouer les pièges à touristes, au coin d'une rue ou d'un port, sur une plage ombragée, devant une grillade aux herbes de Provence, une daube servie dans un bar haut en couleur ou une bonne *pizze,* comme on dit ici. Car si elle vient d'Italie, la pizza a pourtant fait de Marseille une de ses capitales. Un pastis, une pizza « moitié-moitié » anchois/fromage (choisissez une pizzeria qui a un vrai four à bois, et prononcez « une pizze moit-moit »), accompagnée d'un petit vin de Provence, voilà le repas typiquement marseillais, pour un prix variant entre 10 et 23 € maximum en ajoutant dessert et café.

Beaucoup d'adresses sont fermées le dimanche.

Quartiers quai du Port – Panier – République

Bon marché

OÙ MANGER ?

|●| Au Vieux Panier *(centre 1, C4, 41)* **:** 13, rue du Panier, 13002. ☎ 04-91-91-52-94. Ⓜ Vieux-Port–Hôtel-de-Ville. Ouvert de 9 h à 19 h. Fermé le dimanche et de mi-juillet à mi-août. Premier plat à 7,50 € ; compter environ 12 € pour un repas complet à la carte. Derrière la façade bleue de cette épicerie, une petite salle, des lisses, des bibelots, c'est intime et on s'y sent bien. Les produits des terroirs de Provence ou de Corse sont servis sur le joli comptoir en tommettes. Assiettes préparées devant le client par Françoise, la patronne. Elles sont composées de charcuterie, fromages, crudités...

|●| L'Infidèle *(centre 1, D4, 42)* **:** 18, rue Coutellerie, 13002. ☎ 04-91-90-91-16. Sert le midi seulement. Fermé le week-end (mais ouvert le samedi midi d'avril à août compris). Congés annuels : 1 semaine en février, 1 semaine en novembre et 2 semaines fin décembre. Premier menu autour de 8 €. Formule plat/dessert/café à 10,50 €. Le menu change tous les jours. À deux pas du port, derrière la mairie, un petit resto qui sert de grandes assiettes à des prix très convenables : porc au citron, osso-buco, raviolis frais... La terrasse est ensoleillée et calme, l'étage climatisé et très agréable.

Prix moyens

|●| Au Lamparo *(centre 1, C4, 43)* **:** 4, pl. de Lenche, 13200. ☎ 04-91-90-90-29. Ouvert tous les jours, midi et soir, de mai à fin septembre. Fermé en décembre-janvier. Plats à partir de 10 € environ ; menus à 20 et 22 €. Sur la place en pente, un petit resto de quartier qui mijote des plats locaux dans un décor de café tranquille : c'est simple et bon. Supions frits, seiches à l'encre, calamars et espadon. Digestif ou apéritif offert à nos lecteurs sur présentation du GDR.

|●| La Kahéna *(centre 1, D4, 48)* **:** 2, rue de la République, 13001. ☎ 04-91-90-61-93. Près du Vieux-Port. Ouvert tous les jours jusqu'à 23 h. À la carte, compter 17 €. Un resto tunisien très couru, malgré un décor qui n'a rien d'oriental. Cadre néanmoins agréable pour goûter un très bon couscous servi dans de jolis plats creux tunisiens (dont le couscous de poisson les jeudi et vendredi). Avec un brick à l'œuf en entrée et un gâteau tunisien, il ne reste plus qu'à faire une marche jusqu'au cours Julien ou courir autour du Vieux-Port pour se remettre. Salle un peu bruyante mais service irréprochable. Café ou thé à la menthe offert à nos lecteurs sur présentation de ce guide.

|●| Le Crystal *(centre 1, C4, 45)* **:** 148, quai du Port, 13002. ☎ 04-91-91-57-96. Ouvert tous les jours en saison de 9 h à 2 h du matin. Fermé les dimanche et lundi soir hors saison. Compter entre 15 et 18 € par personne. Un établissement sans prétention, mais qui offre le double avantage d'être ouvert le dimanche et de satisfaire les couche-tard (service jusqu'à 23 h 30). Connu pour ses salades copieuses. Fait aussi brunch les week-ends. On vient également y siroter un cocktail ou manger des tapas.

Un peu plus chic

|●| *Étienne* (centre 1, D3, 90) : 43, rue de Lorette, 13002. Pas de téléphone. Ouvert midi et soir jusqu'à 23 h. Fermé le dimanche. Compter de 8 à 10 € environ la pizza et de 25 à 30 € le repas. Est-ce cet aspect de resto d'avant la révolution industrielle qui explique son incroyable succès ? C'est toujours plein comme un œuf et on y est serré comme les ingrédients de leurs fameuses pizzas (ici plutôt considérées comme de simples entrées !). Pourtant, ce n'est pas spécialement bon marché. Mais c'est comme ça, la plupart des clients se connaissent, se saluent, ça bruisse, ça vibrionne autour des viandes grillées au feu de bois (côte de bœuf correcte), le gratin d'aubergines, les pieds-paquets et de bons supions. Un bon signe : c'était aussi l'un des préférés du regretté Jean-Claude Izzo. Une véritable institution, donc. On peut réserver, mais il faudra venir le faire à pied, de vive voix. N'accepte pas les cartes de paiement.

|●| *El Cham* (centre 1, C4, 46) : 150-162, quai du Port, 13002. ☎ 04-91-90-94-04. Fermé le lundi soir (et le dimanche soir en hiver). Menus de 20 à 35 € le midi en semaine. Salle décorée comme une maison orientale, chaleureuse et raffinée. Fauteuils en bois incrustés de nacre, coin pour le thé, cuisine bien élaborée et copieuse. Spécialités orientales (plus particulièrement syriennes). Bon accueil. Danseuses (du ventre) les vendredi et samedi soir. Le même lieu abrite également un autre établissement (même gestion), *Chez Caruso,* qui propose des spécialités provençales (dont la bouillabaisse) et italiennes. Apéro maison offert sur présentation du *GDR.*

|●| *Le Souk* (centre 1, C4, 47) : 100, quai du Port, 13002. ☎ 04-91-91-29-29. Fermé les dimanche soir et lundi (uniquement le lundi en été). Menu à 20 € ; repas à la carte autour de 25 €. Un resto oriental qui fait aussi épicerie, servant de la cuisine du Maghreb dans un décor chaleureux et étudié. Les serveurs sont en costume. L'endroit a du style et ça ne fait pas folklore de pacotille ; au contraire, *Le Souk* a très bon goût. Digestif maison offert à nos lecteurs sur présentation du *GDR.*

|●| *Chez Madie Les Galinettes* (centre 1, C4, 51) : 138, quai du Port, 13002. ☎ 04-91-90-40-87. Fermé les dimanche et jours fériés. Menus de 15 € le midi (sans dessert) à 25 €. Une adresse pour les amoureux de cuisine provençale, où l'on vous servira des galinettes sauce meunière. Pas Madie, non, elle n'est plus là, mais sa petite-fille, qui dirige cette maison de main de maîtresse. Son truc, à elle, c'est plutôt la viande, son père étant chevillard. Galinettes, chevillard... demandez-lui de vous raconter, s'il n'y a pas trop de monde. Vrais pieds-paquets, bonnes palourdes au thym. Une cuisine simple, parfumée. Apéritif maison offert à nos lecteurs sur présentation de ce guide.

|●| *La Lucciola* (centre 1, C4, 95) : 184, quai du Port, 13002. ☎ 04-91-91-84-56. Ouvert tous les jours de 8 h 30 à 19 h (17 h en hiver). Plats du jour à 12 € le midi. Une carte d'inspiration italienne, des plats du jour bien travaillés (encornets farcis au bruccio et menthe...) et copieux, et une très belle terrasse sur le port font de ce lieu une bonne halte pour déjeuner.

|●| *Le Dock de Suez* (plan général C2, 49) : 10, pl. de la Joliette, Atrium 10.1, 13002. ☎ 04-91-56-07-56. À quelques centaines de mètres de la Major, face au port autonome. Ouvert du lundi au vendredi midi ; le soir, sur réservation pour les groupes. Fermé 3 semaines en août. Une brasserie chic, où le plat du jour est à 10,50 €. À la carte, compter autour de 23 €. Idéal pour découvrir le Marseille de demain, celui qui pointe son nez, dans les anciens docks de la Joliette, joliment rénovés, devenus le point de rencontre pour

tout ce qui est mode, radio, TV, recherche. Pour être au calme, ce n'est pas forcément l'idéal. L'apéritif est offert aux lecteurs du *GDR*.

l●l *Le Milano des Docks* (plan général C2, *50*) : 10, pl. de la Joliette, Atrium 10.4, 13002. ☎ 04-91-91-27-10. Ouvert le midi en semaine uniquement. Plats de 8,40 à 14 € environ. Une autre adresse, à deux pas de la précédente, tellement courue qu'on s'est dit qu'il valait mieux vous l'indiquer, au cas où vous n'auriez pas encore rencontré le Marseille-qui-bouge, ni mis les pieds sur les planches des docks. Bon, pas la peine de vous faire un dessin pour la nourriture, c'est de l'italien sans surprise, en dehors des pipes à la crème d'asperge (!) et du magret au miel et pignons.

Très chic

l●l *Le Miramar* (centre 1, D4, *52*) : 12, quai du Port, 13002. ☎ 04-91-91-10-40. Ouvert midi et soir. Fermé les dimanche et lundi, ainsi que les 2 premières semaines de janvier et les 3 premières semaines d'août. Si vous êtes prêt à lâcher 60 € au moins, on vous invite (façon de parler) à aller au *Miramar*, une institution à laquelle on peut se fier, puisque certains caïds marseillais en avaient fait leur table préférée, bien avant les politiciens locaux ! Une brasserie au décor années 1960. Une maison sûre, qui rassure... avec une console de fruits de mer à l'entrée qui ne demande déjà qu'à vous consoler. Superbes poissons. Un nouveau chef a pris la relève des frères Minguella. Affaire à suivre ! Service classe et décontracté à la fois. Apéro maison offert à nos lecteurs.

Quartiers quai de Rive-Neuve – cours d'Estienne-d'Orves – Opéra

Bon marché

l●l *Les Menus Plaisirs* (centre 1, E4, *53*) : 1, rue Haxo, 13001. ☎ 04-91-54-94-38. Ⓜ Vieux-Port – Hôtel-de-Ville. Ouvert le midi uniquement. Fermé les samedi et dimanche. Plats à 9,50 €. Un lieu très sympa, plein de chromos anciens sur les murs et d'anciens qui ont des couleurs aux joues. Le patron est devenu un vrai Marseillais, qui défend sa ville tout en prenant les commandes et apportant les plats. Chaude ambiance et bon rapport qualité-prix dans ce petit resto où les tables sont prises d'assaut le midi par une clientèle nombreuse. Le menu, renouvelé chaque jour, est attrayant. Terrasse sympa. Le café est offert aux lecteurs du *GDR*.

l●l *Chez Vincent* (centre 1, D5, *54*) : 25, rue Glandevès, 13001. ☎ 04-91-33-96-78. Fermé le lundi et en août. Plats à partir de 7 € ; carte autour de 19 €. Charmantes mammas, gentils neveux, bonnes pizzas et bons plats goûteux... La vieille génération sicilienne, un peu fatiguée (elle tient depuis plus d'un demi-siècle), regarde d'un air mi-attendri, mi-amusé le ballet des serveurs et des habitués. On vient certes pour le folklore, les petits prix, mais surtout pour les produits frais, les cannellonis, les lasagnes, les poivrons grillés au feu de bois. Ici se retrouvent les chanteurs et les fidèles de l'opéra après les représentations pour jouer les prolongations, entre embrassades et applaudissements.

l●l *La Casertane* (centre 1, D5, *55*) : 71, rue Francis-Davso, 13001. ☎ 04-91-54-98-51. Ouvert de 9 h à 19 h 30. Service de 11 h 45 à 14 h 30. En face de *La Maison Debout*, une épicerie-restaurant où il vaut mieux venir tôt le midi (pas de service le soir). Assiettes autour de 10 €. Et si vous avez encore faim, offrez-vous un plat de pâtes. Digestif offert sur présentation du *GDR*.

l●l *Le Mas de Lulli* (centre 1, D5, *56*) : 4, rue Lulli, 13001. ☎ 04-91-33-

25-90. Spécial noctambules, car *Le Mas,* juste derrière l'opéra, au cœur du quartier « hot », est ouvert jusqu'à 6 h. Fermé la 2e quinzaine d'août. Compter environ 20 € pour un repas complet à la carte. Inutile de casser votre tirelire, car les pâtes y sont très bonnes et très abordables. Bonne ambiance dans ce lieu incontournable du Marseille *by night,* au même titre que *O'Stop.* Apéro offert aux lecteurs du *GDR.*

|●| *O'Stop* (centre 1, D5, **57**) : 16, rue Saint-Saëns, 13001. ☎ 04-91-33-85-34. Ⓜ Vieux-Port – Hôtel-de-Ville. Ouvert 24 h/24 tous les jours, sauf le soir de Noël. Pas de menu ; compter 14 €. Plat du jour à 9 €. Une institution, mais attention, il n'y a que 6 tables. Face à l'opéra, ce snack connu de tous attire un public divers qui va du bourgeois à la dame de petite vertu. Avant le spectacle, il n'est pas rare d'y rencontrer les travailleurs de l'opéra (chanteurs, techniciens...). Les spécialités de la maison : alouettes (boulettes de viande), daubes, pâtes au basilic... sont très honnêtes. Les sandwichs, bien préparés, ne sont pas à dédai-

gner. Un kir offert aux lecteurs du *GDR.*

|●| *Café Simon* (centre 1, D5, **58**) : 28, cours d'Estienne-d'Orves, 13001. ☎ 04-91-33-05-14. Ouvert de 8 h à 1 h. Petit café prolongé par une terrasse au soleil, où il fait bon musarder. Tenu par des jeunes rapides et souriants. Fait aussi petit resto (à partir de 11 h) : cuisine de café à prix doux (plats dans les 7-10 €).

|●| *La Part des Anges* (centre 1, D5, **62**) : 33, rue Sainte, 13001. ☎ 04-91-33-55-70. ♿ Un resto-bar à vin qui crée l'événement, le bar ouvrant de 9 h à 2 h du matin (le dimanche, ouvert seulement à partir de 18 h). Compter de 9 à 15 € environ. Aux heures ouvrables, vente à emporter possible. On vient chercher son vin en vrac, en faisant son marché, ou une bonne bouteille, après l'opéra ; on s'attable sans façon, autour d'une salade ou d'une brochette de viande servie avec riz, courgettes, le tout avec un verre de vin à 9 €. Atmosphère très agréable. Petite salle plus tranquille, au fond, pour voir passer les anges... Apéritif maison offert à nos lecteurs.

Prix moyens

|●| *L'Oliveraie* (centre 1, D5, **59**) : 10, pl. aux Huiles, 13001. ☎ 04-91-33-34-41. Ⓜ Vieux-Port. Sert jusqu'à 23 h (23 h 30 le week-end). Fermé le samedi midi et le dimanche toute la journée, ainsi qu'en janvier. Superbes menus à 17 € (le midi) et 23 € (le soir). Un bistrot à la mode de Provence, un accueil et un service ensoleillés, et des plats dignes de ce nom. On est dans un lieu qui plaira autant aux nostalgiques de la trilogie pagnolesque qu'aux amoureux du Marseille d'aujourd'hui qui revit autour du Vieux-Port. Un café est offert à nos lecteurs sur présentation du *GDR.*

|●| *Caffe Milano* (centre 1, D5, **60**) : 43, rue Sainte, 13001. ☎ 04-91-33-14-33. Fermé les samedi midi et dimanche. Carte autour de 22 €. Un soupçon de Chine pour le décor, un air d'Italie dans l'assiette. Un lieu mode qui n'a pas de prétentions culinaires mais où l'on se retrouve autour d'un carpaccio de bœuf et de *penne*

all'arrabbiata sans vraiment se poser de questions existentielles. Réservation utile les fins de semaine.

|●| *Les Colonies* (centre 1, D5, **61**) : 26, rue Lulli, 13001. ☎ 04-91-54-11-17. Ouvert du lundi au samedi de 9 h à 19 h. Fermé les jours fériés et en août. De 4 à 10 € la salade ou la tourte. Un lieu *cocooning* au féminin, protégé, chaleureux, original, qui n'a qu'un seul défaut, pour certain(e)s : on n'y fume pas. Tout petit (trop ?) et décor qui n'a rien de colonial. On y boit, on achète son thé, ses chocolats, ses gâteaux secs griffés *Le Petit Duc* (une pâtisserie à visiter sans faute, si vous allez ensuite à Saint-Rémy-de-Provence). Atmosphère « à l'ancienne » : grands rideaux, beau lustre. On grignote le midi des cannellonis à la brousse ou des farcis, on se rafraîchit avec une faisselle au miel et pain d'épice.

|●| *César Place* (centre 1, D5, **91**) : 21, pl. aux Huiles, 13001. ☎ 04-91-

33-25-22. Ouvert de 12 h à 14 h et de 19 h 45 à 23 h. Fermé le dimanche. Menus le midi à 13,80 €, le soir à 20 ou 32,50 € (menu « Les plaisirs » avec dégustation d'entrées et de desserts). Compter autour de 25 € à la carte pour un plat et un dessert. Terrasse l'été. Dans un décor design tout nouveau et très réussi, ce restaurant gastronomique de la place aux Huiles réinvente une cuisine provençale originale et moderne. Le choix des produits est celui d'un amoureux de la bonne cuisine et leur mariage est très réussi, qu'il s'agisse des viandes fondantes, des poissons cuits à la perfection, ou des desserts originaux et savoureux. Le service est à la hauteur, classe et souriant. La carte des vins met en avant le sud de la France avec des bouteilles parfois méconnues mais choisies en connaisseur.

Plus chic

OÙ MANGER ?

I●I **La Côte de Bœuf** (centre 1, D5, 64) : 35, cours d'Estienne-d'Orves, 13001. ☎ 04-91-54-89-08. Fermé le dimanche et jours fériés ; congés annuels en juillet-août et du 23 décembre au 6 janvier. Compter autour de 30 € par personne. Restaurant qu'on recommande uniquement aux amateurs de viande. Profitez-en pour visiter la cave commune, et quelle cave : une véritable caverne d'Ali-Baba version Fernandel (normal, il y a là des vins provenant encore de chez lui !). Apéritif ou digestif maison offert à nos lecteurs.

I●I **Lemon Grass** (centre 1, D5, 44) : 8, rue Fort-Notre-Dame, 13007. ☎ 04-91-33-97-65. Ouvert le soir seulement, de 20 h à 22 h 30. Fermé le dimanche, ainsi que début janvier et fin juillet. Menus à 26, 29 et 33 € (vin non compris) selon que vous choisirez plat/dessert, entrée/plat ou entrée/plat/dessert. Également un menu dégustation à 45 €. Dans un cadre sobre agrémenté d'expositions temporaires d'artistes locaux, le chef réinvente tous les deux mois une nouvelle carte en réussissant le mariage délicat des saveurs asiatiques et d'ingrédients plus traditionnels : ravioles au foie gras et tomates confites, compressé de sardine bleue au chutney de tomates et sorbet de pamplemousse... Une excellente adresse à deux pas du Vieux-Port.

I●I **Bistrot du Livon** (centre 1, C5, 96) : 42, quai de Rive-Neuve, 13007. ☎ 04-91-55-02-27. Ouvert de 11 h 30 à minuit et demi. Service continu. Fermé le lundi. Menus le midi à 16 et 18 € (entrée ou dessert + plat) ; le soir uniquement à la carte : autour de 30 € pour un repas complet. Ambiance brasserie décontractée dans un décor marin en bois clair pour ce nouveau lieu situé sur le Vieux-Port juste à côté du Théâtre de la Criée. La salle ouverte sur le quai et la terrasse offrent une belle vue. Bon choix de plats tendance « nouvelle cuisine méditerranéenne » bien préparés et joliment présentés. À noter également le service sympathique et empressé. Bref, une bonne adresse à la sortie d'un spectacle par exemple. Apéro offert sur présentation de ce guide.

Dans le centre : Canebière, Noailles, préfecture

Bon marché

I●I **Le Fémina Chez Kachetel** (plan général E4, 65) : 1, rue du Musée, 13001. ☎ 04-91-54-03-56. Ⓜ Noailles. Service le soir jusqu'à 2 h. Fermé les dimanche midi et lundi. À la carte, plats de 7 à 18 € environ. Transmis de père en fils depuis 1921 : voilà une institution marseillaise ! Vaste restaurant assez haut de plafond avec sur les murs des fresques naïves représentant la vie dans la campagne de Kabylie. On vous conseille bien sûr le couscous... sous toutes ses formes. Essayez le couscous à base de semoule d'orge typiquement kabyle. L'orge est excellente pour la santé, plus digeste que le blé mais plus lourde pour le porte-monnaie. Apéritif ou digestif maison offert à nos lecteurs sur présentation du *GDR*.

I●I **Restaurant Chez Soi** *(plan général E4, 66)* : 5, rue Papère, 13001. ☎ 04-91-54-25-41. Dans le quartier de Noailles. Ouvert de 11 h 30 à 23 h. Fermé le dimanche et le lundi soir. Menus de 9 à 12 € environ. Petit resto avec un grand cercle en aluminium en façade, des peintures, miroirs, ventilos, un cadre vieillot mais propre. Le sol est en pente, curieuse impression. Cuisine conviviale avec des menus qui changent tous les jours et des plats locaux comme la bouillabaisse. Digestif maison offert à nos lecteurs sur présentation du *GDR*.

I●I **Pizzeria Au Feu de Bois** *(plan général E4, 67)* : 10, rue d'Aubagne, 13001. ☎ 04-91-54-33-96. Ⓜ Noailles. Ouvert jusqu'à 22 h 30. Fermé les dimanche et lundi. La carte propose des petites pizzas, des pieds-paquets ou des lasagnes. À partir de 8,50 € le repas. Reprise par un ancien boulanger, cette pizzeria, réputée depuis des lustres (avant sous le nom de *Sauveur*) et populaire comme le quartier, sert de remarquables pizzas cuites au feu de bois : royale (champignons, ail, saucisse, fromage), orientale (*bastourma*, brousse, œuf, tomate)... Un lieu qu'on aime beaucoup et un service gentil tout plein. Vente à emporter.

I●I **Dégustation Toinou** *(plan général E4, 68)* : 3, cours Saint-Louis, 13001. ☎ 04-91-33-14-94. Ouvert tous les jours, midi et soir. Quatre formules de plateaux de fruits de mer entre 11,90 et 56 € environ. Trente ans de succès ! Avant, il n'y avait qu'un kiosque sur le cours, où Toinou vendait ses coquillages à prix doux. Aujourd'hui, on peut les déguster à deux pas de là, dans un « Coquillages-Center » au décor n'ayant rien de typiquement provençal (bois, inox sur fond marin !). Oursins, moules de Bouzigues, moules-frites (10,50 €), huîtres... Un peu bruyant, dommage. Il y a toujours beaucoup de monde et une équipe d'écaillers hyper-entraînés. Apéritif maison offert à nos lecteurs sur présentation du *GDR*.

Prix moyens

I●I **L'Orient Exploré** *(plan général D5, 73)* : 9, rue Dejean, 13006. ☎ 04-91-33-54-15. Ⓜ Estrangin-Préfecture. Dans le quartier Notre-Dame. Ouvert tous les jours sauf le dimanche et en août. Menu autour de 14,50 € ou carte. Un peu à l'écart du centre, ce petit restaurant égyptien nous a bien plu. Outre le menu moyen-oriental *(hoummos, kefta...)*, on peut, pour le même prix, s'offrir un couscous égyptien aux quatre viandes, qui diffère tout de même assez peu du couscous dont on a l'habitude. Il est néanmoins excellent et typique, surtout si, à la salle du bas, on préfère celle du haut, décorée de fresques et tapis, et où l'on s'assoit sur des poufs, devant de grands plateaux. Cela dit, manger un couscous accroupi pourra poser des problèmes aux moins souples de nos lecteurs. Accueil gentil du patron. Digestif offert sur présentation du *GDR*.

I●I **Le Carpe Diem** *(centre 2, E4, 75)* : 11, rue du Théâtre-Français, 13001. ☎ 04-96-12-68-74. Près du théâtre du Gymnase. Sert jusqu'à 23 h 30. Fermé le dimanche et en août. Premier menu à 11 €. Compter 22 € pour un repas complet à la carte. Un café-brasserie servant une cuisine marseillaise aux saveurs du Sud. Organise des concerts de jazz, de bossa nova 2 à 3 fois par mois et des soirées de chanson française. Apéro maison offert à nos lecteurs sur présentation du *GDR*.

I●I **Sushi Street Café** *(plan général D5, 74)* : 24, bd Notre-Dame, 13006. ☎ 04-91-54-17-90. Ouvert du mardi au vendredi, midi et soir, et le samedi soir. Fermé les dimanche, lundi et jours fériés. Compter entre 15 et 25 € pour un repas. Ce resto japonais, tenu par une Irlandaise, ne possède que quelques tables, mais on s'y sent bien.

Quartier de La Plaine – cours Julien – Notre-Dame-du-Mont

Prix moyens

|●| Le Cuisineur (centre 2, F4, **69**) : 2, rue des Trois-Rois, 13600. ☎ 04-96-12-63-85. Ouvert le soir seulement, jusqu'à 23 h au moins. Fermé le mercredi. Compter 20 €. Un de nos petits coups de cœur à Marseille. Deux petites salles intimes séparées par une arche, décor baroque-trash coloré. Patron jovial et atmosphère vraiment sympa. Parfois, la maman vient aider au service. Bref, on est en famille. On vient souvent en petites bandes pour déguster de bonnes viandes, pieds-paquets, copieuses salades et entremets au thym. Petite carte des vins qui fait la part belle aux côtes-du-rhône. Pour les beaux jours, terrasse rafraîchissante. Digestif offert aux routards sur présentation de ce guide.

|●| Les Filles... du Soleil Gourmand (centre 2, F5, **89**) : 71, cours Julien, 13006. ☎ 04-91-92-53-76. Ouvert du mardi au samedi de 12 h à 18 h. Fermé 15 jours mi-août. Compter dans les 15 € par personne. Le bleu de la façade se repère de loin. Pas beaucoup de tables à l'intérieur mais dès la belle saison on sort des tables sur le cours Julien. Déco très réussie. On vient pour le plat du jour, souvent sucré-salé, servi avec un verre de vin et le sourire. Bons desserts. Service féminin, on s'en serait douté !

|●| Le Roi du Poulet (centre 2, F5, **70**) : 14, pl. Notre-Dame-du-Mont, 13006. ☎ 04-91-42-87-46. Sur l'une des places les plus animées du quartier de La Plaine. Ouvert uniquement le soir, sauf du vendredi au dimanche. Fermé le lundi (sauf jours fériés). Environ 20 € le repas. Un des meilleurs restaurants portugais de Marseille. Azulejos sur les murs comme au pays, bar à tapas à l'entrée, grande salle agréable et service rapide. La cuisine ne fait pas d'exploit mais tout est bien mijoté. Quelques bons petits vins blancs pétillants. Pain frais et couteaux qui coupent : encore un bon signe. Café ou digestif offert aux routards sur présentation de ce guide.

|●| L'Assiette Lyonnaise (centre 2, E5, **71**) : 102, cours Julien, 13006. ☎ 04-91-42-37-21. Oubliez votre voiture dans un parking et montez à pied jusqu'au cours Julien. Ouvert tous les jours jusqu'à minuit (sauf le dimanche soir). Menus de 12 € (le midi seulement) à 24 € (le soir). Les bouchons marseillais seront bientôt aussi célèbres que les lyonnais. Spécialité de la maison : la volaille au saint-marcellin. Apéritif maison offert à nos lecteurs sur présentation du *GDR*.

|●| Le Sud du Haut (centre 2, E5, **77**) : 80, cours Julien, 13006. ☎ 04-91-92-66-64. ☓ Fermé le dimanche au mardi soir (jusqu'au lundi en saison) et du 15 août au 6 septembre. Compter 14 € le midi et entre 27 et 30 € le soir. Le cadre, un élégant bric-à-brac, se marie bien avec une musique du monde afro-cubain-caraïbes et se prolonge par une terrasse sur l'étonnante fontaine du cours Julien. À l'image du lieu, le service est nonchalant mais diligent. La cuisine réinvente à sa façon de vieilles recettes d'ici – petits farcis, poulet au basilic – avec une petite touche de délicatesse qui fait la différence. Digestif maison offert à nos lecteurs.

|●| Le Quinze (centre 2, F4, **72**) : 15, rue des Trois-Rois, 13006. ☎ 04-91-92-81-81. Ouvert uniquement le soir, à partir de 19 h. Menus entre 14,50 et 18,50 € environ. La rue des Trois-Rois est située à côté du fameux cours Julien et en est un peu son pendant. On y trouve autant de restaurants que sur le cours. Dans ce restaurant, bonne humeur, coudes sur la table, galéjades et plaisanteries sont de la partie. Malgré son nom, Marseille oblige, ici dès que le sujet sport est abordé, les conversations tournent plus souvent autour du jeu à onze (« Allez l'OM ! ») que de celui à quinze. Cuisine familiale style bonne franquette, où l'on note quelques plats du cru et de bons currys. Café offert à nos lecteurs.

Plus chic

l●l *Bataille* (centre 2, F5, 79) : 25, pl. Notre-Dame-du-Mont, 13006. ☎ 04-91-47-06-23. Ouvert du mardi au samedi de 8 h à 20 h, mais ne fait restaurant qu'entre 11 h 30 et 16 h. Traiteur, fromager (des Alpes), salon de thé, *Bataille* a plusieurs casquettes : il aime les produits de qualité. Le restaurant consiste en une sorte de terrasse extérieure, plutôt agréable. À l'intérieur, ce sont les étalages de l'épicerie, autour d'un bar.

Quartier des Cinq-Avenues et du palais Longchamp

l●l *Chez Vincent* (plan général G3, 87) : 2 bis, av. des Chartreux, 13004. ☎ 04-91-49-62-34. Ouvert midi et soir après les spectacles. Fermé le dimanche. À partir de 30 €. Le midi, plat du jour à 9,50 €. Là aussi, une institution (si vous n'avez pas réservé, au moins une heure d'attente). Grande salle chaleureuse et haute de plafond, avec poutres apparentes. Nombreuses photos de sportifs et vedettes aux murs (Carlos, Brialy, Renaud, Salvador et même Léo Ferré). Excellente cuisine de qualité régulière et beau choix à la carte. D'aucuns pourraient trouver qu'il y a parfois trop de sauce sur certaines viandes (sûr, concernant le foie de veau, délicieux au demeurant). Sinon, soupe de poisson, pizza, pâtes au noir, pieds-paquets, osso-buco, épaule d'agneau, tête de veau, etc. Le changement récent de propriétaire ne devrait rien changer à l'atmosphère conviviale. Café offert sur présentation du *GDR*.

Quartier de la Belle-de-Mai

Bon marché

l●l *Les Deux Sœurs* (plan général G1, 92) : 46, rue Pautrier, 13004. ☎ 04-91-64-17-78. Bus n° 49 ; arrêt « Jobin-Pautrier ». À la frontière de la Belle-de-Mai et des Chutes-Lavie (vous noterez la musicalité des noms de quartier à Marseille). *Chut*, la vie, c'est beau, non ?). Fermé le lundi, sauf jours fériés. Repas moyen à 12 €. Le p'tit resto de quartier comme on n'en fait vraiment plus. Deux petites salles palissandrées, chaleureuses et intimes. Ornées de photos, poêles en cuivre et de nombreuses coupes gagnées aux... boules. Accueil plein de verve bien marseillaise des deux sœurs. Elles proposent une succulente cuisine de famille, faite à partir de bons produits frais et mitonnée avec amour. Spécialités de pieds-paquets, d'alouette sans tête (viande farcie), sardines à l'escabèche, plat du jour. Mon tout servi hyper-généreusement à des prix d'avant Gaudin. Apéritif ou café offert sur présentation du *GDR*.

l●l *Bar-Restaurant du Jardin* (*Chez Florence et Nicolas* ; plan général G2, 94) : 20, rue Bénédit, 13004. ☎ 04-91-62-33-25. Fermé le soir et le dimanche, ainsi qu'en août. Plat du jour à 7 €, menu à 10 €. Le vrai coin de charme du quartier : dès les beaux jours (3/4 du temps donc), on déjeune dans la petite cour, et, plus surprenant, en hiver aussi (z'êtes protégés des frimas par une bâche). Ça sent bon, on se croit en guinguette, en goguette aussi... Le jeune couple sympa a repris la vieille maison, repeint les murs et mis du miel dans l'accueil. A gardé les bonnes habitudes aussi : à savoir, les pieds-paquets bien relevés, l'aïoli du vendredi, le pot-au-feu d'hiver... Dehors, Nicolas grille viandes et poissons au barbecue, que Florence parfume d'un sourire. Les employés et les artistes du coin s'y pressent, ceux qui savent font le détour. Spécialités à la carte. Café offert aux routards sur présentation de ce guide.

|●| **Bar-Dégustation** (plan général F1, **93**) : 97, rue Belle-de-Mai, 13003. ☎ 04-91-50-33-52. Ouvert tous les jours de 7 h à 19 h. Repas complet à 10 €. Modeste resto-snack de quartier, propre, accueillant et bien pratique pour manger sur le pouce un p'tit plat du jour (ou une bonne viande) et rester dans le ton du trek urbain. Offre le café sur présentation du GDR.

Quartiers Pharo – Corniche – Prado et plages

De bon marché à prix moyens

|●| **Le Chalet** (plan général B4, **80**) : jardin Émile-Duclaux (palais du Pharo, entrée par le bd Charles-Livon), 13007. ☎ 04-91-52-80-11. Ouvert de mars à octobre pour déjeuner uniquement, de 12 h à 15 h. Pas de menu ; compter de 20 à 30 €. Plus qu'un chalet, une guinguette cachée sous les frondaisons du jardin de ce palais construit pour Napoléon III et l'impératrice Eugénie. Cuisine quasiment en plein air, plats traditionnels style encornets farcis, supions, espadons. L'été, la légère brise qui vient de la mer et traverse la terrasse ombragée est bien agréable. Il y a un très beau point de vue sur le Vieux-Port. Apéro maison offert sur présentation du GDR.

|●| **Gran Café** (plan Marseille – Les plages, K8, **180**) : 158, rue Jean-Mermoz, 13008. ☎ 04-91-22-70-84. Ⓜ Rond-Point-du-Prado. Fermé le soir et le dimanche. Une petite adresse (entrée discrète) où l'on se retrouve pour la pause déjeuner. S'il fait beau, profitez du « jardin de poche », très calme. Formule buffet autour de 11,50 € : nombreuses entrées au choix et un plat chaud. Pour compléter, les gourmands ne manqueront pas de goûter les desserts faits maison, absolument délicieux (tarte au citron, Paris-Brest...).

|●| **Pâtes Fraîches et Raviolis** (plan Marseille – Les plages, K8, **181**) : 150, rue Jean-Mermoz, 13008. ☎ 04-91-76-18-85. Ⓜ Rond-Point-du-Prado. Ouvert le midi et les jeudi, vendredi et samedi soir hors saison, tous les jours en saison de 11 h à minuit. Fermé le dimanche hors saison, les jours fériés et 3 semaines en août. Compter environ 15-18 € pour un repas. Un peu plus cher le soir. Il faut traverser la cuisine de ce traiteur spécialisé dans les produits italiens. S'attabler sous la véranda, toutes fenêtres ouvertes sur une allée tranquille. Le lieu a jadis accueilli Marcel Pagnol (ses studios étaient à deux pas), Raimu et Fernandel, qui adoraient y déjeuner. En entrée, un peu de jambon San Daniele ou une brochette de mozzarella avant d'attaquer de bonnes pâtes ou des raviolis. Offre le café aux lecteurs du Guide du routard.

|●| **Au Verre d'eau** (plan Marseille – Les plages, K8, **182**) : 9, rue Rocca, 13008. ☎ 04-91-32-60-00. Petite rue calme située près de l'intersection de l'av. du Prado et de la rue du Paradis. Sert jusqu'à 22 h 30. Fermé le samedi midi, le dimanche et le lundi soir. Congés annuels en août. Compter environ 26 € pour un repas complet (sans la boisson). Une adresse souvent pleine d'habitués. Il faut dire qu'il n'y a pas beaucoup de bons endroits ouverts le soir dans ce quartier. On y sert tout un éventail de plats provençaux « atypiques » et savoureux, dans un cadre joliment décoré (tissus, bouteilles, meubles et objets de la région).

|●| **Pizzeria des Catalans** (plan général B5, **81**) : 3, rue des Catalans, 13007. ☎ 04-91-52-37-82. Fermé le soir hors saison, le dimanche soir en saison et le lundi toute l'année ; congés pour les fêtes de fin d'année. Plat du jour à environ 10 €. Posée sur l'une des nombreuses plages privées de la ville, mais celle-ci est la plus proche, cette pizzeria courue attire la grande foule dès les beaux jours. De sa terrasse abritée, on joue les voyeurs en vacances, un œil sur les sirènes en maillot, un autre sur les garçons de plage qui jouent au beach volley à proximité. À la carte, pizzas, friture de calmars, raviolis... Prix équivalents à ceux de Au Verre d'eau, sauf que là, on vous conseille de vous cantonner à la pizza.

Plus chic

|●| Pizzeria Chez Jeannot (plan général A6, **82**) : 129, rue du Vallon-des-Auffes, 13007. ☎ 04-91-52-11-28. Au fond du vallon. Ouvert tout l'été, tous les jours, sauf le lundi et le mardi midi ; en hiver, fermé les dimanche soir et lundi ; congés annuels : la 1re quinzaine de novembre et entre Noël et le Jour de l'An. Compter environ 20 € à la carte selon son appétit. Une pizzeria qui sert de la cuisine de Marseille et de Provence, avec une grande terrasse ensoleillée. On y mange des oursins, des moules, des palourdes, des bigorneaux, les fameux pieds-paquets (sauf en été) et aussi de moelleuses pizzas et des pâtes fraîches. Café offert à nos lecteurs sur présentation du GDR.

|●| Le Café des Arts (plan général A6, **83**) : 122, rue du Vallon-des-Auffes, 13007. ☎ 04-91-31-51-64. ⅌ À 50 m de Chez Jeannot, dans une rue étroite. Ouvert de 12 h à 14 h et de 20 h à 23 h. Fermé le mercredi, le samedi midi et le dimanche midi. Menu à 25 € servi midi et soir. Une adresse à la limite plus tropézienne que marseillaise, mais recommandée chaleureusement pour son patio avec ses deux petits oliviers et sa carte méditerranéenne où l'on peut même

se régaler avec de la viande venant directement d'Argentine. Spécialités du chef : l'artichaut Barigoule et la lotte aux noix.

|●| Chez Fonfon (plan général A6, **84**) : 140, rue du Vallon-des-Auffes, 13007. ☎ 04-91-52-14-38. Ouvert de 12 h à 14 h et de 19 h 15 à 22 h. Fermé le dimanche et le lundi midi ; congés annuels du 2 au 24 janvier. Premier menu autour de 32 € ; le suivant est à 50 €. Excellente bouillabaisse à environ 40 € (eh oui, on vous a prévenu, l'est devenu chérot, l'ancien plat du pôvre !). Une adresse qui avait connu son heure de gloire il y a vingt ans, du temps de Fonfon, précisément, et qui avait viré piège à touristes. La reprise en main semble avoir réconcilié les Marseillais avec ce haut lieu offrant une vue imprenable sur les barques rentrant au port, où l'on se régale de poisson frais pêché que l'on vous fait choisir avant de le préparer.

|●| Peron (plan général A6, **86**) : 56, corniche Kennedy, 13007. ☎ 04-91-52-15-22. Plats autour de 24 € ; bouillabaisse seule à 37 €. Restaurant chic et branché de la corniche Kennedy. Petite salle et terrasse ensoleillée. Fine cuisine marseillaise à prix conséquents.

Très chic

|●| Les Trois Forts (plan général B5, **85**) : 36, bd Charles-Livon, 13007. ☎ 04-91-15-59-56. Ouvert tous les jours toute l'année, midi et soir. Menus de 41 à 71 € environ. Une vue exceptionnelle sur le Vieux-Port, une cuisine et des prix à la hauteur. Très bonne adresse fréquentée par le Tout-Marseille cravaté ou bijouté pour la cir-

constance (faites un effort !). Lumineuse salle à manger, à découvrir le midi avec le petit menu. Le soir, ambiance plus feutrée (mais doit-on parler d'ambiance ?). Recettes originales, simples et savoureuses, véritable ode à la Provence, signée Dominique Frérard... Apéritif maison offert au bar sur présentation du GDR.

Où boire un bon café ?

Ⓨ Torréfaction Noailles (plan général E4, **110**) : 56, la Canebière, 13001. ☎ 04-91-55-60-66. Ouvert de 7 h à 19 h. Fermé le dimanche. Une des dernières belles façades de ce boulevard « mythique ». Café moka, arabica, de Colombie, du Brésil ou de

Saint-Domingue, on trouve de tout dans ce temple de la Canebière, et même des chocolats, des calissons et des pâtisseries locales.

Ⓨ Maison Debout (centre 1, D5, **111**) : 46, rue Francis-Davso, 13001. ☎ 04-91-33-00-12. Ouvert de 8 h 30

à 19 h 30. Fermé le dimanche. Debout dans la boutique ou assis en terrasse. Des sacs par terre, un vieux comptoir au fond pour les dégustations, une vingtaine de cafés différents, une centaine de thés à goûter et une équipe accueillante. On y vend aussi des chocolats, des calissons d'Aix, des nougats, des biscuits, de l'huile d'olive et la « barre marseillaise ».

OÙ SORTIR ?

OÙ SORTIR ?

Les bars, les lieux branchés, les boîtes

Ne vous étonnez pas si (on l'a constaté plusieurs fois), passé minuit un soir de semaine, vous ne rencontrez pas âme qui vive du Vieux-Port au Prado. Marseille est comme ça. Certains soirs, il y a « le feu », d'autres « dégun » (personne) dans les rues, y compris un samedi soir aux abords du cours Julien, épicentre du Marseille noctambule. Pour être franc, le circuit de la nuit n'est pas à la dimension de la ville. Certes, il y a des lieux fort sympathiques (dont pas mal de petits clubs où se produisent de jeunes groupes), mais on en a vite fait le tour. Marseille n'a rien à voir avec une capitale branchée, ce n'est pas non plus une ville étudiante. Juste une ville qui vibre. Notamment à l'heure de l'apéro, « heure » qui peut durer une bonne partie de la nuit ! Pastis (dites « fly » pour faire couleur locale) et *kemias* (version Massilia des tapas) de rigueur.

Les quartiers animés le soir

Comme toutes les grandes villes, Marseille est « éclatée » en plusieurs centres nocturnes.
– *La Plaine :* petit quartier qui s'étend entre le cours Julien et la place Jean-Jaurès. C'est la zone branchée de la planète Mars(eille). Bars et restos à foison, ainsi que des petites salles de concert et de spectacles. Rockers alternos et rappeurs, motards et intellos, étudiants et zonards cohabitent pacifiquement en général dans des ruelles où pas un centimètre carré n'a échappé aux graffitis : tags rageurs comme superbes fresques.
– *Le bord de mer :* de la Corniche aux Goudes en passant par l'Escale Borély, s'adresse surtout (et surtout l'été) à ceux qui préfèrent des ambiances plus « Côte d'Azur » et une clientèle plus friquée qui aime ce qui brille.
– Autour du Vieux-Port, *l'îlot Thiars* et le quai de Rive-Neuve font dans le mélange des genres : jeunes et moins jeunes, Marseillais et touristes. Bars, boîtes de nuit, restos, clubs plus ou moins privés, il y en a pour tous les goûts. Attendez-vous à une certaine sélection (sinon à une sélection certaine !) à l'entrée de certains endroits. La Plaine restant le quartier le plus « ouvert d'esprit ». Sinon, Marseille, la nuit, peut s'avérer une ville un peu « compliquée », avec ses codes et ses tensions. Pas de parano, mais se souvenir que Marseille n'est pas une ville riche...

Où boire un verre ?

Quartiers quai du Port – Panier – République

▼ *La Caravelle* (centre 1, D4, **120**) : 34, quai du Port, 13002. ☎ 04-91-90-36-64. Au 1er étage de l'*hôtel Bellevue (Hermès)*. Ouvert tous les jours de 7 h à 2 h. Concerts (jazz et musiques black) les vendredi et samedi. Ouvert depuis 1938 et le décor (vieilles banquettes de moleskine, tables et chaises de bois) n'a pas bougé depuis, se contentant de gentiment se déglinguer. Ambiance cool et jazzy. Jolie carte de whiskies.

Apéro-*kemias* entre 18 h et 21 h. Minuscule mais adorable terrasse au-dessus du Vieux-Port.

▼ *Le bar des Treize Coins* (centre 1, C4, **121**) : 45, rue Sainte-Françoise, 13002. ☎ 04-91-90-43-27. Fermé le dimanche. Entre bistrot de quartier et bar (un peu) branché. Gens du quartier, musiciens, artistes : un lieu ouvert, à l'image du Panier. Tranquille petite terrasse.

Quartiers quai de Rive-Neuve – cours d'Estienne-d'Orves – Opéra

▼ *Unic Bar* (centre 1, D5, **124**) : 11, cours Jean-Ballard, 13001. ☎ 04-91-33-45-84. Ouvert de très tôt le matin à très tard dans la nuit (à moins que ce soit le contraire...) ; horaires fantasques, donc. Fermé le dimanche, mais parfois ouvert... Un bistrot (d'oiseaux) de nuit, des jeunes, des moins jeunes, des voisins ou des marins, des rockers ou des étudiantes aixoises, des qui laissent des aphorismes sur des p'tits bouts de papier accrochés aux murs ou des photos qui racontent quelques chaudes soirées passées, des qui se mettent parfois dans des états... Une ambiance, qu'on aime bien, depuis longtemps, tout autant que la patronne, âme de ce lieu vrai... Pour nos lecteurs sans préjugés et aguerris à la nuit. Apéro offert aux routards sur présentation de ce guide.

▼ *Bar de la Marine* (centre 1, D5, **125**) : 15, quai de Rive-Neuve, 13007. ☎ 04-91-54-95-42. Ouvert tous les jours de 7 h à 2 h. Un des passages obligés (évidemment controversé) de Marseille, du café du matin à l'apéro-tapas. S'anime suffisamment le week-end pour faire un fréquenté « before ». On peut même y déjeuner, peuchère (façon de parler...). Terrasse face à l'embarcadère du ferry-boat et salle si fidèlement reconstituée qu'il y en a encore pour croire que c'est bien autour de ces tables-là que s'est déroulée la célébrissime « partie de cartes » du film de Pagnol !

▼ *La Part des Anges* (centre 1, D5, **62**) : 33, rue Sainte, 13001. ☎ 04-91-33-55-70. Voir « Où manger ? ». Un bar à vin loin de l'ambiance terroir de nombre de ses confrères : 200 références de vin et une carte en perpétuelle évolution. La clientèle va sur ses 30 ans.

La Canebière – préfecture – La Plaine

▼ *Les stations uvales :* ouvertes de mi-juin à octobre. Une vraie spécialité locale : 6 grands kiosques métalliques (situés sur le Vieux-Port, le cours Belsunce, l'avenue des Réformés, le cours Pierre-Puget, la place Castellane et à La Plaine) où

l'on vous presse à la minute de bons jus de fruits frais selon la saison.

▼ *Les Danaïdes* (plan général F4, **134**) : 6, sq. Stalingrad, 13001. ☎ 04-91-62-28-51. Ouvert du lundi au samedi de 7 h à 21 h 30. Fermé les jours fériés. Grande brasserie à la jolie déco discrètement néo-*fifties*. Doucement branchée. Excellent accueil, ambiance tranquille et de bons p'tits trucs à grignoter gentiment offerts avec l'apéro. Les murs accueillent une expo par mois (vernissages très courus), et les apéros-mix (un samedi par mois) sont, en un rien de temps, devenus un must de la ville. Concerts de tango, de musique électro... Également des rencontres littéraires. Pour les beaux jours, la plus grande terrasse de Marseille. On a bien aimé.

⚜ *Au Petit Nice (centre 2, F4, 135) :* 28, pl. Jean-Jaurès, La Plaine, 13001. ☎ 04-91-48-43-04. Ouvert de 9 h à 2 h du mat'. Fermé le dimanche et du 15 au 25 août. Petit bar populo et accueillant. Le patron est un ancien boxeur (un titre de champion d'Europe !), aune une tête à faire du cinéma. Clientèle 25-35 ans, concernée sans être furieusement branchée. Ambiance décontractée pour un café après le marché du samedi ou un apéro qui risque de traîner en longueur.

⚜ *La Maison Hantée (centre 2, F4, 136) :* 10, rue Vian, 13006. ☎ 04-91-92-09-40. Ouvert de 19 h à 2 h.

Fermé le dimanche, ainsi que du 15 juillet au 20 août. Compter 11 € pour un repas à la carte. Attention, mythe ! L'histoire musicale de la ville s'est écrite entre ces murs : du punk au hip-hop (IAM y a fait quelques-uns de ses premiers concerts), connus ou inconnus, des centaines de groupes ont joué ici. Plus de concerts (les voisins...) désormais, mais on peut passer y boire un verre comme on irait en pèlerinage. Décor de train fantôme de fête foraine et rock dur en fond sonore. Fait aussi resto le soir, cuisine familiale traditionnelle. Apéritif offert sur présentation du *GDR*.

⚜ *Le bar du Marché (centre 2, F5, 137) :* 15, pl. Notre-Dame-du-Mont, 13006. ☎ 04-91-92-58-89. Ouvert tous les jours de 6 h 30 à 2 h. Un bar marseillais (comprendre avec une grande terrasse, des patrons souriants et des écrans de télé qui s'allument les soirs de matchs). Il y en a sûrement quelques autres comme ça en ville, mais c'est ici qu'on a parfois l'impression que tout Marseille (enfin, au moins toute La Plaine !) s'est donné rendez-vous. Pourquoi là ? Allez savoir...

La Corniche et les plages

⚜ ♪ *Les Flots Bleus (plan général A6, 144) :* 82, corniche John-Kennedy, 13007. ☎ 04-91-52-10-34. Ouvert de 8 h 2 h. Fermé le dimanche. Un bar de quartier dont on avait d'abord remarqué (sous l'immanquable portrait géant de Zidane) la petite terrasse face à la rade et aux îles. Ensuite, on a découvert l'ambiance tranquille autour du comptoir, et on s'est promis d'y revenir pour les bœufs jazz du jeudi, si (comme c'est malheureusement en projet) cette petite maison n'est pas démolie d'ici là...

⚜ ♪ *The Red Lion (plan Marseille – Les plages, J10, 190) :* 231, av. Mendès-France, 13008. ☎ 04-91-25-17-17. Ouvert tous les jours de 15 h à 2 h (4 h les vendredi et samedi). Un pub, un vrai, où l'on parle presque plus anglais qu'avec l'accent. Décor dans l'esprit, bonnes bières, *happy hours* (de 17 h à 20 h), concerts les mardi, mercredi et dimanche (rock, blues, country...). Pour les amateurs de bains de minuit (un rite du coin), la plage est juste en face.

Où danser ?

Quartier du Port

♪ *Le Locarno (centre 1, D4, 123) :* 46, quai du Port, 13002. ☎ 04-91-90-49-87. Ouvert du lundi au dimanche de 10 h à 2 h (fermeture le dimanche soir hors saison). Minuscule café-boîte antillais. Les plus timides se contenteront d'un ti-punch en terrasse. La quinzaine de mètres carrés (en comptant large...) de l'endroit incitera vite les autres à se lancer dans zouks et biguines. Clientèle pas exclusivement « communautaire »...

Quai de Rive-Neuve – cours d'Estienne-d'Orves – Opéra

♪ **Le Trolley Bus** (centre 1, C5, **129**) : 24, quai de Rive-Neuve, 13007. ☎ 04-91-54-30-45. • www.letrolley. com • ♿ Ouvert du mercredi au samedi de 23 h 30 à 6 h et les soirs de concerts. Entrée gratuite sauf le samedi. Une institution du *swinging* Marseille. Installé dans l'ancien arsenal des galères ; cadre assez stupéfiant, donc : un long couloir souterrain bordé de part et d'autre de salles voûtées aux ambiances différentes (techno, house, salsa, disco...). Il y en a même une consacrée à la pétanque ! Sélection à l'entrée, plus souple en milieu de semaine.

♪ **Le Métal Café** (centre 1, D5, **130**) : 20, rue Fortia, 13001. ☎ 04-91-54-03-03. Ouvert du jeudi au dimanche de 12 h à 6 h. Entrée gratuite (sauf soirées). Murs aux parois métalliques (évidemment) pour un décor un peu futuriste. Soirées avec DJs : house pour l'essentiel.

♪ **Le Circus** (centre 1, C5, **132**) : 5, rue du Chantier, 13007. ☎ 04-91-33-77-22. Boîte d'étudiants et de lycéens (carte en principe obligatoire...). Trois salles et autant d'ambiances (salsa, rock, techno...). Curieusement acoquiné avec un restaurant-spectacle de travestis et un des « afters » (gay) les plus chauds de la ville (le *Crazy*). Apéritif offert sur présentation du *Guide du routard*.

♪ **Le Bunny'z** (centre 1, D5, **133**) : 2, rue Corneille, 13005. ☎ 04-91-54-09-20. Fermé du 14 juillet au 1er septembre. Une boîte qui a ses fidèles parmi les quadragénaires et au-delà. Nombreux fidèles et espace tout petit d'où une chaude (à tous les sens du terme) ambiance. Musique volontiers rétro (années 1970-1980).

La Canebière – préfecture – La Plaine

♪ **Cubaïla Café** (centre 2, F5, **143**) : 40, rue des Trois-Rois, 13006. ☎ 04-91-48-97-48. Ouvert du jeudi au samedi. Au rez-de-chaussée, un resto world food (fresque immanquable en façade) avec à la carte des plats français, asiatiques et italiens. C'est au sous-sol (à partir de 23 h) que l'on s'essaie à danser la salsa. Concerts de musique cubaine ou brésilienne certains soirs. Clientèle très comme il faut (pour le quartier). D'ailleurs, petite sélection à l'entrée. Apéritif maison offert sur présentation du *GDR*.

♪ **Le Poulpason** (centre 2, F4, **131**) : 2, rue Poggioli, 13006. ☎ 04-91-48-85-67. Ouvert du jeudi au samedi et éventuellement le dimanche. Techno house, hip-hop, jungle, ragga sound system, etc. N'en jetez plus !

La Corniche et les plages

♪ **Bistrot-Plage** (plan général A6, **145**) : 60, corniche Kennedy, 13007. ☎ 04-91-31-80-32. Ouvert du lundi au samedi en saison, uniquement les vendredi et samedi hors saison. Fermé le dimanche. Joliment situé, au-dessus d'une petite plage (vu l'enseigne...). Grandes terrasses inondées de soleil (quand il y en a). « Before » coté depuis quelque temps. Clientèle assez classe (inévitable sélection à l'entrée), un peu *show-off.*

♪ **Le Bazar** (plan Marseille – Les plages, K7, **192**) : 90, bd Rabateau, 13008. ☎ 04-91-79-08-88. Ouvert du jeudi au dimanche à partir de minuit. Peut mieux faire côté déco, mais pour la musique, rien à dire avec la présence de quelques-uns parmi les meilleurs DJs (house surtout) du moment.

♪ **La Maronaise** (hors plan Marseille – Les plages par J10, **193**) : anse Croisette, les Goudes, 13008.

☎ 04-91-73-25-21. Ouvert uniquement l'été. Une boîte au cœur du « village » des Goudes, un des quartiers de Marseille, où la jeunesse dorée vient s'éclater dans un cadre de rêve : deux pistes de danse qui s'ouvrent sur la mer. Entrée évidemment un peu « difficile », l'idéal étant de dîner ici : c'est aussi un resto.

Où écouter de la musique ?

Quai de Rive-Neuve – cours d'Estienne-d'Orves – Opéra

♪ **Le Pelle-Mêle** (centre 1, D5, **127**) : 8, pl. aux Huiles, 13001. ☎ 04-91-54-85-26. Ouvert du mardi au samedi de 18 h à 3 h ; concert à 22 h 15 (sauf de fin juillet à début septembre). Fermé en août. Entrée gratuite (majoration des consommations). New York a ses clubs de jazz, Marseille a son bistrot de jazz. Petite salle douillette cernée de banquettes de moleskine et de photos en noir et blanc. Et programmation qui fait la part belle aux formations régionales. Clientèle de quadra bien mis.

♪ **Le Jazz Club** (centre 1, E5, **128**) : chez André Gay, 19, rue Venture, 13001. ☎ 04-91-33-49-49. À la fois magasin d'instruments de musique, resto du mardi au jeudi (on peut s'offrir une assiette musicale) et... comme son nom l'indique, club de jazz. Très anglais pour la déco.

La Canebière – préfecture – La Plaine

♪ **Le Poste à Galène** (plan général G5, **138**) : 103, rue Ferrari, 13005. ☎ 04-91-47-57-99. Fermé en août. Un des bons lieux associatifs de Marseille. Concerts et soirées avec DJs. Du rock alterno des débuts, cet ancien hangar s'est ouvert à d'autres expressions musicales (reggae, musiques électroniques...). L'ambiance est généralement sympa. Les amateurs de mousses apprécieront comme il se doit la carte des bières, bien fournie en cervoises du monde entier.

♪ **Le Balthazar** (centre 2, E5, **139**) : 3, pl. Paul-Cézanne, 13006. ☎ 04-91-42-59-57. Ouvert le soir jusqu'à 2 h. Fermé le dimanche, lundi et mardi ainsi qu'en août. Carte d'adhérent obligatoire (5 € par an). Un des bons lieux associatifs de Marseille (bis !). Sympathique déco de bric-à-brac et bonne ambiance. Consos pas chères du tout et intéressante programmation sans œillères (musiques électroniques, world, reggae...).

♪ **L'Intermédiaire** (centre 2, F4, **140**) : 63, pl. Jean-Jaurès, 13006. ☎ 04-91-47-01-25. Ouvert de 19 h à 2 h. Fermé le dimanche. Entrée gratuite. Bar à concerts à la déco un peu baroque : lourdes tentures, lustre en cristal (enfin, c'est bien imité !). Animations. Concerts de groupes du coin du mardi au samedi vers 22 h et DJ le lundi. Bœufs. Billards.

♪ **L'Espace et le Café Julien** (centre 2, E4, **141**) : 39, cours Julien, 13006. ☎ 04-91-24-34-10. Bureau ouvert tous les jours de 19 h 30 à 2 h. Fermé de juillet à mi-septembre. Bientôt une institution ! Bonne programmation, à l'esprit ouvert (hip-hop, rock, chanson...). Une grande salle (L'Espace, avec son millier de places) pour têtes d'affiche et désormais un « café » plus intime avec 150-200 places pour des soirées avec DJs (dont le fameux Jack de Marseille). Concerts parfois gratuits.

♪ **El Ache de Cuba** (centre 2, F5, **142**) : 9, pl. Paul-Cézanne, et 108, cours Julien, 13006. ☎ 04-91-42-99-79. Fermé les dimanche, lundi, mardi et mercredi. En lieu et place du Dégust', ex-haut lieu du quartier, un bar associatif (carte d'adhérent obligatoire) latino et authentique (lancé par Lili de Cuba !). Déco chaleureuse, cocktails explosifs, cours de danse (salsa) et concerts à l'occasion. Carte d'adhérent offerte à tout porteur du GDR.

OÙ SORTIR ?

Où voir un spectacle ?

Quartier de la Belle-de-Mai

♪ ∞ **Les Bancs Publics** (plan général F1, **146**) : 35, rue Bernard, 13003. ☎ 04-91-64-60-00. • http://bancspublics.free.fr • Bus n° 49B, 31 ou 32. Une bande d'amis aux projets pointus invite pour des cartes blanches aventureuses sons et théâtres métisses. Les performances circulent de la petite salle en gradins au bar minuscule et jusque dans la cour-mouchoir-de-poche où l'on refait le monde sous les étoiles, une bière à la main. Cette association qui réussit à mêler avant-garde et convivialité n'a pas attendu les subventions pour faire un vrai beau travail sur place, mais il serait fatal de ne pas lui en octroyer : elle est la preuve, talentueuse, que la Belle-de-Mai n'a pas dit son dernier mot !

À VOIR

Autour du Vieux-Port (1er, 2e et 7e arrondissements)

🏛🏛🏛 **Le Vieux-Port** (centre 1) : les Marseillais prétendent volontiers que c'est le plus beau du monde. Une myriade de bateaux de plaisance y sont alignés en rangs serrés, dans la calanque où débarquèrent les Phocéens. Deux forts gardent l'entrée. En rive droite, le fort Saint-Jean, et sur la rive sud, le fort Saint-Nicolas (voir plus loin).

🏛 **Les quais :** ils ont été construits sous Louis XIII. Les nazis, qui considéraient Marseille comme « un foyer d'abâtardissement pour le monde occidental », en ont largement modifié l'aspect. Le long du **quai du Port** notamment. Hitler lui-même décide, début 1943, la destruction à l'explosif de près de 2 000 maisons, faisant évacuer par la force 20 000 personnes. Seuls quelques monuments en réchapperont, comme l'hôtel de ville (XVIIe siècle) et sa belle architecture d'inspiration génoise, ou, juste derrière, le pavillon Daviel, ancien palais de justice, et son élégant balcon en ferronnerie.

🏛 **L'église Saint-Ferréol** (centre 1, D4) : quai des Belges et rue de la République. Sa jolie façade blanche (de 1875) se détache au-dessus du bassin du Port. Ce fut l'une des plus grandes églises de Marseille, construite à l'emplacement du couvent des Grands-Augustins (XIVe siècle). Aujourd'hui, elle donne une touche de sérénité au quartier. Large nef voûtée d'ogives.

🏛 **Le marché aux poissons** (centre 1, D4) : quai des Belges, au débouché de la Canebière, chaque matin à partir de 8 h, s'installe le célèbre marché aux poissons. Là, rascasses, congres, girelles, daurades, poulpes ou galinettes sont vendus à la criée. Pour le folklore de la « tchatche » plus que pour les prix ! Comment oublier cette marchande de poisson qui, le soleil commençant à faire des siennes, apostropha les passants qui regardaient ses moules avec méfiance : « Hé, elles sont fraîches, qu'est ce que vous croyez... elles baillent un peu, les pauvrettes, mais c'est de fatigue ! »

🏛 Tout autour du Vieux-Port, énormément de terrasses, de cafés et de restaurants. On peut se rendre d'une rive à l'autre par le bon vieux « **ferry-boat** » consacré par Pagnol, qui relie la mairie à la place aux Huiles.

🏛🏛 **Le fort Saint-Jean** (plan général B4) : sa fondation date du XIIe siècle. Il fut construit pour garder l'entrée du port et servit d'établissement aux hospitaliers de Saint-Jean-de-Jérusalem. Agrandi, renforcé par une tour carrée dite « du Roi René » (d'Anjou) au XVe siècle et doté d'une tour du Fanal

(1644) regardant la mer, le fort Saint-Jean est bordé aujourd'hui par une promenade piétonne très agréable de jour comme de nuit. Ses caves entreposent de nombreux objets découverts lors de fouilles sous-marines par les plongeurs de la Drasm (Direction régionale de l'archéologie sous-marine), qui occupe le fort. En 2008, celui-ci devrait être le siège du musée des Civilisations de l'Europe et de la Méditerranée. Ce vaste projet devrait permettre d'installer sur le port de Marseille les collections du musée national des Arts et Traditions populaires (MNATP) de Paris.

🏛 *Le Mémorial des Camps de la Mort* (centre 1, C4) : adossé au mur nord du fort Saint-Jean, dans le grand virage au bout du quai du Port. En été, ouvert de 11 h à 18 h ; hors saison, de 10 h à 17 h. Fermé le lundi.

🏛 *La maison Diamantée* (centre 1, C4) : 2, rue de la Prison. Elle abrite le *musée du Vieux-Marseille* qui accueille des expos temporaires actuellement fermé pour travaux ; se renseigner sur la date de réouverture. Se renseigner sur les périodes d'ouverture au ☎ 04-91-55-28-68. La maison présente un décor mural « à bossage » de la fin du XVIe siècle. Observer la pierre taillée comme la pointe d'un diamant. La rue Juge-du-Palais, bien conservée, est une rescapée des destructions nazies.

🏛🏛 *L'hôtel de Cabre* (centre 1, D4) : à l'angle de la Grande-Rue et de la rue de la Bonneterie. C'est la plus ancienne maison de Marseille (1535), au décor Renaissance française assez chargé. Lors de la reconstruction du quartier, cette maison a carrément été soulevée d'un bloc puis tournée à 90° pour être dans l'alignement des nouveaux bâtiments !

🏛 *L'hôtel de ville* (centre 1, D4) : quai du Port. Ne se visite pas. Belle construction du XVIIe siècle, en pierre ocre, dressée face au bassin du Vieux-Port. Derrière la mairie, un grand chantier occupe un espace situé entre celui-ci et l'hôtel-Dieu. Ce site avait été choisi à l'origine pour accueillir la Fondation César, mais celle-ci n'a pas vu le jour. En sous-sol, il y a finalement une nouvelle salle de réunion pour les 110 conseillers municipaux (l'actuelle salle de la mairie étant trop petite). On trouvera aussi des salles de commissions pour les élus, le tout sous une structure couverte par des jardins publics et des fontaines.

À l'est du Vieux-Port (1er et 7e arrondissements)

Sur l'autre rive, derrière le *quai de Rive-Neuve,* balade obligatoire dans le quartier Thiars, occupé par l'arsenal des Galères, réaménagé à la fin du XVIIIe siècle. Unité architecturale sans égal dans la ville. Flânez sur la *place Thiars* (centre 1, D5) qui dégage une atmosphère de « campo » vénitien, et le *cours d'Estienne-d'Orves,* semblable à l'une de ces « piazzas » tout en longueur que l'on voit à Rome. Du temps des galères, un canal en L occupait les actuels place aux Huiles et cours d'Estienne-d'Orves. Tout le quartier était alors bouclé. Les galériens y vivaient mais ne pouvaient en sortir. Comblé début du XXe siècle, le canal a été, dans les années 1960, remplacé par un parking monstrueux, dont l'heureuse réhabilitation du quartier a fini par avoir raison. Vous trouverez des panneaux qui vous expliqueront toute cette histoire dans le *porche des Arcenaulx,* entre le restaurant et la librairie.

🏛 *L'Opéra* (centre 1, D5) : à 200 m à peine du bassin du Vieux-Port, dans un quartier assez chaud la nuit (nombreux bars et clubs). Reconstruit en 1924 dans le pur style Art déco, il conserve un intérieur superbe.

🏛🏛🏛 *Notre-Dame-de-la-Garde* (plan général D6) : en voiture, Notre-Dame-de-la-Garde est fléchée à partir du Vieux-Port. En bus, prendre le n° 60 au départ du Vieux-Port. À pied (pour les plus courageux, car ça grimpe dur,

À VOIR

même sans glisser de pois chiches dans ses chaussures comme le veut la tradition), compter une demi-heure par le cours Puget et le jardin de la Colline. Basilique et crypte ouvertes de 7 h à 19 h 30 (21 h en juillet-août). Si vous n'avez guère de temps, c'est l'endroit où vous rendre avant tout autre, notamment pour le superbe panorama à 360° sur la ville.

– *Attention* : l'intérieur de la basilique est actuellement en restauration et le chantier devrait durer jusqu'en 2006. La pierre gris-vert de Golfina se dégradait. L'eau pénétrait dans les façades et tombait à l'intérieur sur les orgues ; bref, une sérieuse restauration de l'édifice s'imposait. L'intérieur reste ouvert au public pendant la durée des travaux.

– *Visite :* sur un piton calcaire culminant à 160 m, la « Bonne Mère » est à Marseille ce que le Pain de Sucre est à Rio : un lieu magique d'où l'on épouse du regard toute une ville. La première chapelle fut construite en 1214 par l'ermite maître Pierre, sous l'autorité de l'abbé de Saint-Victor. À la mort de l'ermite, la chapelle devint un prieuré, reconstruit au XVe siècle et agrandi au XVIe siècle. Après la visite de François Ier, le 22 janvier 1516, on adjoignit un fort au site de Notre-Dame-de-la-Garde ; enfin, en 1853, on détruisit la vieille chapelle pour édifier une basilique plus vaste, capable d'accueillir les pèlerins qui, depuis les premières épidémies de choléra, affluèrent en nombre (plus de 1,5 million de visiteurs chaque année). Il n'y a jamais eu d'apparitions, ici, donc il ne s'agit pas d'un lieu de miracles du type Lourdes. Lieu de pèlerinage depuis bientôt 800 ans, c'est aussi un lieu de recueillement ouvert à tous les publics de toutes confessions. Extraordinaire collection d'ex-voto (tableaux souvent d'une naïveté confondante, maquettes de bateaux ou d'avions suspendues à la nef ou exposées dans les couloirs...) qui témoignent d'une expression de la foi très méditerranéenne comme, dans la crypte, les plaies d'un Christ en croix, creusées à force d'avoir été touchées. De style romano-byzantin, dans un déploiement de marbres et de mosaïques, la « Bonne Mère » est surmontée d'une statue de la Vierge étincelante de 9,70 m de hauteur. Comme l'écrit l'auteur marseillais Louis Brauquier dans *Et l'au-delà de Suez* : « Tu restes dans le ciel le signe et le haut phare. La reine au règne d'or, celle qui tient l'amarre. Et maîtrise la mer. »

|●| Pour rester dans l'ambiance, et si vous n'êtes pas allergique à un Ave Maria chanté, allez manger un morceau à *L'Eau Vive,* la caféteria de Notre-Dame. Restaurant ouvert le midi uniquement. Fermé le lundi. Menus de 10 à 24 € environ. Calme, gentillesse et petits prix.

🍸 *Le palais du Pharo* (plan général B4) : 58, bd Charles-Livon, 13007. ☎ 04-91-55-15-75. L'intérieur ne se visite pas (sauf pendant les Journées du patrimoine). Seul l'extérieur est accessible au public. Ce palais fut construit par Napoléon III (entre 1858 et 1870) sur le promontoire de la tête de Maure qui domine l'entrée du port. À l'origine, l'impératrice Eugénie devait y résider, mais l'empereur n'y habita jamais. Le Pharo fut donc donné à la ville de Marseille en 1885. Aujourd'hui, il abrite des services municipaux. Du jardin autour du palais on peut admirer, d'un côté le Vieux-Port et son animation, de l'autre la Méditerranée et au loin les îles du château d'If et du Frioul. Espace jeux pour les enfants, très sympa.

🍸 *Le fort Saint-Nicolas* (plan général B-C5) : 2, bd Charles-Livon, 13007. Cet ouvrage en étoile fut construit à la demande de Louis XIV. Il avait pour objet principal non de défendre la ville mais de maîtriser ses révoltes ! En effet, les canons du fort étaient tournés vers la ville. Partiellement démantelé par les révolutionnaires en 1790, qui y voyaient le symbole de l'absolutisme royal, le fort fut ensuite reconstitué et coupé en deux par le boulevard Charles-Livon. La partie haute est encore occupée par l'armée.

🍸🍸🍸 *L'abbaye Saint-Victor* (plan général C5) : ouvert de 9 h à 19 h. Entrée (crypte) : 1,50 €. Sur un site vraisemblablement occupé par l'un des premiers monastères des Gaules, fondé au début du Ve siècle en l'honneur de saint Victor, martyr du IIIe siècle. Détruite par les Sarrasins, l'abbaye sera reconstruite au XIe siècle, puis fortifiée au XIVe par le pape Urbain V, avant d'être sécularisée au XVIIIe. N'en subsiste aujourd'hui que cette basilique dont la visite de la crypte (entrée payante) permet de mieux comprendre l'histoire. S'y trouvent des vestiges qui, *a priori*, sont ceux de la première église (Ve siècle) enterrée lors de la construction de l'abbaye au XIe siècle. Dans la salle carrée, seules les colonnes ont été changées, suite à l'intervention d'un préfet du XIXe siècle qui a trouvé astucieux d'installer les vraies sur les avenues de la ville. De la chapelle centrale, dite « de Saint-André », on peut voir une partie du cimetière antique sur lequel a été construit le premier monastère. La crypte contient également un remarquable ensemble de sarcophages antiques, païens et chrétiens (sarcophage d'enfant orné d'Éros Forgerons, celui dit « des Compagnons de Sainte-Ursule »...) et épitaphes. Remarquez la couleur verte des cierges : saint Victor reçut le privilège d'utiliser cette couleur de cire, normalement réservée aux cachets royaux.

– Une *Vierge noire* y est vénérée depuis le XIIIe siècle. Chaque année, le 2 février (pour la Chandeleur), elle est emmenée en procession jusqu'au four du boulanger installé rue Sainte, appelé le *four des Navettes,* du Vieux-Port jusqu'à la basilique.

Le quartier du Panier (2e arrondissement)

À VOIR

✿✿✿ *Le Panier* (centre 1, C-D3-4) : compris entre le quai du Port, la place de la Major et la rue de la République, derrière l'hôtel de ville, un coin très vivant où l'on retrouve le véritable esprit de Marseille, l'un des derniers quartiers à atmosphère. C'est là que se sont installées pendant longtemps les vagues d'immigrés débarquant à Marseille : les Italiens, les Corses, les Arabes. Pierrot le Fou, le fameux bandit des années 1930, y est né. Beaucoup de marins y habitaient, du moins quand ils n'étaient pas sur les mers du globe (une coutume voulait que l'on garde, dans les maisons, un lit fait pour pouvoir accueillir à l'improviste tout marin débarqué qui se présenterait). C'était un quartier interlope de petits truands, de voyous et de grands bandits. L'une des raisons évoquées pour qu'Hitler fasse raser le quartier. Aujourd'hui, en pleine réhabilitation, le quartier a bien changé. Les loyers y sont élevés, conséquence de la « gentrification » sociale. Passez derrière les tours reconstruites dans la hâte de l'après-guerre. Impossible alors de ne pas être sensible à la douceur toute méditerranéenne de ses ruelles, de ses escaliers, de ses passages étroits.

L'office de tourisme propose des *visites guidées* du quartier, les samedi et dimanche toute l'année. Départ à 14 h 30 de l'office de tourisme. S'inscrire auparavant. Prix : 6,50 € par personne.

➤ Si vous découvrez le quartier par vous-même, voici une petite suggestion d'itinéraire : abordez le quartier par la *place Daviel,* derrière le Vieux-Port et au pied des arcades de l'hôtel-Dieu, un grand bâtiment du XVIIe siècle, restauré au XIXe. Quelques marches mènent à la *montée des Accoules* (et son clocher solitaire, dernier vestige d'une église du XIe siècle). Tournez ensuite dans la *ruelle des Moulins.* De l'adorable *place des Moulins* (qui en a compté jusqu'à 15 au XVIe siècle ; il en reste trois, cherchez bien), gagnez le *couvent du Refuge* (au 1, rue des Honneurs), ancien couvent-prison pour « filles de mauvaise vie ». Elles y entraient par cette rue (anciennement baptisée rue du Déshonneur) et en sortaient par la rue des Repenties ! Empruntez ensuite, après avoir traversé la *rue du Panier,* véritable colonne vertébrale du quartier, la *rue des Pistoles* (ah ! que de vieux noms sonnant agréablement aux oreilles !) qui débouche sur la *Vieille-Charité,* magistral ensemble architectural du XVIIe siècle (voir plus loin « Les musées »). Un peu plus haut dans la rue du Petit-Puits, plusieurs ateliers-boutiques (faïence, santons, fresques).

En poursuivant vers le sud et la mer, la *rue de l'Évêché* (désormais commissariat central, comme le savent tous les lecteurs de polars) débouche ensuite sur la villageoise *place de Lenche,* vraisemblablement siège de l'agora antique. À l'extrémité de la rue Saint-Laurent, un des rares bâtiments rescapés des bombardements de 1943 : la jolie petite église de style romano-provençal (ouverte de 13 h 30 à 17 h 30). C'était la paroisse des pêcheurs et des gens de mer. La chapelle Sainte-Catherine, construite par les Pénitents Blancs, est contiguë à l'église. Du parvis, belle vue sur le Vieux-Port. La balade se termine par l'*esplanade de la Tourette,* au pied des cathédrales de la Major, malheureusement noyées dans le flot des automobiles. On peut jeter un coup d'œil sur le fort Saint-Jean et imaginer ce que sera la partie sud de la future *Cité de la Méditerranée,* autour du fort Saint-Jean, dernier chantier d'*Euromed,* complétant les 2,7 km de façade maritime remodelés. On annonce un quai pour bateaux de croisières, un aquarium, des équipements de loisirs, des hôtels et le musée des Civilisations de l'Europe et de la Méditerranée. Rien que ça !

¶ *La Maison de Saint-Jacques (centre 1, C4, 31) :* 34 et 36, rue du Refuge, 13002. ☎ 06-11-72-54-03. Marie-Ange de la Pinta (son ancêtre fut l'armateur qui finança une des caravelles de Christophe Colomb) et son compagnon, Jacky Halter, photographe d'origine alsacienne, sont de grands randonneurs devant l'Éternel. En plein cœur du Panier, leur maison, anciennement appelée Maison du Panier, abrite une petite salle d'exposition sur l'histoire du quartier du Panier. En outre, des chambres (et un dortoir) sont à disposition pour les routards, les randonneurs et les pèlerins en marche vers Compostelle (voir « Où dormir ? »).

¶ *La place Sadi-Carnot (centre 1, D4) :* au nord du quartier du Panier, le long de la rue de la République. Ne pas rater, au n° 3, l'une des façades les plus élaborées de la ville. Ancien siège des Messageries maritimes (ex-impériales) qui se transforma en *hôtel Regina* en 1908 (et ferma en 1930). Monumentale façade sculptée. Porche encadré de deux licornes, symbole des messageries à l'époque.

– Ceux qui veulent voir le Panier en fête doivent venir vers le 20 juin. On élit même une Miss et un Mister Panier ! Pour le détail de la programmation, consulter le site ● www.fetedupanier.org ●

Vers les docks de la Joliette (2ᵉ arrondissement)

¶¶¶ *La Vieille-Major (centre 1, C3-4) :* c'est l'ancienne cathédrale, édifiée au XIIᵉ siècle à l'emplacement où saint Lazare, Marie Salomé et Marie Madeleine, les tout premiers chrétiens, auraient débarqué, en venant de Terre sainte. Elle souffre beaucoup de l'ombre de la Nouvelle-Major, une étonnante « pièce montée » néo-byzantine. La Vieille, un bel exemple de style roman provençal avec coupole octogonale, se vit amputée de sa façade et de 2 travées lors de la construction au XIXᵉ siècle du monstre d'à côté. Une campagne d'opinion empêcha d'ailleurs sa destruction totale. Toujours en travaux (jusqu'en 2006). Il vous faudra encore patienter pour voir, à l'intérieur, d'intéressants autels et le bas-relief en faïence de Luca Della Robbia. Chapelles des XIIIᵉ et XVᵉ siècles.

¶¶ *La cathédrale ou Nouvelle-Major (centre 1, C3) :* en pierre verte de Florence et blanche de Calissane, ce gros édifice domine l'entrée du port de Marseille. Byzantine par sa décoration intérieure et extérieure, romane par son élévation et gothique par son plan, la Nouvelle-Major n'est pas orientée est-ouest, selon la tradition, mais nord-sud. La première pierre fut posée par Napoléon III en 1852, mais les travaux demandèrent plus de 40 ans. Une chapelle du déambulatoire abrite le tombeau de *Monseigneur de Mazenod,* qui fut canonisé par le pape Jean-Paul II, en 1995. Cet homme d'église, zélé et populaire, commença la construction de Notre-Dame-de-la-Garde en 1853. C'est le même architecte Esperandieu (quel nom prédestiné) qui dessina les plans des deux églises.

🕯🕯🕯 *Les docks de la Joliette* (plan général C2) : entrée au 10, pl. de la Joliette, 13002. ☎ 04-91-90-04-69. À quelques centaines de mètres de la Major, face au port autonome. Accès tous les jours sauf le week-end, de 7 h 30 à 20 h. Gigantesque ensemble (365 m d'austères façades) construit au milieu du XIXe siècle sur le modèle des Saint Katharine's Docks de Londres. Il faut pénétrer dans les cours intérieures closes par des murs vertigineux pour en prendre toute la mesure. Réhabilitation récente et réussie sous l'impulsion et la direction de l'architecte Eric Castaldi : passerelles de bois sur bassins, immenses verrières... Bars et restos, radios locales et bureaux internationaux, tout nouveaux, tout beaux.

Tout près, le chantier de construction d'un parking rue Malaval a récemment permis la découverte d'un édifice funéraire du Ve siècle, une basilique de 40 m de long et de 17 m de large contenant pas moins de 180 tombes (dont peut-être celle d'un saint dans le chœur de l'église !).

🕯 De la place de la Joliette, on peut regagner la Canebière par l'impressionnante trouée haussmannienne de la *rue de la République.* À l'angle du boulevard des Dames, joli vitrail, en fait l'enseigne du *Perroquet Bleu,* bar américain le plus chaud de l'après-guerre. Juste avant la grande place Sadi-Carnot, ne ratez pas le *passage de Lorette,* une impressionnante cour fermée, qui permet l'accès au Panier.

🕯 *Le port autonome* (plan général B2-3) : 23, pl. de la Joliette. Premier port de France et de la Méditerranée, et plus vaste espace industrialisé d'Europe du Sud, puisqu'il englobe en fait des installations portuaires jusqu'à Saint-Louis-du-Rhône et les zones industrielles de Fos et Lavéra. Renseignements : ☎ 04-91-39-40-00. Visite des bassins-est (2 h) par l'intermédiaire de l'office de tourisme.

À VOIR

La Canebière, les quartiers Belsunce et de Noailles (1er arrondissement)

🕯 *La Canebière* (plan général D-E4) : c'est l'avenue la plus célèbre de Marseille, c'est presque son symbole, popularisé par une chanson de Vincent Scotto (« Elle part du Vieux-Port, et sans effort, elle va jusqu'au bout de la terre, notre Cane-Cane-Cane-Canebièreuuuu... »). Ce boulevard, qui n'a jamais connu d'arbres mais des lampadaires, descend en pente douce vers le bassin du Vieux-Port. Il a inspiré bien des artistes et écrivains. Joseph Conrad, qui vécut 3 ans et demi à Marseille, l'évoque dans ses souvenirs : « Pour moi, la Canebière a été une rue qui menait vers l'inconnu. » Et pour Edmond About, « la Canebière est une porte ouverte sur la Méditerranée et sur l'univers entier ; car la route humide qui part de là fait le tour du monde. » Mais aujourd'hui, il n'y a pas grand-chose à voir sur la Canebière, et ceci malgré une forte volonté de réhabilitation (la faculté de Droit doit s'y installer). Artère triste et polluée, plus proche de « Chiche-Kebab Avenue » que des Champs-Élysées. Son nom vient du chanvre (*canebe* en provençal), dont on faisait les cordes pour les bateaux, sauf qu'on ne dit pas « corde » sur un bateau, ça porte malheur. Revenons sur terre.

Tout en bas de la Canebière, avant d'arriver au port, s'élève *la Bourse,* pur exemple de l'architecture du Second Empire. Elle abrite la plus ancienne chambre de commerce du pays (créée sous Henri IV). Devant ce monument, le roi Alexandre de Yougoslavie fut assassiné par des terroristes croates. Un peu plus haut que la Bourse, en remontant la Canebière sur le trottoir de gauche, le magasin *C & A* est installé dans l'*ancien Grand Hôtel du Louvre et de la Paix.* Les statues de la façade représentent les 4 continents. Une plaque rappelle que, le 29 février 1896, la première projection publique par les frères Lumière eut lieu dans cet hôtel. Sur le trottoir d'en face, faites une pause (sauf le dimanche) à la célèbre torréfaction Noailles, au n° 56, qui sert un délicieux café brésilien.

🍴 ***Les allées de Meilhan*** *(plan général E-F4)* : elles forment la partie haute de la Canebière. Autrefois, la jeunesse s'y donnait rendez-vous pour danser dans des guinguettes. La plupart des immeubles datent du XVIIIe siècle au style très différent de ceux de la partie basse. C'est ici que chaque année se tient la *Foire aux santons,* l'une des plus anciennes traditions vivantes de Marseille.

🍴 ***Le quartier Belsunce*** *(plan général D-E3-4)* : délimité par le cours Belsunce, la rue d'Aix, le boulevard d'Athènes et la Canebière, le quartier Belsunce est un très vieux quartier de Marseille, habité en majorité par les immigrés et semblable au quartier de la Goutte-d'Or à Paris. Sa principale originalité était avant tout d'exister en plein centre de la ville et d'exposer ses immeubles décrépis et ses ruelles délabrées au vu et au su de tout le monde. À présent, ce quartier est en train de faire peau neuve, sous l'effet du projet *Euroméditerranée.* La nouvelle ***Bibliothèque de l'Alcazar*** (la *BMVR*), rue du Petit-Saint-Jean, ouverte à l'emplacement même de l'ancien *Alcazar* (où Yves Montand fit ses débuts), doit donner un coup d'accélérateur intellectuel au quartier. Timidement mais sûrement, des magasins d'un nouveau genre s'installent (mode, stylisme), les façades sont restaurées, à commencer par celles des immeubles jouxtant la Canebière. Conséquence : les prix des logements montent, et les couches les plus populaires s'en vont vers les banlieues.

Ici, à Marseille, Belsunce exaspère encore les racistes et ceux qui ont perdu la mémoire. En effet, ce quartier fut toujours, avec le Panier, celui de l'immigration : Arméniens en 1915, antifascistes italiens dans les années 1930, Maghrébins du boom économique d'après-guerre. Bon nombre de pieds-noirs s'y installèrent aussi après 1962. En outre, c'est l'un des poumons économiques de Marseille. Les gens viennent de loin pour y faire leurs achats. Races, ethnies et religions cohabitent : au nord-est du quartier, les grossistes juifs ; au-dessous, les travailleurs africains ; au sud-ouest, les Maghrébins, dont beaucoup de Mozabites (détail et demi-gros) ; au nord, les hommes d'affaires libanais (import-export). Les Arméniens sont dans le cuir, etc.

Vous constaterez, à travers des rues aux noms pittoresques (rue des Petites-Maries, des Convalescents, du Tapis-Vert, du Baignoir, du Poids-de-la-Farine, etc.), combien ce quartier est dynamique. Il se métamorphose au gré des heures. Lorsque les boutiques ont fermé, la rue appartient aux habitants, aux curieux, aux visiteurs, aux petits dealers et autres demi-sel. Nombreux petits restos pas chers. Et puis, vous y découvrirez également, sous la crasse et la patine, de beaux exemples d'architecture du XVIIe siècle : portails sculptés, balcons en fer forgé, etc. La rénovation de la ***rue d'Aix*** révèle aujourd'hui combien son ordonnancement est harmonieux. Sans oublier l'histoire : au n° 25 de la ***rue Thubaneau,*** naguère l'une des rues les plus chaudes de Marseille, résonna pour la première fois *La Marseillaise* (plaque sur l'immeuble). Quelques églises anciennes, comme *Saint-Théodore,* à l'entrée de la rue des Dominicaines. L'arc de triomphe de la ***porte d'Aix*** a été édifié en 1825. Statues et bas-reliefs de David d'Angers, superbes rosaces sur la voûte à caissons.

– De l'autre côté du quartier Belsunce, on découvre d'autres coins vivants et sympas. Tout ce qui est à droite de la Canebière (dos au port) fut longtemps considéré comme étant le Marseille aisé et « propre ». Aujourd'hui, la Canebière ne constitue plus la frontière symbolique entre les pauvres et les riches, entre les immigrés et les « Blancs ». Là aussi, les choses évoluent.

Pendant la restructuration de Belsunce, nombre de ses commerçants se redéploient de ce côté-ci.

🦵 **Le quartier de Noailles** *(plan général E3-4) :* a toujours été le ventre de Marseille. Empruntez la *rue des Feuillants* jusqu'à la *place du Marché-des-Capucins,* en forme de triangle, pour respirer les bonnes odeurs du marché de rue et retrouver, sur quelques centaines de mètres, toutes les couleurs de l'Afrique et de l'Orient.

🦵 **La rue d'Aubagne** *(plan général E4-5) :* l'axe le plus animé de cette partie de la ville. « Descendre la rue d'Aubagne, à n'importe quelle heure du jour, était un voyage. Une succession de commerces, de restaurants, comme autant d'escales. Italie, Grèce, Turquie, Liban, Madagascar, la Réunion, Thaïlande, Vietnam, Afrique, Maroc, Tunisie, Algérie », écrit Jean-Claude Izzo dans *Total Khéops.* Au nº 24, **Arrax** est un sommet de l'épicerie arménienne. Plus haut, le cours Julien et la rue des Trois-Rois ont désormais pour vocation d'attirer le Tout-Marseille qui sait qu'ici, il y a vraiment « à boire et à manger » à toute heure.

Le quartier de La Plaine (5ᵉ et 6ᵉ arrondissements)

« Si vous voulez connaître le vrai Marseille, celui où on parle peu et dont on ne parle jamais, restez à La Plaine et dans ses environs. » C'est maître Lombard, le célèbre avocat marseillais, qui conseillait cela naguère. Pourquoi « La Plaine » ? Parce que, bizarrement, cette « plaine » est une sorte de plateau en pleine ville, à une centaine de mètre au-dessus de la mer, à laquelle elle tourne le dos.

À VOIR

🦵🦵 À vrai dire, tout s'ordonne autour de la **place Jean-Jaurès.** De cette place, animée le soir, descendent vers les quatre points cardinaux des rues pentues comme des rampes de toboggans. La Plaine, c'est un des quartiers de la « Nuit marseillaise ». Il est impensable de ne pas y passer ! Là pullulent les restaurants branchés, les cafés, les bars de nuit, les salles de concert abritées dans des immeubles aux façades couvertes par d'innombrables peintures murales colorées et de graffitis esthétisants. Les jeunes Marseillais s'y retrouvent le soir en fin de semaine.

🦵🦵 **Le boulevard Chave** *(plan général F-G4) :* des rues qui descendent de la place Jean-Jaurès vers le nord de la ville (gare de la Blancarde), le boulevard est incontestablement la plus belle artère. Ici, pas d'horreurs immobilières, pas de grands immeubles en béton, rien que des constructions anciennes, hautes de 3 ou 4 étages et précédées d'une rangée de platanes, caractéristiques de l'architecture marseillaise. Au nº 72 se dresse un petit immeuble où est né Fernand Contandin (1903-1971), plus connu sous le nom de **Fernandel** *(plan général G4, 167* ; plaque). Un peu plus loin, à l'angle avec le boulevard E.-Pierre, un buste sculpté représente l'artiste avec son chapeau et son large sourire. Au 127, rue Ferrari, maison natale du danseur Maurice Béjart.

Quartier de la préfecture, cours Puget, rue Paradis (6ᵉ arrondissement)

🦵🦵 Perpendiculairement à la Canebière s'allongent des rues très commerçantes et tracées au cordeau. Les longues **rues Paradis** et **de Rome** – cette dernière débouche sur la **place Castellane** *(plan général E-F6)* où trône l'allégorique **fontaine Cantini** – se partagent la mode. À l'angle de la rue de Rome et de la rue de la Palud, maison construite par et pour l'architecte Pierre Puget (1680). Remonter la tout aussi longue et semi-piétonne *rue*

Saint-Ferréol (les Marseillais disent « Saint-Fé ») jusqu'à la **préfecture** des Bouches-du-Rhône édifiée en 1861.

Si, sur la façade néo-Renaissance, figurent en bonne place les statues de quelques gloires locales d'Aix et d'Arles, il ne s'y trouve rien pour Marseille ! Monseigneur Belsunce et le chevalier Roze, héros de la peste de 1720, ont été relégués côté jardin. Et on s'étonnera que les Marseillais se sentent parfois mal aimés... Pour se consoler, ils mangent une glace à la *Belle Époque,* un café Art nouveau de la place (on ne jure pas que tout soit d'époque), ou achètent un livre, un disque chez *Virgin,* installé dans une ancienne banque de la rue Saint-Ferréol.

Les rues avoisinantes regorgent d'**hôtels particuliers** des XVIIIe et XIXe siècles. L'hôtel Montgrand, au n° 13 de la rue du même nom (étroite et amusante maison mitoyenne, abondant décor sculpté), l'hôtel de la Compagnie du Cap-Nègre au 19, rue Grignan. Ce bâtiment abrite le musée Cantini. La rue Sainte mène jusqu'à la basilique Saint-Victor. Au 47, rue Neuve-Sainte-Catherine se trouve l'atelier de Marcel Carbonel, santonnier depuis plusieurs générations. Voir plus loin la rubrique « Achats ».

⚜ **Le cours Pierre-Puget** *(plan général D-E5) :* ouvert en 1800 à l'emplacement de l'ancien rempart de l'époque Louis XIV, ce cours ombragé se termine par une butte rocheuse, le jardin Puget. Celui-ci permet d'accéder à Notre-Dame-de-la-Garde. Sur le cours s'ouvre le cours Monthyon, bordé par le néo-classique palais de justice.

⚜ **La rue Paradis :** certains dimanches d'août, quand la rue est vide, on a l'impression qu'elle forme une longue rampe dans l'ombre des immeubles, qui finit par accéder au ciel bleu (le paradis ?).

⚜⚜ **La rue Sylvabelle** *(plan général D-E5-6) :* une de nos rues préférées dans ce quartier, car très homogène de style. Elle relie la préfecture au boulevard Notre-Dame, coupant en perpendiculaire les rues Paradis et Breteuil. C'est une rue « bourgeoise » (sans commerces), assez étroite et qui monte vers le ciel bleu. Elle est encore bordée de beaux immeubles (bien conservés) datant du Second Empire et du début de la IIIe République. Vers 1880-1900, de nombreux consulats de pays étrangers y avaient pignon sur rue. Le jeune marin Joseph Conrad y aurait vécu dans ses années marseillaises (vers 1875). Ce n'est pas encore prouvé mais, selon nos recherches (un grand merci à Georges Bergoin, conradien de la première heure et au docteur Poucel), l'auteur de *La Flèche d'or* et de *Au cœur des ténèbres* aurait pu habiter au 82, rue Sylvabelle, en face de l'ex-consulat du Paraguay (n° 79), un très bel immeuble.

Du stade Vélodrome au château Borély (8e arrondissement)

⚜ **Le stade Vélodrome** *(plan Marseille – Les plages, K8) :* bd Michelet, 13008. Ⓜ Rond-Point-du-Prado. Le stade a été rénové pour la Coupe du monde 1998 et peut, grâce à ses tribunes en forme d'oreilles de Mickey, accueillir 60 000 personnes (c'est le plus grand stade de France, après, bien sûr, le Stade de France à Saint-Denis). Un beau cadeau pour l'OM (Olympique de Marseille, au cas où vous auriez un blanc !), qui a fêté son centenaire en 1998, d'où l'idée d'un petit musée et d'un restaurant. Pas un passage à Marseille sans un tour – un pèlerinage, diraient certains – au stade Vélodrome.

On a tout écrit ou presque sur l'OM, sur ses affaires ou sur ses aspects sociologiques. Pour se remémorer les exploits du club au cours du XXe siècle, une visite au musée de l'OM (sous le virage sud) suffit, avec en prime la possibilité d'acheter gadgets et souvenirs à la boutique officielle. Mais c'est surtout à l'occasion d'un match qu'il faut s'imprégner de l'ambiance des grands soirs. Si vous avez la possibilité (ou la chance !) d'avoir une place, vous pourrez alors vibrer à l'entrée des joueurs au son du célèbre « Jump » de Van Halen et goûter à la grande liesse collective, en participant par exemple aux *tifo* d'avant-match, en brandissant papiers ou étendards, ou en entonnant l'un des 150 chants du répertoire ! Vous apprendrez aussi à comprendre la spécificité de chaque tribune et à repérer les différents groupes de supporters : les *Ultras* et les *Winners* au virage sud, les *Yan-kees,* les *Dodgers,* les *Fanatics* et les *MTP* (« Marseille Trop Puissant ») au virage nord. Dans les gradins, la convivialité est de mise et vous aurez tôt fait d'engager la conversation avec un(e) inconnu(e) à propos d'un joueur, d'une action litigieuse ou de tout autre sujet d'importance capitale... pendant 90 mn !

– *Musée-boutique du stade Vélodrome :* ☎ 04-91-23-32-51. Ouvert du lundi au samedi de 10 h à 13 h et de 14 h à 18 h hors saison, de 10 h à 19 h, sans interruption, en saison. Visite du stade par l'intermédiaire de l'office de tourisme.

%% **La Cité radieuse de Le Corbusier** (plan Marseille – Les plages, K9, 169) : bd Michelet (prolongement de la rue de Rome et de l'avenue du Prado). Ⓜ Castellane puis bus n° 21 ou 22 ; arrêt « Le Corbusier ». Les curieux et férus d'architecture urbaine viendront voir l'une des œuvres les plus célèbres de l'architecte Le Corbusier. Après sa construction, la Cité radieuse fut surnommée ironiquement « la maison du fada » par quelques journalistes mal intentionnés et une très petite minorité de Marseillais effrayés par la modernité du bâtiment. Aujourd'hui, de nombreux appartements sont occupés par des intellectuels et des artistes (médecins, architectes, psychanalystes, journalistes, décorateurs, designers). L'endroit plaît moins aux cadres du commerce et de l'industrie. Pourquoi ? Voilà donc une « unité d'habitation » bâtie en 1952 sur pilotis et qui suscita à l'époque bien des polémiques. L'idée de Le Corbusier fut de réunir sous un même toit tout ce dont l'homme « moderne » pouvait avoir besoin : services, commerces, école, équipements sociaux et sportifs. 350 logements en duplex, et même un hôtel au 3ᵉ étage (voir « Où dormir ? »).

Au rez-de-chaussée, éclairages indirects, portes rouges des ascenseurs. À l'étage de l'hôtel, épicerie et boulangerie, comme si l'on se trouvait dans une rue de la ville. Au 9ᵉ étage, sur le toit, on trouve un gymnase, une petite école maternelle pour les habitants de l'immeuble et une mini-piscine autour de laquelle, les soirs d'été, les habitants viennent boire l'apéro. Malgré la taille imposante de l'immeuble, il se dégage une étonnante impression de légèreté de l'ensemble. Les appartements ne sont pas très hauts de plafond (1,92 m dans certains !) mais sont tous en duplex. Des matériaux nobles ont été utilisés : escalier en chêne massif. Des gadgets inédits pour l'époque : exemples, le tapis à ordure (en panne) ou encore les glacières, de grosses boîtes dans les couloirs où l'on déposait de la glace tous les matins. S'il fallait reconstruire la Cité radieuse aujourd'hui, il faudrait compter 6 000 à 7 700 € du mètre carré. Pour visiter un appartement, s'adresser à l'hôtel mais c'est payant et il faut être 3 au minimum.

%% **Le parc et le château Borély** (plan Marseille – Les plages, J-K9) : 134, av. Clot-Bey, 13008. ☎ 04-91-25-26-34 (château) et 04-91-76-59-38 (parc). Près de la promenade de la Plage et de l'avenue du Prado. Bus nᵒˢ 19 et 44 ; arrêt « Borély ». Parc ouvert toute l'année de 6 h à 21 h, le château de 10 h à 18 h. Jardin botanique ouvert de mai à septembre du lundi au vendredi de 15 h à 18 h 45. Entrée : jardin gratuit, mais 4,50 € (réductions) pour le château, qui accueille des expos temporaires.

D'une superficie de 17 ha, ce parc, fierté des Marseillais, a été dessiné par l'architecte-paysagiste Alphan. Le cinéaste Yves Robert y tourna des scènes du film *Le Château de ma mère* (1990), adapté du livre de Marcel Pagnol. Vous y trouverez un petit lac avec des canards, une roseraie (avec des

À VOIR

espèces très bien signalées) et, à la porte est du parc, un jardin botanique (entrée payante ; horaires spécifiques : se renseigner au ☎ 04-91-55-24-96) avec une serre tropicale. Au milieu du parc, un château de style classique qui fait rêver. Construit entre 1767 et 1778 par le négociant-armateur Louis Borély, il présente une façade sobre et classique tandis que le décor intérieur frappe par sa richesse. Longtemps, il abrita le musée d'Archéologie.
– En juillet, le parc devient le rendez-vous mondial de la pétanque, pour un concours placé sous l'égide de *La Marseillaise*.
Belle piste pour rollers et vélos.

|●| Pour manger, deux restaurants : *Le Pavillon du Lac* et *Les Terrasses du Skating* (un snack).

☷ Une *buvette* près de l'embarcadère pour se rafraîchir.

LES MUSÉES DE MARSEILLE

Marseille est devenue la plus importante ville de France, après Paris, bien sûr, en ce qui concerne les musées. Collections antiques, collections ethnographiques, arts classique, moderne et contemporain, mode, traditions, tout est représenté à Marseille. Nouveau pass-musées valable dans tous les musées municipaux (soit 14) pour les expos permanentes. Compter 16 € pour une journée, 23 € pour deux journées. En vente à l'office de tourisme et à la Vieille-Charité.

Quartiers du Vieux-Port et du Panier

🎗 *Le musée de la Marine et de l'Économie* (centre 1, D4) : à l'intérieur du palais de la Bourse (chambre de commerce et d'industrie), 9, la Canebière. ☎ 04-91-39-33-33. Ⓜ Vieux-Port. Ouvert tous les jours de 10 h à 18 h. Entrée : 2 € ; réductions, y compris pour les routards sur présentation de ce guide.
Fleuron du style architectural Second Empire à Marseille. Collections racontant l'histoire du port et de son commerce. Nombreuses peintures, superbes maquettes, notamment celle du Danube, un trois-mâts barque, de 5 m de long. Expositions temporaires, avec en particulier des affiches anciennes et réclames de la Belle Époque. Une salle côté rue est consacrée à l'histoire des explorations sous-marines (et de ses technologies) depuis 1734.

🎗 *Le musée de la Mode* (centre 1, D4) : 11, la Canebière. ☎ 04-04-96-17-06-00. Ⓜ Vieux-Port. Ouvert de 11 h à 18 h (de 10 h à 17 h hors saison). Fermé les lundi et jours fériés. Entrée : 3 € ; réductions. Également visites commentées.
Dans un immeuble haussmannien revisité avec brio par l'architecte Jean-Michel Wilmotte. Mode contemporaine (des années 1930 à nos jours). Intéressantes expositions temporaires autour d'un thème, d'un couturier (de Paco Rabane à Jean-Paul Gaultier) ou du fonds permanent du musée (6 000 ensembles et accessoires représentatifs de la mode des années 1930 aux années 1990, dont une superbe collection ayant appartenu à *Mademoiselle Chanel*). Important centre de documentation ; et sympathique *Lina's Café*, à la déco moderne.

🎗🎗 *Le jardin des Vestiges et le musée d'Histoire de Marseille* (centre 1, D4) : installé au rez-de-jardin du hideux centre commercial, le *Centre Bourse*. ☎ 04-91-90-42-22. Ⓜ Vieux-Port. Ouvert de 12 h à 19 h. Fermé les dimanche et jours fériés. Entrée (musée et jardin) : 2 €. Visite commentée les lundi et samedi à 14 h 30 et 15 h 30 (2,50 €).

En 1967, lors de travaux d'aménagement du quartier de la Bourse, on fit une découverte extraordinaire : l'ancien port, rien de moins. Jusque-là, les historiens ne disposaient pratiquement d'aucun vestige, indice ou trace de Massalia. Aujourd'hui, on peut admirer la belle ordonnance du quai en pierre de taille, réédifié par les Romains à partir de matériaux pris aux monuments grecs locaux, ainsi qu'un rempart, une voie dallée, une nécropole, etc. En prime, on découvrit même en 1974 un magnifique bateau du IIIe siècle apr. J.-C. Ainsi, pendant tant de siècles, les Marseillais marchèrent sans le savoir sur leur propre histoire...

En complément de ces vestiges, le musée d'Histoire de Marseille, juste à côté, apparaît comme leur prolongement naturel. Expositions temporaires et présentation didactique de l'histoire de Marseille dans un cadre moderne, aéré, extrêmement agréable. Évocation des origines grecques de la cité : maquette de Massalia réalisée grâce aux écrits d'Aristote et des fouilles. Nombreux témoignages de l'époque romaine, bornes, cippes, mosaïques, etc. Reconstitution d'un four de potier, amphores, lingots de cuivre et étain. Exposition de l'épave lyophilisée du navire du IIIe siècle trouvé dans le port et d'une barque de pêche datant du VIe siècle av. J.-C. provenant des fouilles de la rade nord du Lacydon. Les nouvelles salles mènent les visiteurs jusqu'au XVIe siècle : présentation du produit des fouilles les plus récentes (belle collection de céramiques médiévales), et des moulages des fours de potiers, salle Louis XIV... Le musée doit encore s'agrandir pour y présenter les collections des XIXe et XXe siècles en 2006. Les fouilles récentes du port grec ont permis de mettre au jour de très nombreux objets datant de l'époque de la fondation de Marseille (VIe siècle av. J.-C.) dont une exceptionnelle barque de pêche « cousue » par ligatures.

🏃🏃 *Le musée des Docks romains* (centre 1, C4) : pl. de Vivaux (au pied du Panier). ☎ 04-91-91-24-62. Ⓜ Vieux-Port. Ouvert de juin à septembre de 11 h à 18 h et le reste de l'année de 10 h à 17 h. Fermé les lundi et jours fériés. Entrée : 2 € ; réductions.

En 1947, avant la reconstruction du Vieux-Port détruit par les nazis, des fouilles ont permis de mettre au jour les vestiges d'un entrepôt commercial romain. Notamment un ensemble de *dolia* (grosses jarres à huile et à vin, à l'intérieur enduit de poix, dont la contenance atteignait les 2 000 litres, voire plus) qui, conservé en place et en l'état, constitue l'élément central de ce musée. S'y trouvent également nombre de découvertes archéologiques sous-marines illustrant le commerce de Marseille et ses liens avec le reste de la Méditerranée dans l'Antiquité. Voir notamment les amphores et le trésor de pièces de monnaie du IIIe siècle trouvées au large de Toulon.

🏃🏃🏃 *Le centre de la Vieille-Charité* (centre 1, C3) : 2, rue de la Charité. ☎ 04-91-14-58-80. Ⓜ Joliette. Ouvert de 11 h à 18 h de juin à septembre et de 10 h à 17 h d'octobre à mai. Fermé les lundi et jours fériés. On peut choisir de ne visiter que le musée d'Archéologie méditerranéenne, ou bien de ne voir qu'une exposition temporaire : dans ce cas, les billets sont vendus à l'unité, entre 2 et 3 €. Possibilité de prendre un *billet combiné* : la meilleure solution ; 4,50 à 5 € pour la visite du centre de la Vieille-Charité (incluant le musée d'Archéologie, le MAAOA, musée d'Arts africains, océaniens et amérindiens, la chapelle et les salles du rez-de-chaussée).

La Vieille-Charité, l'une des plus belles œuvres de Pierre Puget, est aussi l'une des rares qui lui aient survécu. Superbe témoignage de l'architecture civile du XVIIe siècle, réalisée initialement pour l'enfermement des vagabonds. La chapelle centrale se révèle comme l'un des plus beaux édifices baroques français. La Vieille-Charité fut utilisée comme caserne au XIXe siècle, puis abandonnée à son triste sort. Elle menaçait de tomber en ruine quand Le Corbusier attira l'attention des autorités sur ce chef-d'œuvre. Elle fut classée monument historique, et les travaux de rénovation durèrent plus de quinze ans. Aujourd'hui, tout le monde peut admirer sa lumineuse pierre

LES MUSÉES DE MARSEILLE

rose et ses harmonieuses proportions à l'occasion des expositions qui s'y tiennent. L'été, on y donne également des concerts.

🚶 *Les musées de la Vieille-Charité :* mêmes coordonnées et horaires d'ouverture que le centre. Deux musées se sont nichés au creux des arcades de la Vieille-Charité.

– *Le musée d'Archéologie méditerranéenne :* il regroupe trois grandes collections. Les *collections classiques* présentent un panorama des arts mineurs et des civilisations antiques méditerranéennes. Multitude d'objets (bronzes, terres cuites, verrerie...) proche-orientaux, grecs, étrusques et romains. Le joyau de ces collections : une *œnochoé* (cruche à vin) crétoise du XVᵉ siècle av. J.-C. La *collection de protohistoire régionale* présente le résultat des fouilles locales superbes dont un *Hermès à double tête* (IIIᵉ siècle av. J.-C), produit des fouilles de Roquepertuse. La *collection égyptienne* enfin, la 2ᵉ de France après celle du Louvre, avec pas moins de 2 000 objets qui évoquent la vie quotidienne ou les rites funéraires de cette civilisation de l'époque prédynastique (3100 av. J.-C.) à l'époque copte (IVᵉ s. apr. J.-C.) : amulette, sarcophages, momies humaines ou animales, vases, coffrets à kohol... Quelques pièces rares (table d'offrande de Kenhi Hopchel impressionnante avec 34 cartouches sculptés, autel à l'image du roi Téti...), voire uniques au monde, comme les 4 *Stèles orientées* du général Kasa qui servaient à protéger son caveau contre toutes les forces hostiles.

– *Le musée d'Arts africains, océaniens et amérindiens (MAAOA) :* intéressante présentation d'objets rituels d'Afrique noire (figure de reliquaire fang, masque marka en métal repoussé) ou d'Océanie (poteau totem de case canaque), et surtout étonnante collection Gastaut centrée autour du crâne humain : têtes réduites des Indiens d'Amazonie, crânes surmodelés du Vanuatu (ex-Nouvelles-Hébrides), de Papouasie-Nouvelle-Guinée... Impressionnant ! À tel point que les préposés à la surveillance du musée n'y pénètrent que lorsqu'il y a des visiteurs ! Une nouvelle salle consacrée à l'Art populaire mexicain (donation François Reichentach) présente masques et figures sculptées.

Au nord de la Canebière

🚶 *Le musée Cantini (centre 1, E5) :* 19, rue Grignan, 13006. ☎ 04-91-54-77-75. Ⓜ Estrangin-Préfecture. Petite rue donnant entre la rue Saint-Ferréol et la rue Paradis. Ouvert de 11 h à 18 h (de 10 h à 18 h hors saison). Fermé les lundi et jours fériés. Entrée : 3 € ; réductions.

Dans un hôtel particulier du XVIIᵉ siècle. Les expos temporaires prennent une place importante dans le musée, mais plusieurs salles présentent en principe une sélection des collections permanentes d'art moderne. On y retrouvera souvent les grands fauves et les artistes de la période 1900-1960 : Albert Marquet *(Port de Marseille)*, Derain *(Pinède)*, Dufy *(Paysage de l'Estaque)*, etc. Plusieurs Camoin et encore Alfred Lombard, Kandinsky, Kupka, Jacques Villon, Jean Hélion, Mathieu Verdhilan. Intéressant *Hôtel Sube à Saint-Tropez* de Dufy. Dans la galerie du fond, peu de choses intéressantes. N'y manquez cependant pas l'*Adama* de Georges Jeanclos, l'un de nos plus grands sculpteurs (auteur, entre autres, de la magnifique grille de la cathédrale de Lille). On est toujours admiratif devant cette façon délicate et pathétique d'évoquer la décomposition des êtres.

🚶🚶 *Le musée des Beaux-Arts (plan général G3) :* situé dans l'aile gauche de l'imposant palais Longchamp. ☎ 04-91-14-59-30. Ⓜ Cinq-Avenues-Longchamp. Ouvert de 10 h à 17 h d'octobre à mai, de 11 h à 18 h de juin à septembre. Fermé les lundi et jours fériés. Entrée : 2 €. Attention, le musée ferme pendant 2 ans à partir de février 2005, pour des travaux de rénovation. Un édifice original et étonnant (certains diraient de style grandiloquent), inauguré en 1869. La composition centrale symbolise la Durance et ses affluents, entourés de la vigne et du blé. Le musée mérite une visite. L'escalier monumental est décoré de grandes huiles sur toile de Puvis de Cha-vannes : *Marseille colonie grecque* et *Marseille porte de l'Orient* (1862). On peut admirer des peintures des écoles flamande, italienne et française des XVe, XVIe et XVIIe siècles. Belles œuvres de Rubens. Nombreuses peintures de l'école provençale du XIXe siècle, que les Marseillais consi-dèrent comme leurs impressionnistes : Guigou, Loubon, Ziem, Monticelli. Intéressante petite collection de bronzes de Daumier (36 bustes de parle-mentaires sous Louis-Philippe). De Pierre Puget, de jolis marbres : *Louis XIV à cheval.*

🎥🎥 *Le muséum d'Histoire naturelle (plan général G3) :* dans l'aile droite du palais Longchamp. ☎ 04-91-14-59-50. Ouvert de 10 h à 17 h. Fermé les lundi et jours fériés. Entrée : 3 €. Grande collection d'animaux naturalisés dans la salle Safari-muséum et présentation de la faune et de la flore pro-vençales dans une salle classée reconstituant l'esprit des muséums du XIXe siècle ; mais aussi préhistoire, ostéologie (science de l'anatomie des os) et des expositions temporaires. Un peu vieillot. Derrière le palais, un agréable jardin.

🎥🎥 *Le musée Grobet-Labadié (plan général G3) :* 140, bd Longchamp, 13001. ☎ 04-91-62-21-82. Ⓜ Cinq-Avenues-Longchamp. Bus nᵒ 81 à prendre sur le Vieux-Port. Ouvert de 11 h à 18 h en été et de 10 h à 17 h hors saison. Fermé les lundi et jours fériés. Entrée : 2 € ; réductions. Face au palais Longchamp, un hôtel particulier du XIXe siècle où un couple de la bourgeoisie aisée, Louis Grobet et Marie-Louise Labadié, a rassemblé une impressionnante et éclectique collection d'œuvres et d'objets d'art des écoles françaises et européennes du XVe au XIXe siècle.

À *Château-Gombert*

🎥 *Le musée du Terroir marseillais (hors plan général par G3) :* 5, pl. des Héros. ☎ 04-91-68-14-38. Fax : 04-91-68-90-83. ● museechateaugom bert@free.fr ● Ⓜ ligne 1, jusqu'à son terminus « La Rose » ; puis bus nᵒ 5 T, arrêt « Château-Gombert ». Ouvert du mardi au vendredi de 9 h à 12 h et de 14 h à 18 h 30, et les samedi et dimanche de 14 h à 18 h 30. Fermé les lundi et jours fériés. Entrée : 3,80 € ; réductions.
Connu pour son technopôle, Château-Gombert est pourtant un charmant petit village qui défend farouchement son identité provençale. Sur la place des Héros, face à la fontaine glougloutante, une jolie petite église du XVIIe siècle avec clocher-campanile, et bien sûr un musée étonnant, créé en 1928 par Jean-Baptiste Julien-Pignol, un félibre passionné. Riches collec-tions ethnographiques se répartissant sur plusieurs salles. Cadre parti-culièrement chaleureux et familial. Vêtements et costumes traditionnels, coiffes. Salle à manger avec une collection de faïences de Saint-Jean-du-Désert, petite cuisine reconstituée, objets domestiques, vaisselle, mobilier. Section jouets anciens, broderies, miniatures, souvenirs de la mer et maquettes de bateaux. Instruments de musique, tambourins provençaux. Belle section de *santons* bien sûr, collection de crèches, meubles sculptés. Chambre à coucher traditionnelle. Salle des instruments agraires.

|●| ⊛ Pour se restaurer, la *Table Marseillaise* est ouverte le midi du mardi au vendredi, et les vendredi et samedi soir (☎ 04-91-05-30-95). Boutique de livres régionaux.

– En juin, *fête de la Saint-Éloi :* bénédiction des chevaux et défilé. Patron des orfèvres et des maréchaux-ferrants, c'est en l'honneur de ce saint patron que se donnent, durant tout l'été, en Provence, les cavalcades de la « Car-reto Ramado », charrette attelée de chevaux de trait harnachés à la mode sarrasine, au son des fifres et des tambourins.

– En sortant du musée, et sans quitter le domaine de la tradition, vous pourrez pousser jusqu'à Allauch, où la pâtisserie **Le Moulin Bleu** (7, cours du 11-Novembre ; ☎ 04-91-68-19-06) vend les chiques, suce-miel, casse-dents et autres bonbons fabriqués par *F. Emery* (☎ 04-91-68-17-86), fournisseur officiel des hosties du Vatican.

Près des plages : la campagne Pastré

🍴 *Le MAC, musée d'Art contemporain* (plan Marseille – Les plages, K10) : 69, av. de Haïfa, 13008. ☎ 04-91-25-01-07. ♿ Ⓜ ligne 2, arrêt Rond-point-du-Prado puis bus n° 23 ou 45, arrêt « Marie-Louise » ou « Hambourg-Haïfa ». Ouvert de 11 h à 18 h de juin à septembre et de 10 h à 17 h d'octobre à mai. Fermé les lundi et jours fériés. Entrée : 3 € ; réduction ; gratuit jusqu'à 10 ans, et pour tous le dimanche matin.

Le seul « Mac » marseillais hautement recommandable. Des sculptures de Buren et un gigantesque *Pouce* de César jalonnent le parcours. Cadre aéré et lumineux. Collection permanente : des nouveaux réalistes (Tinguely) à quelques fortes individualités comme Rauschenberg ou Richard Baquié en passant par des œuvres du groupe Support-Surface ou de l'Arte Povera. Expositions temporaires exemplaires comme la première rétrospective consacrée à Ben. Films et vidéos au *Cinémac,* cinéma des musées de Marseille.

🍴🍴🍴 *Le musée de la Faïence* (hors plan Marseille – Les plages par J10) : château Pastré, campagne Pastré, 157, av. de Montredon, 13008. ☎ 04-91-72-43-47. Bus n° 19, à prendre au rond-point du Prado ; arrêt « Montredon-Pastré ». Entre l'entrée principale (route) et le château, il y a un chemin long d'un kilomètre à parcourir à pied ou à bord d'un petit train. Ouvert de 11 h à 18 h en été, de 10 h à 17 h hors saison. Fermé les lundi et jours fériés. Entrée : 2 €. Visite commentée gratuite les samedi et dimanche à 15 h d'octobre à mai et à 16 h de juin à septembre.

Installé dans une vaste et élégante bastide, au cœur d'un parc de 120 ha, appelé la campagne Pastré, où furent données quelques-unes des fêtes les plus folles du Second Empire. Pendant l'Occupation (1940-1944), la comtesse Pastré, la propriétaire (une héritière de l'entreprise Vermouth), y organisa des concerts et des spectacles pour protester contre l'occupant. Ses héritiers ont vendu la propriété en 1974. Le château a retrouvé sa splendeur grâce à quelques passionnés et à la mairie de Marseille. Plus de 1 500 céramiques y sont exposées, du Néolithique à nos jours.

Au XVIIIᵉ siècle, Marseille était l'un des plus prestigieux centres faïenciers de France. Avec la Révolution, cette activité déclina. Ce musée présente donc beaucoup d'intérêt car il offre un bel aperçu du raffinement de l'art sous l'Ancien Régime. En témoignent ici les pièces des fabriques Robert ou Clérissy, ainsi que les somptueux services de table de la fabrique **Joseph Fauchier** ou les célèbres décors floraux de la **Veuve Perrin**. Descendante d'une famille de faïenciers de Nevers, la Veuve Perrin (elle fut veuve pendant 56 ans) aurait introduit la nouvelle technique dite du « petit feu ».

Les autres centres de production provençaux (Moustiers bien sûr, mais aussi Apt et Castellet) ne sont pas oubliés : effets jaspés, quasi psychédéliques, permis par le mélange des terres du Luberon. Parmi nos pièces préférées : le surtout de table aux huit bras de lumière de Fauchier (très rare) dans la salle 4, la *fontaine aux Aigles,* un service à bouillabaisse, la plaque dite « aux Singes » dans la salle 11.

La faïence moderne est notamment représentée par l'Alsacien Théodore Deck, dont les œuvres sont exposées salle 15. Directeur de la manufacture de Sèvres en 1887, Deck est le précurseur de l'Art nouveau (beaux plats-portraits en ronde bosse). Au dernier étage, pièces modernes avec Picasso et contemporaines : créations de Starck, Garouste et Bonetti, sans oublier le brillant René Ben Lisa (1926-1955), qui était d'origine kabyle.

🎣🏃 Voir également les *faïenceries Figuères et fils* (*plan Marseille – Les plages, J10*) *:* 10, av. Lauzier, 13008. ☎ 04-91-73-06-79. ● www.faienceriefiguères.com ● ♿ Ouvert du lundi au vendredi de 8 h 30 à 12 h et de 13 h à 18 h 30 et le samedi de 8 h 30 à 12 h. Fermé le dimanche et de mi-août à mi-septembre. De la plage du Prado, direction l'Anse de Pointe Rouge. Quand commence l'avenue de Montredon (qui continue au sud), la petite avenue Laurier est sur la gauche de la route de la corniche. Visite gratuite avec un employé qui donne des commentaires.

Marcel Figuères se lança dans le métier dans les années 1930. Depuis 1952 (date de sa fondation), l'entreprise familiale est devenue une adresse magique, le royaume du trompe-l'œil et des décors peints à la main. C'est aujourd'hui le dernier faïencier en activité de Marseille. Les faïences produites ici s'inspirent pour certaines de la tradition marseillaise (le trompe-l'œil se faisait déjà au XVIIIᵉ siècle) mais aussi de l'époque contemporaine. Les techniques modernes de cuisson, les matériaux nouveaux utilisés permettent à la faïence Figuères d'évoluer avec son temps. Certains sujets sont de style réaliste.

À VOIR PLUS LOIN DU CENTRE

Dans le 10ᵉ arrondissement

🏃 **Le cimetière Saint-Pierre** (*hors plan général par G4*) *:* rue Saint-Pierre. Ⓜ Timone. Bus n° 14. Un des plus vastes cimetières de France. Le cinéaste Henri Verneuil y est enterré. On peut voir aussi les tombeaux des grandes familles marseillaises du XIXᵉ siècle notamment, de chaque côté de la Grande Allée, celui de Camille Olive d'inspiration orientale, avec ses céramiques polychromes qui rappellent Notre-Dame-de-la-Garde ; tombe en forme de marabout du docteur Clot-Bley ; clocher et gargouilles pour le tombeau des familles Burel de Barbaria et Gazanvillar, etc. Du côté des pinèdes, statuaire très italianisante.

Dans le 11ᵉ arrondissement

🎣🏃 **Le château de La Buzine** (*plan Marseille et ses environs*) *:* parc des 7 Collines, 56, traverse de La Buzine, 13011. ● www.marcel-pagnol.com ● Du Vieux-Port, aller à la gare de l'Est, prendre le bus n° 68 jusqu'au terminal Saint-Pierre, puis le bus n° 12 jusqu'au terminus de Valentine ; de là, marcher un bon quart d'heure. Attenante au château, la *boutique Marcel Pagnol* est fermée pendant les travaux.

Cette vieille bastide à moitié ruinée date de 1889. Les murs sont debout mais la toiture a disparu. Aujourd'hui, La Buzine est en cours de restauration et devrait accueillir courant 2005 une cinémathèque-musée Marcel-Pagnol (exposition permanente sur Pagnol, musée provençal du Cinéma, salle sur les artistes et les grands hommes de Marseille et de sa région).

À l'origine, La Buzine est un souvenir d'enfance que **Marcel Pagnol** évoque dans son livre *Le Château de ma mère*. Le 21 juillet 1941, Pagnol acheta La Buzine pour réaliser son rêve de jeune garçon : en faire une cité du Cinéma, une sorte de Hollywood en Provence. En 1942, le château fut réquisitionné et servit de maison de repos pour les marins allemands (Gestapo et espionnage y résidèrent). En 1944, une partie de l'état-major de l'armée française s'y installa. Puis la demeure servit d'infirmerie militaire, de consulat général de Pologne, de logement pour les réfugiés espagnols. Après avoir été longtemps squattée, La Buzine devint inhabitable. Juste avant sa mort, en 1973,

À VOIR PLUS LOIN DU CENTRE

Marcel Pagnol vendit le domaine (40 ha) à un promoteur qui construisit un lotissement de 249 villas dans le parc. En 1995, le château a été racheté par la mairie de Marseille.

LA BELLE-DE-MAI : CHRONIQUE D'UN VIEUX QUARTIER MARSEILLAIS

> « Autour du boulevard de la Révolution, chaque nom de rue salue un héros du socialisme français. Le quartier avait enfanté des syndicalistes purs et durs, des militants communistes par milliers. Et de belles brochettes de truands. Francis-le-Belge était un enfant du quartier. Aujourd'hui, ici, on votait presque à égalité pour les communistes et le Front national... »
>
> Jean-Claude Izzo (*Total Khéops*, Série noire, Gallimard).

> « La Liberté par principe, l'Égalité comme moyen, la Fraternité comme but. »
>
> Clovis Hughes (député de la Belle-de-Mai en 1881).

➢ **Pour s'y rendre :** à pied du centre-ville, aisément, ou avec les bus nᵒˢ 31-33-34 et le 49B (un peu plus long et on l'attend souvent) de la place de la Bourse. Arrêt : Boulevard-National.

Un des quartiers populaires les plus emblématiques de Marseille et le plus important point de chute de l'immigration italienne à Marseille dans la seconde moitié du XIXᵉ siècle et au début du XXᵉ. Quartier très précisément circonscrit par le boulevard National au sud, la rue Guibal à l'est et le boulevard Plombières à l'ouest. Avec un nom aussi chantant, on s'y est tout de suite intéressé. Un des plus grands sculpteurs contemporains, Cesare Baldaccini (eh oui, notre César des Césars), y naquit d'ailleurs. Quartier ouvrier et de gauche (pendant longtemps le PC) qui envoya, en 1881, le premier député socialiste à l'Assemblée nationale. Quartier bien sûr longtemps réputé pour sa riche vie sociale et associative et l'atmosphère conviviale, quasi familiale de ses rues. Aujourd'hui cependant, avec la crise, un taux de chômage très élevé, le vieillissement de la population, le départ des jeunes, l'arrivée d'une nouvelle immigration (Africains, Comoriens), la fermeture de la maternité (en 1996), le quartier a considérablement changé.

L'extrême-droite y obtient 30 % des votes, le parti communiste décline comme partout, les solidarités s'effilochent... Beaucoup de magasins fermés qui donnent un côté déprimant à des rues historiques comme la rue Loubon et la rue Belle-de-Mai. Moral de la population en berne, une impression d'abandon de la part des pouvoirs publics. Pourtant, dans ce tableau très gris foncé, quelques lueurs d'espoir. D'abord, l'arrivée de nouvelles familles, pour beaucoup issues des milieux culturels, attirées par la proximité du centre-ville, les prix encore abordables, le prestige de l'histoire du quartier et ce qui lui reste encore de personnalité et convivialité. L'implantation de l'ensemble culturel **La Friche de la Belle-de-Mai** (dans l'ancienne usine *SEITA*, *plan général F2*, *160*) doit également à moyen terme rejaillir positivement sur le quartier en termes d'insertion et, peut-être, de retombées économiques. L'assimilation culturelle réussie du **théâtre Gyptis** *(plan général, F1, 163)*, l'implantation des nouvelles entreprises multimédia vont dans ce sens et donnent bon espoir.

UN PEU D'HISTOIRE

En 1384, le site apparaît pour la première fois dans un acte juridique. On y connaît alors quelques beaux arpents de vigne sous le nom de « Vinéa Belle de May ». L'urbanisation ne commence que dans la première moitié du XIXe siècle. En 1840, un couvent des Victimes du Sacré-Cœur de Jésus s'installe sur une grande propriété (il y est toujours), tandis que se construit l'église paroissiale. Le boulevard National est percé pour permettre la liaison avec le centre. Ouverture de la gare Saint-Charles et apparition des premières industries : la fabrique d'allumettes Toussaint-Caussemille (en 1847), la manufacture des tabacs de la rue Guibal (en 1868), puis des raffineries de sucre et autres industries alimentaires.

En 1861, construction de la **caserne de Muy** (*plan général F2, 161* – sûrement pour être proche des nouvelles classes dangereuses). D'un luxe architectural inouï pour un tel usage, reflet de la mégalomanie de Napoléon III. Apparition d'une nouvelle population attirée par ce nouveau gisement d'emplois, et qui triple en quinze ans (de 5 000 à 15 000). À 60 % originaire d'Italie, surtout du Piémont, de Toscane et de Naples. Conditions de travail extrêmement dures dans les usines de la Belle-de-Mai et son corollaire, développement d'une conscience politique et création des premiers syndicats. Très rapidement, la population se radicalise (surtout les cigarières de la manufacture des tabacs).

En mars 1871, le bataillon de la Belle-de-Mai prend la direction de la Commune de Marseille, la plus importante après Paris. Le quartier est si rouge que Jules Guesde, grand dirigeant ouvrier de l'époque et expert en la matière, le surnomme « boulevard de la Révolution » (en 1926, une rue prendra d'ailleurs ce nom). En 1881, élection à la Belle-de-Mai de **Clovis Hughes** (1851-1907) comme premier député socialiste en France. Cet ancien communard (qui fut emprisonné plusieurs années), poète également, sera réélu jusqu'en 1889 (il possède bien sûr sa rue ici), puis deviendra député de Montmartre à Paris. À partir de cette époque, la Belle-de-Mai élira systématiquement des députés de gauche (parti socialiste, puis parti communiste) et se révélera une pépinière d'hommes politiques de grande importance régionale. Notamment **Bernard Cadenat** (1853-1930), qui fut député-maire de Marseille, et **Jean Cristofol** (1901-1957), élu député communiste en 1936, puis réélu jusqu'en 1956 et l'un des fondateurs du quotidien *La Marseillaise*. Le 27 mai 1944, il y eut un terrible bombardement américain sur le quartier de la gare Saint-Charles. La Belle-de-Mai, toute proche, reçut son lot de bombes. Beaucoup de morts, l'église et de nombreuses maisons détruites. L'ancrage à gauche se maintint toujours par la suite, même si le parti communiste perdit peu à peu des voix et sa position dominante. C'est **Guy Hermier** qui représenta la Belle-de-Mai au parlement comme député communiste (jusqu'à sa mort en 2001), puis **Jean Dufour,** qui fut secrétaire d'État au patrimoine dans le dernier gouvernement Jospin.

– Pour en savoir plus sur le quartier, lire (en bibliothèque, livre épuisé) le passionnant *La Belle de Mai* de Jacques Bonnadier (Paul Tacussel éditeur), que nous remercions pour beaucoup de ces bonnes infos.

QUELQUES PERSONNAGES DU QUARTIER OU... L'AYANT CHANTÉ !

– Le plus célèbre, le sculpteur **César,** naquit au 71, rue Loubon (*plan général E1, 164*). Son père était tonnelier et tenait une boutique de vin et charbon. César fit son apprentissage comme mitron et adorait triturer la pâte. De la pâte à pain à la terre glaise, il n'y a qu'un pas, et le petit César se découvrit une passion pour les santons qu'il façonnait avec talent. De même, il avait toujours quelque chose à fabriquer, à bricoler. Ses parents disaient toujours : « Il est sage ce petit, il s'occupe. » César se rappelle : « En fait le mot juste, c'était pas il "s'occupe", mais il "tripote". Je tripotais, j'étais un tripoteur.

À VOIR PLUS LOIN DU CENTRE

Je me faisais des carrioles avec roulements à bille et tout. Comme un vrai Napolitain. C'était presque magique, un objet fini. Je le regardais et je me disais : c'est un miracle. » Nul doute que son œuvre a été culturellement très marquée par son enfance à la Belle-de-Mai. Plus tard, il fit donc les Beaux-Arts, et la suite est connue de tous (voir aussi la rubrique « Personnages » des « Généralités »).

– La figure la plus anonyme restera la *Belle de Mai,* une jeune fille sélectionnée chaque mois de mai pour sa joliesse, habillée de blanc et exposée au public sur une table recouverte d'une nappe blanche, le front ceint d'une couronne fleurie et des fleurs à la main. Ses copines collectaient de l'argent auprès du public pour s'offrir ensuite une petite fête. Cette tradition très ancienne perdura jusqu'au début du XXe siècle.

– *Rellys* (1905-1991), grande vedette des opérettes marseillaises, naquit rue Guibal et enchanta toute la France avec son rôle d'Ugolin dans *Manon des Sources* de Marcel Pagnol. D'autres chanteurs, *Darcelys* et *Alibert* notamment, chantèrent la Belle-de-Mai.

– *Alexandre-Marius Jacob* se fit connaître, quant à lui, comme l'un des plus fameux « voleurs anarchistes » de la Belle Époque (dans la tradition de la bande à Bonnot). Adolescent, il fut membre des jeunesses libertaires de la Belle-de-Mai, puis organisa plus tard une sacrée bande de cambrioleurs pour voler les riches (ces « parasites sociaux », comme il disait). Il fut condamné en 1905 aux travaux forcés à perpétuité, mais libéré en 1928 grâce à une efficace campagne d'opinion menée, entre autres, par Albert Londres. On dit que Maurice Leblanc s'inspira de sa vie pour créer son personnage d'Arsène Lupin.

– La grande *Germaine Montéro* chanta aussi une superbe *Belle de Mai* (écrite en 1949 par Pierre Marc Orlan) qui raconte l'histoire d'une ouvrière de la manufacture des tabacs souffrant de l'absence de son fiancé parti soldat.

– *Robert Rossi,* d'origine italienne, qui fonda dans les années 1970 le groupe de rock *Quartier Nord,* évoqua son quartier dans quelques chansons et y vit toujours, tout comme *Jali,* également d'ascendance italienne, l'un des leaders du célèbre groupe *Massilia Sound System.* Enfin, notre *Renaud* national écrivit en 1994 *À la Belle de Mai,* chanson-prétexte pour évoquer la vie d'un certain Bernard Tapie qui avait été élu conseiller général du canton.

LA CULTURE, NOUVELLE LOCOMOTIVE DU QUARTIER

✷✷✷ *La Friche de la Belle-de-Mai* (plan général F2, *160*) : 23, rue Guibal, et 41, rue Jobin. ☎ 04-95-04-95-04. Fax : 04-95-04-95-00. • www.lafriche. org • C'est dans le cadre exceptionnel d'une ancienne manufacture de tabac (pour l'histoire, voir plus haut) que La Friche, la plus incroyable aventure culturelle de Marseille depuis Jésus-Christ, s'est installée. Commencée en 1991, l'association Système Friche Théâtre réunit sur 45 000 m^2 toutes les disciplines artistiques imaginables : théâtre, musique, danse contemporaine, cirque, marionnettes, expos, cinéma, photographie, vidéo, multimédias, concerts, fêtes, etc., sous la direction de Philippe Foulquié (fondateur du théâtre Massalia). Plus de 400 professionnels du spectacle et de la culture y travaillent. Robert Guédiguian en a pris récemment la présidence, renforçant l'option cinéma-audiovisuel, en écho aux grands studios professionnels qui se sont installés juste en face, dans le pôle médias. Programmation d'une richesse assez étonnante, révélatrice du nouveau rôle de Marseille, comme avant-garde culturelle.

Quelques exemples, comme les époustouflantes scénographies d'images et de sons organisés par le *Groupe Dunes* sur le toit-terrasse de La Friche ou les remarquables spectacles proposés par *Massalia,* sans cesse orientés vers la recherche de formes d'expression nouvelles tout en continuant d'être lisibles par tous. Sans oublier l'action musique de l'Ami, tous les stages hip-hop, ateliers et formations diverses... C'est bien simple, il n'y a guère de choses qui aient été oubliées ici. Téléphoner pour connaître la programmation. La Friche abrite également *Radio-Grenouille* et, bien sûr, un restaurant ouvert à tous. Une occasion formidable en outre de découvrir le quartier de la Belle-de-Mai (voir aussi l'itinéraire qui lui est consacré). Dernière nouveauté : le Cabaret Aléatoire de La Friche, un lieu musical.

PETITE BALADE NOSTALGIQUE DANS LA BELLE-DE-MAI

Attention, pas de malentendu, uniquement pour impénitents trekkeurs urbains. Rien de fascinant en soi. Seulement quelques souvenirs épars d'un riche passé, des pans significatifs de vie de quartier (comme le marché de la place Cadenat), des bouts d'atmosphères rappelant parfois le bon vieux temps.

➤ Enfiler la rue Guibal pour l'**ancienne manufacture des tabacs** *(plan général F2, 160)*. Construite en 1868, elle ne ferma qu'en 1990, constituant ainsi l'un des fleurons de la mémoire ouvrière de la Belle-de-Mai. Curieusement, ce sont des bâtiments à l'allure sévère. Ici, on tourne résolument le dos à la modernité et on copie plutôt le style caserne. Est-ce un hasard, la *caserne de Muy* vient juste se construire à deux pas. A-t-elle donné des idées ? Ou bien savait-on pertinemment que plus de 1 000 femmes allaient bientôt rouler ici cigares et cigarettes pendant 10 h par jour (certes, 9 h en hiver) dans des conditions de travail particulièrement éprouvantes et que, par anticipation, il fallait qu'à la Belle-de-Mai l'ordre règne avant tout ? D'ailleurs, l'encadrement est composé majoritairement d'ex-officiers ou sous-officiers qui se croient toujours à l'armée et imposent la seule discipline qu'ils connaissent. À la sortie du boulot, les femmes subissaient deux fouilles (par des hommes !). D'abord à corps, puis les sabots. Grande grève en janvier 1887 contre les retenues de salaire (jusqu'à 25 % de la paye) pour cause de cigares soi-disant refusés... mais qui étaient quand même empaquetés et commercialisés ! À la fin de la lutte fut d'ailleurs créé le premier syndicat des ouvrières du tabac. Dans les dernières années d'activité, la manufacture employait encore 500 ouvrières. Sa fermeture en 1990 (hier !) fut bien sûr l'occasion d'une dernière grève dure.

Aujourd'hui, la manufacture abrite donc *La Friche,* un énorme complexe multiculturel ainsi que les **Archives de Marseille.**

➤ Redescendre la rue Guibal jusqu'à la *rue Jobin.* On tombe sur une énorme annexe de La Friche où les artistes se rapatrient. À gauche, on parvient au carrefour François-Simon-Levat. La *rue François-Simon* mène à l'ancienne *maternité,* si populaire chez les habitants (hélas, elle ferma en 1996, c'est une manie quoi !). Emprunter la rue Levat pour une petite excursion dans une rue typique de la Belle-de-Mai. Modestes maisons basses mais pas dénuées d'une charmante poésie, rythme provincial. On longe à gauche le *couvent des Victimes du Sacré-Cœur de Jésus (plan général F2, 162)*.

➤ Arrivée *rue Clovis-Hughes,* l'une des rues les plus animées du quartier. À l'intersection de l'impasse Bleue, une émouvante enseigne, « Au Bon Coin », qui n'étanchera plus aucune soif ouvrière. En face, la rue Roger-Schiaffini, avec un visage proche de ce qu'elle fut jadis. Aujourd'hui, les familles comoriennes ont remplacé les napolitaines.

➤ Remonter la *rue Belle-de-Mai.* Dynamisme commercial en déclin. De nombreuses boutiques ont mis la clé sous la porte. Plus haut, à gauche, à l'angle de l'impasse Saint-Claude, un populaire petit café-snack surnommé *l'Égyptien,* avec une terrasse minuscule, deux tables, un arbre, une vigne vierge... On est à deux pas du *Gyptis (plan général F1, 163),* l'ancien cinéma devenu théâtre, la fierté culturelle du quartier. Bon, franchissons le Rubicon, euh, non, le Loubon !

➤ Au 71, rue Loubon, la **maison natale du sculpteur César** *(plan général E1, 164)*. Combien de gens de la rue le savent ? Les voisins ? Même pas sûr, car curieusement, pas de plaque sur le mur. Peu de choses ont changé, semble-t-il, depuis que la famille Baldaccini quitta le quartier.

À VOIR PLUS LOIN DU CENTRE

➤ Enfin, ultimes pas dans la partie haute du quartier, par la **rue Séry.** Là, on aborde presque le « Neuilly » du quartier, une zone quasi résidentielle, comparée aux rues prolétaires autour de Clovis-Hughes. Tranquille **traverse Séry** (plan général G1, **165),** croisant de non moins paisibles rues portant le nom exagéré de « boulevard ». À l'intersection de Leccia et Séry, une des dernières sacheries (fabricant de sacs de jute) de la ville, ultime témoin du commerce colonial.

➤ Retour par le bien-nommé **boulevard Bonnes-Grâces.** Quelques escaliers dévalent de la colline, jardinets bien entretenus, maisonnettes coquettes, un charmant bout de village... Une sérénité qu'entament à peine les rumeurs montant de la saignée Plombières !

➤ Il ne reste plus qu'à redescendre **place Cadenat** (plan général F1, **166)** pour faire son **marché.** Et là, miracle, pour quelques heures, notre Belle-de-Mai de jadis s'est quasiment reconstituée avec tous ses merveilleux acteurs, le petit peuple bavard et frondeur, ses accents et ses rires.... Trois fois par semaine, grand marché, l'un des plus pittoresques de Marseille. Moribonde, la Belle-de-Mai ? Certes, elle a pris des grands coups dans la gueule, les changements économiques et sociaux font rudement mal, mais il en faudrait quand même plus pour l'enterrer. Merci, chers lecteurs, lectrices d'en témoigner après votre visite...

LA TREILLE ET LE PAYS DE MARCEL PAGNOL

Une belle balade à faire, à l'est de Marseille, entre La Treille, petit village perché à 7 km de là, appartenant en fait au 11e arrondissement de Marseille où Marcel Pagnol (1895-1974) repose, et Aubagne, où il est né. Pagnol retrouvera-t-il un jour sa juste place dans l'évolution d'un art qu'il a rendu parlant... avec l'accent de Marseille ? L'homme qui sortit le cinéma des studios pour raconter des histoires faussement « provinciales » aux résonances en fait universelles est parfois mal vu ici. Certains ne lui pardonnent pas d'avoir donné d'eux une image de Marseillais hâbleurs, tricheurs, fainéants, plus portés sur la galéjade que sur le travail. Pourtant nombreux sont ceux qui, aux beaux jours, partent voir Marseille d'en haut, à travers la garrigue parfumée, sur les pas des personnages de Pagnol, pour découvrir des sites et des paysages que ses films ont rendus célèbres (voir rando ci-dessous).

– **Conseil :** la plupart des circuits dans les pas de Marcel Pagnol ne se font pas de La Treille ni de La Buzine, mais au départ d'Aubagne (visites guidées organisées par l'office de tourisme). Cela dit, La Treille est unique en son genre et le village fait partie de Marseille.

➤ **Pour y aller :** tramway n° 68 de la station Noailles jusqu'à son terminus, puis bus n° 12 S ; arrêt : La Treille.

Où manger ?

Chic

|●| **Le Relais de Passe-Temps :** vallon de Passe-Temps, La Treille, 13190 Allauch. ☎ 04-91-43-07-78. À 1,5 km au nord de La Treille. Suivre les panneaux et aller jusqu'au bout de la route. Fermé les dimanche soir, lundi et mardi toute la journée et de janvier à mars. Plats à partir de 14 €. Menus à 20 € environ à midi, plus cher le soir. Dans un vallon isolé et calme, cette auberge a quelque chose d'un bout du monde (c'est une impasse). Quand on est arrivé, on y est bien, en pleine garrigue. Et la cuisine, fine et mijotée avec brio, ne donne pas envie de repartir de si tôt. C'est le genre jarret de veau au romarin ou lapin à l'ail. Accueil jovial et attentif. Petit détail, administrativement, ce n'est plus Marseille mais Allauch. Apéro offert sur présentation du GDR.

À voir

🎬🎬🎬 *Le village :* au milieu de la garrigue, sur un flanc de colline miraculeusement préservée, La Treille est un adorable village provençal. Vous ne pouvez échapper au fantôme du célèbre écrivain ! Pagnol y tourna plusieurs films célèbres : *Manon des Sources, La Fille du puisatier, Regain, Cigalon* et *Angèle* (dans les collines aux environs). À travers les ruelles, on peut voir une placette et une minuscule fontaine. Installez-vous à la terrasse du *Cigalon,* café-restaurant qui servit de cadre au film de Marcel Pagnol du même nom et qui n'a guère changé depuis les années 1930, et profitez du panorama.

🎬 *La tombe de Marcel Pagnol :* l'écrivain-cinéaste repose dans le petit cimetière à droite de la route principale, en entrant dans le village, quand on vient de Marseille. Pas de croix, juste une inscription latine qui signifie : « Il fut l'ami des sources. » À ses côtés repose Estelle Pagnol, sa fille disparue très jeune.

🎬 *La Bastide Neuve :* située à un bon kilomètre au nord du village. On peut y monter à pied en suivant une route goudronnée et étroite. Juste après la buvette *Les Bartavelles* se trouve sur la gauche la *Bastide Neuve.* Il y a une plaque sur le mur. C'était la maison de vacances des Pagnol. Aujourd'hui, seule la partie de gauche est habitée, celle de droite (volets fermés) semble inoccupée. Tout autour poussent des oliviers à flanc de colline. Pour les fans de Pagnol, il existe des circuits (fléchés) qui partent à travers les vallons, la garrigue parfumée de thym et de romarin à la recherche des souvenirs de son œuvre.

Randonnée

À VOIR PLUS LOIN DU CENTRE

➢ *Marcel Pagnol au Taoumé* (12 km, 3 h aller-retour sans les arrêts) *:* cet itinéraire de crêtes calcaires, dans l'arrière-pays de Marseille et des collines du Garlaban, est tout empreint de la saveur des romans de Marcel Pagnol. Des paysages traduits par le cinéma, où les noms de lieux résonnent de la faconde méridionale. *Important :* le sentier de randonnée est interdit d'accès par arrêté préfectoral pendant les mois de juillet et août, afin d'éviter tout risque d'incendie.
Boucle au nord d'Allauch (11 km au nord-est de Marseille). Balisage : jaune, vert, bleu. Difficulté moyenne. Pour se documenter : *52 balades en famille autour d'Aix-en-Provence,* éd. Didier-Richard ; *Randonnées pédestres Étoile et Garlaban,* éd. Édisud. Cartes IGN au 1/25 000 : 3145 E et 3245 E.
Du col de Canteperdrix, accessible d'Allauch et de la D 4A, emprunter le sentier qui monte, balisé de jaune. Il est surplombé par les falaises de la Tête Rouge. Au croisement, prendre le sentier balisé de bleu qui monte vers les Escaouprés. En face, le côté ouest du Taoumé évoque les romans célèbres de Marcel Pagnol.
Un tracé, au niveau du *socle du Taoumé,* mène directement à la grotte du Grosibou. Pour la visiter, c'est facile. Avec les yeux émerveillés de Pagnol enfant et de son copain Lili : « Nous étions presque sous le Taoumé, et je voyais nettement le contour de la barre qui surplombait le passage souterrain où j'allais vivre la grande aventure. » Lili baptise le grand-duc qui habite la grotte « Legrosibou »… et l'aventure commence (*Le Château de ma mère,* 1958).
Revenant sur la gauche, on atteint le sommet du Taoumé (670 m) d'où l'on découvre le Garlaban, Marseille et la mer, la Sainte-Baume et la Sainte-Victoire.
La balade sur la crête se poursuit avec de magnifiques panoramas pour redescendre sans difficulté au col ombragé de Baume-Sourne puis au col de Canteperdrix et au tracé jaune de l'aller.

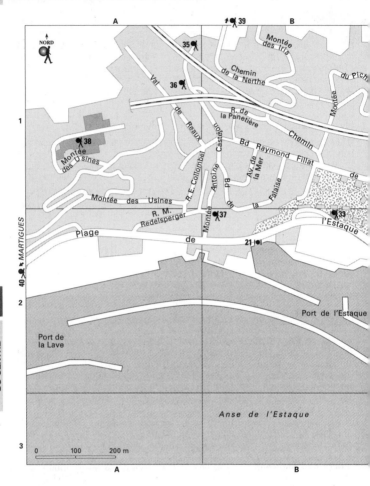

L'ESTAQUE

À une dizaine de kilomètres du Vieux-Port, le quartier le plus à l'ouest de Marseille. Une vraie entité à part. L'un des quartiers de Marseille ayant le moins changé aussi. Village natal du poète Saint-Paul-Roux (1861-1940), pour les surréalistes, l'un des précurseurs de la poésie moderne. Zola tomba en amour (comme on dit au Québec) pour le coin et lui consacra de fort

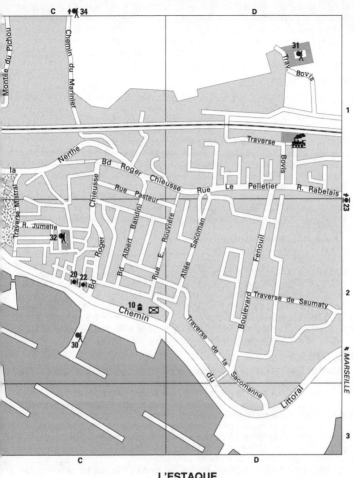

L'ESTAQUE

31 Château-Bovis	**36** Vallon des Riaux en haut
32 Place de l'Église	**37** Vallon des Riaux en bas
33 Château-Fallet	**38** Usines de Rio Tinto
34 Vallon du Marinier	**39** Notre-Dame-de-la-Nerthe
35 Cimenterie de *Marius et Jeannette*	**40** Plage de Corbières

belles pages dans un de ses romans *(Naïs)*. Venez, vous comprendrez vite ce qui fascina aussi Cézanne, Braque, Dufy et tant d'autres. Charmant village aux demeures à tuiles rouges dégringolant de la montagne, avec son port intime (curieusement plein de gros locataires!)... Hélas, beaucoup de voitures autour aujourd'hui! Avec la disparition des usines, seul son côté industriel s'est largement estompé. Mais il a su conserver une âme forte et un caractère populaire bien ancré.

Aucune grosse opération chirurgicale immobilière n'est venue non plus en modifier la physionomie. Pas un hasard si L'Estaque inspira si longtemps (et inspire toujours) le cinéaste **Robert Guédiguian.** Nul n'a été autant marqué par les lieux de son enfance, au point d'en faire le cadre de tous ses films... Enfin, L'Estaque s'enorgueillit d'avoir signé l'acte de fondation du cubisme, ce n'est pas rien quand même !

UN PEU D'HISTOIRE

La vocation maritime de L'Estaque remonte à la nuit des temps. Peut-être grâce à sa situation privilégiée. En effet, avec le Vieux-Port, c'est le seul endroit de la rade protégé du mistral. Or, sur les pentes de Saint-Henri, poussaient des vignes donnant un fameux vin déjà connu des Grecs et des Romains. L'Estaque connut donc la noria des galères venant y charger les précieuses amphores de nectar. D'ailleurs, la vigne y fut cultivée jusqu'au XIXe siècle, jusqu'à ce qu'on découvre que l'argile qui gisait dessous allait se révéler, avec la fabrication des tuiles, une source de richesse bien supérieure. Entre-temps, le port de pêche s'était développé, générant une véritable culture locale autour de cette activité, fondant jusqu'à maintenant la véritable identité du village. Il y gagna son nom, **L'Estaco,** « point d'attache du bateau » en provençal. Lire, pour ceux que le sujet intéresse, le remarquable ouvrage de Laurent Damonte, *L'Estaque, mon village au temps des pite-mouffe* (éd. Paul Tacussel).
Bien qu'il fût riche en girelles, labres, sarans (tous ces beaux poissons qui composent la bouillabaisse) et en oursins, le village se spécialisa vite dans la sardine. Le filet adapté à cette pêche s'appelait d'ailleurs le sardinal. Ses très fines mailles étaient judicieusement adaptées à la grosseur des sardines repérées au large dans les bancs de poisson (mailles de 8, 19, 24...). Mailles trop larges, le poisson filait, trop fines, on attrapait rien ! Il fallait beaucoup de monde aussi pour démailler un filet, c'est-à-dire enlever une à une les sardines coincées dans les mailles. Et encore bien d'autres pour assurer le suivi, mareyeurs, poissonniers, charpentiers de marine...

LES TUILES

Les tuileries furent la deuxième industrie de L'Estaque. Elles faisaient également vivre beaucoup d'autochtones. D'ailleurs ici, on était pêcheur ou tuilier. L'argile de grande qualité de Saint-Henri permit ainsi de couvrir d'innombrables demeures aux quatre coins du monde. Des dizaines de tartanes, bateaux spécialisés dans le transport des tuiles, les amenaient au port de la Joliette et assuraient ainsi une autre activité importante pour le village. Les cargos qui retournaient par exemple en Indochine, en transportaient en « fret de retour ». C'est ainsi que les **tuiles de L'Estaque** (dûment estampillées d'une abeille ou d'une étoile) donnèrent aux maisons des colons du Delta, de Saïgon ou de Hanoï cet air si méditérranéen... Toutes les petites tuileries disparurent dans les années 1930-1940. Aujourd'hui, il n'en reste qu'une, très moderne.
De grosses usines apparurent également à la fin du XIXe siècle, comme Pennaroya et les cimenteries. Puis la plupart fermèrent. Dans *Marius et Jeannette,* le film de Robert Guédiguian, on voit d'ailleurs Gérard Meylan jouer le rôle d'un gardien de cimenterie en voie de démolition. Tous, pourtant, pêcheurs, tuiliers et ouvriers d'usine continuèrent à entretenir l'esprit de village, encore bien vivant aujourd'hui.

LE CHICHI-FREGI

Les fameuses joutes de L'Estaque, la Fête de la sardine et le pèlerinage de la Galline restent des grands moments de l'année. Et pendant longtemps, le dimanche vit arriver les flots de citadins pour manger du bon poisson frais, se détendre et faire la fête. Aujourd'hui encore, on vient à L'Estaque pour la personnalité et la légende tenace du « p'tit village de pêcheurs ». Dans les kiosques du port, on y déguste toujours le **chichi-fregi,** délicieux beignet local, ou les **panisses,** autres beignets confectionnés avec de la farine de pois chiche. Surtout, on y vient pour le remarquable circuit des peintres...

L'ESTAQUE ET LES PEINTRES

La situation privilégiée du village, son micro-climat, sa merveilleuse lumière, son charme naturel se devaient obligatoirement d'attirer les artistes. De Collioure à Menton, L'Estaque fut ainsi le lieu qui séduisit le plus de peintres. Et du beau linge, excusez du peu. Mais au fait, pourquoi L'Estaque, la côte ne manquait pourtant pas de sites exceptionnels? D'abord, le panorama sur le golfe de Marseille, tout simplement fascinant. Ensuite, une conjonction de formes, de lignes et de couleurs assez unique. À un peintre sensible, il ne pouvait échapper cette combinaison de verticalité (les cheminées d'usine), d'horizontalité (la mer) et de courbes harmonieuses (les collines, les arches des viaducs). En prime, le jeu ahurissant des couleurs (toutes ces teintes d'ocres, cette avalanche de rouges, de verts et de bleus). Pas étonnant, dans ces conditions, qu'on retrouve L'Estaque immortalisée par trois périodes fondamentales de la peinture : l'impressionnisme, le fauvisme et le cubisme (avec même un zeste d'expressionnisme).

Bon, le déclencheur dans tout ça, ce fut avant tout **Paul Cézanne** (1839-1906). Le pionnier, le plus fidèle. Véritablement amoureux du site, il y vint régulièrement pendant une quinzaine d'années (de 1870 à 1886), avec un séjour d'un an (en 1878-1879). La plus grosse production aussi, plus de trente tableaux et de nombreux dessins. On peut dire que L'Estaque permit à Cézanne de passer de l'impressionnisme à un style plus personnel.

– **Renoir** (1841-1919) vint peindre aux côtés de Cézanne en 1882, mais, malade, il fut obligé d'aller se refaire une santé en Algérie. Il laissera quatre toiles représentant L'Estaque.

– **Braque** (1882-1963), quant à lui, viendra quatre fois. Séjours qui correspondront d'ailleurs à différentes périodes artistiques : de fin 1906 à début 1907, le style fauve. En septembre 1907, les balbutiements du cubisme. L'année suivante, de vrais tableaux cubistes. En 1910, dernier séjour.

– **André Derain** (1880-1954) est le premier à venir après Cézanne et Renoir (en 1905-1906). Il nage alors en plein fauvisme et signe une quinzaine de toiles, principalement des vues du port et du vallon de Riaux.

– **Dufy** (1877-1953) débarque à L'Estaque en 1908 pour dire bonjour à Braque (originaire du Havre comme lui) et tombe aussi sous le charme. Il produira une dizaine de toiles dont, à la différence des œuvres des autres artistes, quelques-unes resteront heureusement à Marseille.

– Dans son prosélytisme pour L'Estaque, Braque entraîne dans l'aventure artistique un autre Havrais, **Émile-Othon Friesz** (1879-1949). Cependant, ce dernier ne se laisse pas séduire par la manière cubiste et perpétue le style fauve.

– **Adolphe Monticelli** (1824-1886), vrai peintre marseillais lui, élève de Ziem et ami de Cézanne, consacra quelques toiles au village, dont *Saint-Henri, avant-port de L'Estaque* et le *Restaurant Bernard*. Il peignait déjà par touches fragmentées, utilisant une matière épaisse. Considéré comme un des précurseurs de l'expressionnisme du XXe siècle, il fut tout à fait incompris à l'époque.

– **André Marquet** (1875-1947) y séjourne plusieurs fois en 1918-1919. Il peindra souvent la terrasse de Château-Fallet.

– Enfin, un grand photographe, **August Macke** (1887-1914), est aussi un admirateur passionné de Braque. Braque s'inspirera de ses photos pour certaines de ses œuvres. Macke sera, en septembre 1914, l'un des premiers morts de la Grande Guerre.

Comment y aller?

➤ **En voiture :** depuis le Vieux-Port, prendre la rue de la République, place de Joliette, boulevard de Dunkerque, puis l'autoroute du Littoral (sortie L'Estaque).

À VOIR PLUS LOIN DU CENTRE

➢ **En bus :** le n° 35. Départ : sur le Vieux-Port, en face du café *La Samari-taine*.

Où dormir ?

🛏 **Hôtel Bénidorm** *(plan L'Estaque, C2, 10)* : 734, chemin du Littoral, L'Estaque, 13016 Marseille. ☎ 04-91-46-12-91. Fax : 04-91-46-09-40. Ouvert toute l'année. Doubles de 32 à 40 € (petit dej' en plus). À deux pas du port et de l'animation. Malgré son nom, une petite structure de deux étages toute simple. Pour ceux et celles qui auront (ou non) apporté leur palette ou souhaiteraient s'insérer pleinement à L'Estaque, une bonne petite adresse, propre, de bon confort et à prix modérés. Remise de 10 % sur le prix de la chambre toute l'année sur présentation de ce guide.

Où manger ?

I●I **La Girelle** *(plan L'Estaque, C2, 20)* : 98, plage de L'Estaque, 13016 Marseille. ☎ 04-91-46-01-52. Fermé le lundi. Menu à 12 ou 14 €. Petit caboulot estaquien typique, populo comme il faut, où l'on dégustera une excellente cuisine familiale provençale. La cantine de Bernard, un bon copain à nous. En outre, vaut aussi par la personnalité du patron, une espèce de César, tout droit sorti d'un roman de Pagnol. Poisson toujours frais. Goûter aux sardines à l'escabèche, aux crevettes à la provençale... Café offert sur présentation du *GDR*.

I●I **Les Tonnelles** *(hors plan L'Estaque par D1, 23)* : 121, rue de Condorcet, 13016 Marseille. ☎ 04-91-03-76-77. Ouvert le midi. Fermé les samedi et dimanche. Congés pendant les fêtes de fin d'année. Menu à 9,50 €. Un resto de quartier intéressant, situé à Saint-André, à la frontière du 15ᵉ arrondissement, dans un quartier sans particularité. Venant de Marseille par le chemin du Littoral, tourner à droite au rond-point Marcel-Provence. Puis aller jusqu'au rond-point André-Roussin-Condorcet. C'est là, en remontant un poil la rue Condorcet. Demeure particulière avec une tranquille terrasse sous de hauts platanes. Bonne cuisine de famille à prix d'avant-guerre (peut-être même celle d'avant). Grill les mardi et jeudi midi. Spécialités sur commande. Très agréable d'y manger aux beaux jours. Parking privé.

I●I **L'Hippocampe** *(plan L'Estaque, B2, 21)* : 151, plage de L'Estaque, 13016 Marseille. ☎ 04-91-03-83-78. Fermé le dimanche soir et le lundi (sauf en juillet-août). Compter de 15 à 25 €. Réservation ultra-recommandée. Un resto les pieds dans l'eau avec, bien sûr, une belle vue panoramique depuis la salle à manger. Extrêmement populaire pour ses pizzas croustillantes à souhait, ses copieuses salades composées, ses pâtes fraîches et, surtout, de fort belles viandes (brochettes, pavé d'aloyau, côte de bœuf extra). Atmosphère bruissante en diable, grandes familles et joyeuses bandes le dimanche midi (résa quasi obligatoire sous peine de longue attente). En prime, accueil vraiment sympa, mais ça, vraiment, vous vous en doutiez.

Plus chic

I●I **Restaurant Camors** *(plan L'Estaque, C2, 22)* : 82, plage de L'Estaque, 13016 Marseille. ☎ 04-91-46-58-21. Fermé le dimanche soir, le lundi et le mercredi soir (plus le dimanche midi et le lundi en juillet-août et les petites vacances scolaires). Menu à 32 €. À la carte, compter de 30 à 35 €. Le petit resto haut de gamme de la ville, celui où l'on va manger en famille pour les grandes occasions ou pour séduire la fille d'un riche armateur. Cadre classique, accueil chaleureux, cuisine sérieuse et de qualité régulière.

À voir. À faire

Partir sur les traces de Cézanne et de Braque est à l'évidence une bonne occasion de parcourir les ruelles du bourg, d'aller humer les chaleureuses atmosphères des films de Robert Guédiguian, même si certaines scènes furent tournées à Saint-Henri (bon, on ne va pas se mettre à faire du chauvinisme de quartier !). Pour une visite guidée, possibilité d'avoir un(e) guide-conférencier spécialisé(e) par l'office de tourisme de Marseille. ☎ 04-91-13-89-00.

➤ Départ du **port** *(plan L'Estaque, C2, 30)* où une borne en pierre de lave émaillée explique le chemin des peintres. Le port inspira beaucoup Derain (plusieurs déclinaisons de *Barques de pêcheurs,* 1906), ainsi que Braque et Marquet.

🖌 **Château-Bovis** *(plan L'Estaque, D1, 31) :* monter ensuite au « plateau » (Château-Bovis), au-dessus de la gare, pour bien comprendre ce qui frappa et motiva profondément Cézanne. Point de repère, le long bâtiment jaune et son parking devant. C'est à côté que Cézanne habita un temps (mais la maison n'existe plus). Devant le superbe panorama, on comprend qu'il ait craqué. Devant vous, rien n'a changé : les ocre, rouille, verts et bleus de la palette cézannienne sont tous là, superbement réunis. Ainsi, l'artiste souffle-t-il sans cesse le chaud (ocre et rouille) et le froid (vert et bleu), comme dans les deux *Golfe de Marseille* (1885, au MET à New York et au Chicago Art Institute). C'est une grande période de maturité : l'artiste va à l'essentiel. Formes de plus en plus simples, assez géométriques... Cheminées d'usine pour structurer l'espace verticalement.

🖌 **La place de l'Église** *(plan L'Estaque, C2, 32) :* Cézanne s'y installe de nombreuses années (jusqu'en 1883). Sa mère y louait une maison depuis longtemps (plaque sur la façade). Place toujours paisible et charmante qu'aimait beaucoup Zola. Il vint quelques jours en 1870, mais resta cinq mois en 1877.

🖌 **Château-Fallet** *(plan L'Estaque, B2, 33) :* ancienne bastide transformée en *hôtel de la Falaise* à la fin du XIXᵉ siècle. Elle inspira Braque (*Terrasse à l'Estaque,* 1908, au musée d'Art moderne de Paris), Dufy et Marquet (*La Terrasse,* 1918, au Statens Museum for Kunst de Copenhague).

🖌 **Le vallon du Marinier** *(hors plan L'Estaque par C1, 34) :* Cézanne y peignit des rochers (1882, aujourd'hui, au musée de São Paulo), ce qui n'était pas dans ses habitudes.

🖌 **Vallon des Riaux en haut** *(plan L'Estaque, A1, 36) :* accès par la montée Antoine-Castejon. Cézanne y peint *Maisons à L'Estaque.* En 1908, le viaduc du chemin de fer inspire grandement Braque. Il les peint tantôt dans des teintes cézanniennes, tantôt dans des camaïeus de bleus (*Viaduc à L'Estaque,* 1907, au Minneapolis Institute of Art). À ce moment-là, le souci de composition l'emporte, il s'éloigne insensiblement de la réalité. Macke prend abondamment le viaduc en photo. Derain traîne également ses pinceaux dans le coin. Toute cette période connaît un véritable bouillonnement créatif. Intellectualisation de la peinture : couleurs arbitraires (influences de Gauguin et de Van Gogh), volumes bousculés (cf. : le chaos des maisons dans le tableau *Viaduc à L'Estaque,* au musée d'Art moderne de Paris), parfois influences japonisantes (cernes de noir). Plus haut, les derniers témoignages de la cimenterie Lafarge *(plan L'Estaque, A1, 35),* lieu de scènes

À VOIR PLUS LOIN
DU CENTRE

importantes du film *Marius et Jeannette*. Aujourd'hui démantelée et dans un long processus de décontamination (5 ans, dit-on, avant de pouvoir urbaniser le terrain).

🏃 ***Vallon des Riaux en bas*** *(plan L'Estaque, B2, 37) :* émouvant, c'est exactement ici qu'est signé l'acte de naissance du cubisme. En effet, en 1908, lors de son troisième voyage, Braque fait une fixation sur un petit groupe de maisons accrochées à la colline. Deux ans auparavant, il les peint à la manière fauve. Pourtant, cette fois-ci, il les dépouille de leurs portes et fenêtres et tout détail est gommé... Elles n'apparaissent plus que comme de gros cubes. En outre, il travaille dans des teintes robustes (des brun, ocre, vert, jaune et quelques gris). On dit qu'un journaliste écrit à propos de ce tableau (*Maisons à L'Estaque,* au Kunstmuseum à Berne) : « Qu'est-ce donc que cette peinture tout en cubes ? » Le terme cubisme est lancé. Prenez une reproduction du tableau en main ou regardez la borne : les demeures sont toujours là !

🏃 ***Les usines de Rio Tinto*** *(plan L'Estaque, A1, 38) :* ce qui avait fait fuir Cézanne, a fasciné assez Braque. La toile se découvre aujourd'hui au musée d'Art moderne de Villeneuve-d'Ascq. Cette usine de produits chimiques s'appellera plus tard Pennaroya, puis Ugine-Kulhmann. L'usine ferma en 1989, mais il y a encore la possibilité de la peindre aujourd'hui. Lecteurs, lectrices, à vos chevalets...

Quelques balades encore !

🏃 ***Notre-Dame-de-la-Nerthe*** *(hors plan L'Estaque par B1, 39) :* on y parvient par le chemin de la Nerthe. Dans sa dernière partie, itinéraire délicieusement rocheux, bucolique et sauvage pour ce mini-hameau de rêve. Quelques privilégiés y résident encore. Chapelle datant du XIe siècle et longtemps lieu de pèlerinage très populaire des Marseillais. On y honore la Madone « à la poule ». Fête le 1er dimanche de septembre.

◿ ***La plage de Corbières*** *(hors plan L'Estaque par A2, 40) :* au nord de L'Estaque, une belle plage aménagée en contrebas du viaduc. Bien indiquée depuis la route. Parking et bus n° 35, de juin à septembre. Gazons en pente, buissons et aires de pique-nique appréciées des familles.

Et encore un peu plus loin...

Ce serait dommage de ne pas pousser jusqu'à **Niolon,** pour avoir un petit aperçu de la Côte Bleue. Niché au fond d'une calanque, Niolon est un petit port de pêche qui a autant de caractère que Sormiou ou Morgiou. Bon à savoir : on y accède par le petit train de la Côte Bleue, au départ de Marseille (d'ailleurs, c'est beaucoup mieux qu'en voiture puisque la route ne suit pas la côte et passe par le Rove, alors que la ligne de chemin de fer réserve de magnifiques points de vue). Les randonneurs, eux, suivront l'ancien sentier des Douaniers. Et, si affinités, n'oubliez pas que la Côte Bleue se poursuit par les Calanques de la Redonne, Sausset-les-Pins et Carro...

À VOIR. À FAIRE CÔTÉ PLAGES

LE BORD DE MER (CÔTÉ SUD)

🏃 ***La corniche Kennedy*** *(plan Marseille – Les plages, I7-8) :* dotée du plus long banc du monde (homologué par le *Guinness Book*), la corniche vous offrira le plus beau paysage de Marseille : la Méditerranée et ses îles. Bus n° 83 au Vieux-Port. En voiture : au Vieux-Port, prenez le *quai de Rive-Neuve,* passez devant le théâtre national de La Criée, en continuant tout droit vous arriverez aux *Catalans* où commence la corniche. À pied : c'est la course préférée des joggers marseillais.

Les Auffes, Endoume, Bompard et Roucas Blanc

❦ Après l'imposant monument aux morts de l'armée d'Orient, on arrive sur un port, au-dessus du *vallon des Auffes (plan Marseille – Les plages, I7),* port de pêche de carte postale encerclé par la ville moderne.

❦ En surplomb, un autre quartier villageois, *Endoume,* avec son lacis de ruelles et d'escaliers, ses jardins suspendus et ses maisons à l'étonnant dé-cor de ciment modelé (notamment au 11, rue Pierre-Mouren, et au 365, rue d'Endoume).

❦ *Les villas :* la corniche appartient ensuite aux somptueuses villas du XIXe siècle pas toujours du meilleur goût : le *château Berger* qui se croit dans la Loire, la *villa Valmer* et son agréable parc public, le *castel Alléluia* et sa tour médiévale en miniature, la *villa Gagy,* où séjourna le général Aoun après sa fuite du Liban, et enfin le *château Talabot* qui domine superbement le site (éclatant contraste entre son toit vert-de-gris et la brique de ses murs). Derrière cette partie de la corniche s'étend le très très chic quartier de *Roucas Blanc.*

❦ À l'extrémité de la *promenade de la Plage* qui fait suite à la corniche, copie du David de Michel-Ange qui regarde pensivement une publicité mu-rale signée César. Vers les plages, sculpture contemporaine à la mémoire d'Arthur Rimbaud qui, à Marseille, « rencontrera la fin de son aventure ter-restre ».

LES PLAGES

Pas la peine d'aller à Cassis ou à La Ciotat pour se baigner. De L'Estaque (au nord) aux calanques (au sud), Marseille déroule près de 57 km de litto-ral et une bonne cinquantaine d'endroits pour se baigner. On compte une vingtaine de plages, au sens plage-plage (pas des morceaux de rochers dans une crique pour faire trempette) qui ponctuent le rivage de Marseille. Longtemps décriées à cause de la pollution et de la saleté, boudées par les Marseillais, voilà les plages de Marseille qui sortent de l'ombre et de l'oubli. De sable ou de galets, familiales ou branchées, envahies par la foule ou ré-servées à quelques-uns, les plages de Marseille sont aux portes de la ville. On peut dire qu'elles sont dans la ville sans trahir la vérité, car on y accède à pied ou en bus, si facilement ! Sous les pavés, la plage !

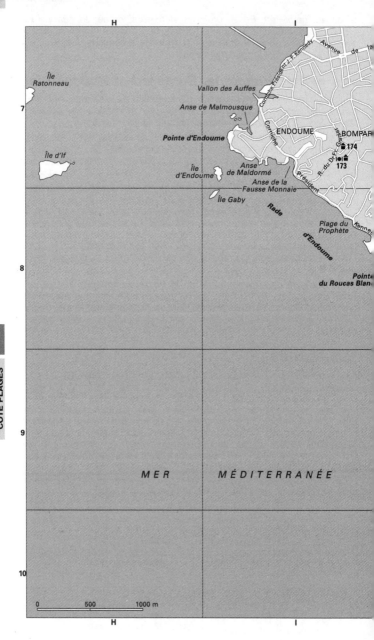

Île
Ratonneau

Île d'If

H

I

Vallon des Auffes

Anse de Malmousque

Pointe d'Endoume

ENDOUME

BOMPAR

Corniche Président J.-F. Kennedy   Avenue   de   la

Corniche

R. du Dr Ft. Gazan

■ 174

◼◻◾

173

Île
d'Endoume

Anse
de Maldormé

Anse de la
Fausse Monnaie

Île Gaby

Rade

Président

Kenne

Plage du
Prophète

d'Endoume

Pointe
du Roucas Blan

7

8

9

10

M E R   M É D I T E R R A N É E

0   500   1000 m

H

I

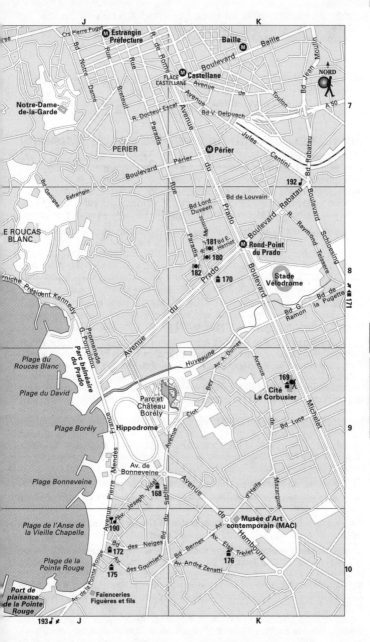

MARSEILLE – LES PLAGES

L'office de tourisme édite un guide très complet, *Marseille sur mer,* qui détaille toutes les activités nautiques bien sûr, mais aussi pêche, voile, kayak de mer, escalade dans les calanques, plongée...

COMMENT Y ALLER?

➤ Par le bus n° 83, à prendre au Vieux-Port, il longe toutes les plages situées au sud de la ville, arrêts « Catalans », « Prophète », « Plage-Roucas-Blanc », « Plage-Gaston-Defferre » (plus connue sous le nom de plage du Prado), « La Plage », puis « Escale Borély » et « Pointe Rouge ».

Près de la corniche Kennedy (au sud de Marseille)

△ **La plage des Catalans** *(plan général A5)* : corniche Kennedy. Ⓜ Vieux-Port. Bus n° 83. Entrée : environ 5 €. La plage la plus proche du centre-ville, avec du sable, des surveillants et une atmosphère conviviale et familiale. Avec un petit côté années 1960 pas déplaisant. On y trouve le plus ancien club de volley-ball de France. Son nom vient des pêcheurs catalans qui étaient autrefois rejetés par ceux du Vieux-Port. Idéale avec des enfants.

△ **La plage du Prophète** *(plan Marseille – Les plages, I8)* : à Endoume. Blottie sous la corniche Kennedy, une plage de sable blanc, entourée de rochers, et du même genre que la plage des Catalans. Entrée gratuite. Consignes et buvette. Les Marseillais y reviennent maintenant, mais pendant longtemps ils boudèrent le Prophète car cet endroit était considéré comme un lieu de réinsertion des jeunes en difficulté.

△ **Malmousque** *(plan Marseille – Les plages, I7)* : une crique de galets et de rochers, secrète, juste avant le pont de la Fausse-Monnaie, sur la corniche Kennedy, et à côté du restaurant *Le Petit Nice Passédat.*

△ **Les plages du Prado** *(plan Marseille – Les plages, J9)* : promenade Georges-Pompidou. Ⓜ Rond-Point-du-Prado, puis bus n° 19; ou Ⓜ Vieux-Port, puis bus n° 83. Au débouché de l'avenue du Prado s'étendent la **plage Gaston-Defferre,** 45 ha de pelouses pour les footballeurs du dimanche et les amateurs de cerfs-volants. Cinq plages de sable et de petits galets y ont été aménagées avec le trop-plein de terre du métro marseillais. Ambiance tranquille le matin, plus bruyante l'après-midi. Située le long de l'avenue Mendès-France, une **plage Borély** (ou Escale Borély) est une plage de sable surveillée, aménagée de transats et parasols, et de matelas à louer. Endroit assez chic, avec restos et bars branchés. Dans le parc balnéaire du Prado, *la plage de l'Huveaune* (près du champ de courses) est ouverte aux surfeurs et aux baigneurs.

△ **La plage de Bonneveine** *(plan Marseille – Les plages, J9)* est maintenant réservée aux véliplanchistes. Elle dispose d'une zone de jeux. On peut y louer des skis nautiques et des parachutes ascensionnels.

△ Plus loin, la **plage de l'anse de la Vieille Chapelle** *(plan Marseille – Les plages, J10)* est équipée d'une piste de skateboard et d'un vélocross.

△ **La plage de la Pointe Rouge** *(plan Marseille – Les plages, J10)* : devant le port de la Pointe Rouge, plage de sable surveillée, une des plus anciennes de Marseille. Familiale et populaire. Très recherchée par les débutants en planche en voile. Après le port de la Pointe Rouge, le **Bain des Dames** et le **Fortin** sont deux plages minuscules de galets, avec des cabanons.

– Les *wind-surfers* se donnaient naguère rendez-vous à **Epluchures Beach,** un des spots les plus appréciés de la côte méditerranéenne française. En 2001, malgré les pétitions indignées des adeptes du wind-surf, le maire de Marseille a attribué aux baigneurs ce site exceptionnel. Les wind-surfeurs peuvent pratiquer leur sport préféré vers le port de la Pointe Rouge.

Vers Les Goudes et Callelongue

➣ En suivant le bord de la côte jusqu'aux Goudes, vous découvrirez quelques petites plages nichées dans des anses comme celle de **Bonne Brise** ou des **Phocéens.** Ensuite débutent les calanques...

LES ÎLES AU LARGE DE MARSEILLE

> « Le départ de Marseille, les îles blanches et nues,
> Pomègues, Ratonneau, les grandes silhouettes
> frontonnantes de Marseille-Veyre, jusqu'à l'éperon
> détaché de Mare, le graduel recul de la grande ville,
> sèche et pâle, les montagnes du fond ressortant peu à
> peu, tout ce paysage où Notre-Dame de la Garde met
> un point d'or, m'est resté comme l'un des plus beaux
> souvenirs de tout le voyage qui me menait jusqu'en
> Extrême-Asie. »
>
> André Chevrillon, le 10 mai 1928
> (lettre à Maurice Ricord).

🏚🏚🏚 **Le château d'If** (plan Marseille et ses environs) : visite du château d'avril à septembre du mardi au dimanche de 9 h 30 à 18 h 30, tous les jours en juillet-août, d'octobre à mars de 9 h 30 à 17 h 30. Fermé le lundi sauf en été. Accès à l'île gratuit ; visite du château : 4,60 € ; gratuit pour les moins de 12 ans.
➣ **Pour y aller :** compagnie GACM, 7, quai des Belges, 13001 Marseille. ☎ 04-91-55-50-09 ; renseignements : ☎ 04-91-13-89-00 (office de tourisme). De 5 à 10 départs quotidiens selon la saison. Billet aller-retour : 9 €. L'île d'If est la plus petite de l'archipel : 300 m de long sur 180 m de large (3 ha). C'est son château qui l'a rendue célèbre. Il fut édifié sur ordre de François Ier. Celui-ci fit une première visite sur l'île en 1516, afin d'y admirer un rhinocéros offert par un maharadjah des Indes au roi du Portugal, lequel l'offrit au pape. Ayant noté l'importance stratégique du site, le roi ordonna sa fortification dès 1524. Devenu prison d'État en 1634, on y enferma des princes, des protestants, des gentilshommes turbulents (Mirabeau y fut incarcéré 6 mois sur ordre de son père), des insurgés de 1848 et des Communards de 1871. Contrairement à la légende, le Masque de Fer et le marquis de Sade n'y ont jamais été emprisonnés. Mais l'imaginaire s'empara du lieu avec Alexandre Dumas qui y enferme Edmond Dantès, le héros de son roman Le Comte de Monte-Cristo. La réalité a rejoint la fiction : sa cellule se visite aujourd'hui !
🍴 Sur place : bar-restaurant **Le Donjon.**

🏚 **Les îles de Pomègues et Ratonneau** (plan Marseille et ses environs) : on les appelle aussi les îles du **Frioul.**
➣ **Pour y aller :** compagnie GACM, 7, quai des Belges, 13001 Marseille. ☎ 04-91-55-50-09. En été, plusieurs départs entre 9 h 30 et 18 h 30. Billet aller-retour : 9 €.
Reliées entre elles par une digue depuis le début du XIXe siècle, ces îles sont devenues un quartier « maritime » de Marseille, suite à la construction, dans les années 1970, d'un projet immobilier discutable et, d'ailleurs, jamais mené à terme. Sur l'**île Ratonneau,** on peut voir les ruines de l'hôpital Caroline (en restauration), destiné à l'isolement des malades contagieux (fièvre jaune), construit en plein vent pour l'évacuation des miasmes. L'**île de Pomègues** servait aussi de port de quarantaine. On peut encore se baigner dans des criques quasiment désertes.

🏚 **L'île de Planier** (plan Marseille et ses environs) : visite sur réservation seulement. ☎ 04-91-25-26-30. À une quinzaine de kilomètres au large, ce petit îlot accueillit une première tour à feu en 1320, qui fut transformée en phare puis en phare électrique en 1881 (hauteur actuelle : 72 m).

À VOIR. À FAIRE
CÔTÉ PLAGES

Plongée sous-marine

Il est bien loin le temps où le proprio du *Vieux Plongeur* – magasin de plongée incontournable à Marseille – vendait ses « masques-bulle » et « nageoires de caoutchouc » aux premiers aventuriers du monde sous-marin... Car, avant même de savoir shooter dans un ballon, Marseille était une plongeuse émérite. Ses premières bulles remontent aux années 1930, quand le commandant Le Prieur invente l'ancêtre de nos actuels appareils respiratoires... Après la Seconde Guerre mondiale, la cité phocéenne se passionne pour les travaux d'une palanquée de pionniers farfelus : Philippe Taillez, Frédéric Dumas et Jacques-Yves Cousteau, un jeune officier de Marine à l'avenir déjà prometteur. Ces « Mousquemers », comme on les appelle à l'époque, utilisent le fameux scaphandre autonome Cousteau-Gagnan, et réalisent les premiers films sous-marins en enfermant leurs caméras dans des pots à confiture ! Bientôt, à bord de la célèbre *Calypso,* ils fouillent des épaves antiques (les fonds marseillais en sont truffés !) et définissent – à grand renfort d'expériences – les bases de la plongée sous-marine actuelle. Depuis ces temps héroïques, « Marseille la Bleue » s'impose comme la grande Mecque de la plongée sous-marine française. On y trouve le siège de la Fédération française des activités subaquatiques sportives (FFESSM), mais également quelques entreprises de plongée professionnelle, dont la fameuse Comex fut longtemps le fleuron... La cité abrite enfin la direction de notre archéologie subaquatique (DRASSM) et demeure le repère des biologistes marins du Centre océanologique de Marseille (COM), sans oublier les fabricants et autres importateurs de matériels de plongée...

Marseille est un détour obligé dans la vie d'un plongeur, ou futur plongeur... De tombants colorés en épaves luxuriantes, ses eaux cristallines livrent richesses et curiosités fabuleuses. Côté météo, les plus belles plongées sont accessibles par mistral ; mais le choix sera limité si le vent d'est se met à souffler.

Clubs de plongée

■ *Les Plaisirs de la Mer :* 1, quai Marcel-Pagnol, 13007 ; en contrebas du fort Saint-Nicolas, sous la balise verte marquant l'entrée du Vieux-Port. ☎ 04-91-33-03-29. ● http://plmclam. free.fr ● Ouvert toute l'année, tous les jours en été. Le baptême ou la plongée autour de 35 € ; forfait dégressif 10 plongées. Rendez-vous au Vieux-Port pour embarquement immédiat sur l'un des gros navires de l'école (FFESSM, FSGT) – 2 chalutiers et 1 « promène-couillons » (vedette de transport de passagers !) – tous équipés de compresseurs à bord (pas de bouteilles à porter, ouf !). Après vous avoir équipé complètement, les moniteurs brevetés d'État assurent les baptêmes, les formations jusqu'au niveau IV, et l'encadrement sur les meilleurs spots du coin. Pour sortir des plongées classiques, demandez donc à Jean-Michel Icard – le patron amical – de vous emmener sur un petit tombant de derrière les fagots ; c'est sa grande passion ! Stages de plongée aux mélanges *(Nitrox),* initiation à la biologie marine et plongée enfants à partir de 8 ans. Réservation obligatoire. Remise de 10 % sur les tarifs sur présentation du *Guide du routard.*

■ *Atoll Club :* 31, traverse Prat, 13008. ☎ 04-91-72-18-14 et 06-11-54-71-40. ● www.atollplongee.com ● Ouvert toute l'année et tous les jours de mi-mars à mi-novembre. Compter environ 42 € pour un baptême ou une plongée ; forfait dégressif 10 plongées. Plongée à la carte et en petit comité sur les 2 embarcations rapides de cette école confortable (FFESSM, PADI) où Frédéric et Anne – les proprios sympas – et leurs moniteurs brevetés d'État proposent baptêmes sur mesure, formations jusqu'au niveau IV et brevets PADI, ainsi que des explorations dont vous garderez le plus vif souvenir. Stages enfants à partir de 8 ans. Équipements complets fournis. Réservation obligatoire. Hébergement possible en chambres de 2 à 4 personnes sur le centre.

■ *No Limit Plongée :* ☎ 04-91-25-32-77. ● www.nolimitplongee.com ● Ouvert toute l'année (sauf de mi-décembre à mi-février) et tous les jours en été à partir d'avril. Le baptême autour de 45 € et la plongée pour environ 35 € ; forfaits dégressifs 5 et 10 plongées. Encore une

école (FFESSM, ANMP, PADI) où la plongée en petit comité est une règle d'or. Aux antipodes de la cohue des gros clubs, vous embarquez sur les deux bateaux rapides où Pascal Perino et ses moniteurs brevetés d'État assurent baptêmes, formations jusqu'au niveau IV et brevets PADI, sans oublier l'exploration des épaves et tombants qui font la réputation de Marseille. Équipements complets fournis. Réservation obligatoire. Possibilité d'hébergement (hôtel et chambre d'hôtes) à tarif réduit.

Nos meilleurs spots

Voici quelques spots pour plonger dans la légende !

Autour de l'île Riou *(plan Marseille et ses environs)*

🐠 **Les Impériaux :** la plongée phare du coin. Pour plongeurs niveau I et plus. Vie sous-marine luxuriante et très sauvage sur ces 3 « cailloux » (de 15 à 60 m) magnifiquement découpés au sud-est de l'île de Riou. Parmi les grottes, cheminées, voûtes, failles, arches et tombants, de majestueuses gorgones rouges et jaunes s'épanouissent dans une eau cristalline, où les anthias mènent une parade frénétique, à la gueule des loups redoutables. Chatouillez donc les moustaches des cigales de mer, galathées et autres petites langoustes très curieuses ; puis observez à distance « mesdames les murènes » dont les têtes monstrueuses n'effraient absolument pas le saint-pierre solitaire, ni les mérous enjoués et rondouillards. Corail rouge en pagaille sous les voûtes, et bancs de petits barracudas timides (pas de panique !). Une très grande plongée, si l'on n'oublie pas de remonter ! Site exposé.

🐠 **La Grotte à Corail :** accessible aux plongeurs débutants. Sur la face sud de l'île Maïre, une balade fabuleuse au pays de « l'or rouge », comme l'appellent les vieux scaphandriers marseillais. Par seulement 15 m de fond, vous déclencherez un incendie sans précédent en braquant votre lampe torche sur les parois de cette arche recouverte de corail rouge. Surtout, ne touchez à rien et faites attention à l'amplitude de votre palmage.

🐠 **Le Liban et les Farillons :** pour plongeurs confirmés (niveau II minimum). Au sud-est de l'île Maïre, cette plongée surréaliste (de 24 à 37 m) débute par l'exploration du *Liban*, sombré en 1903. Pour son ultime croisière fantôme, le paquebot – brisé en deux – a revêtu un somptueux manteau de gorgones rouges et jaunes (n'oubliez pas votre lampe torche !), où se pelotonnent les nouveaux passagers de la *first class* : congres pépères, murènes craintives et langoustes curieuses. Les classiques castagnoles accompagnent cette visite généreuse en curiosités (hélice de bronze, proue majestueuse...). Puis vous remonterez tranquillement le long du proche tombant des *Farillons* où trois arches poissonneuses – véritables cathédrales – garnies de corail rouge achèveront de vous émerveiller... Évitez toute incursion dans l'épave. Site exposé.

🐠 **Les Moyades :** à la pointe ouest de Riou, la plongée bénie des photographes ! À partir du niveau II. Vous dévalez un superbe tombant (de 20 à 40 m) où les gorgones éclatantes dissimulent de nombreuses langoustes

À VOIR, À FAIRE CÔTÉ PLAGES

(repérez leurs antennes!). Les rascasses, cigales de mer et congres placides ont trouvé refuge dans les failles (n'oubliez pas votre lampe torche!), survolées par des nuages de castagnoles et de mendoles (rayures bleues). Pas mal de poulpes, sars, saupes, corbs et loups.

⚓ *La Pointe Caramassaigne :* à l'est de Riou, la plongée marseillaise par excellence. Pour plongeurs confirmés (niveau II minimum). Incendie de couleurs sur ce tombant (40 m maxi) littéralement recouvert de gorgones rouges, d'anémones jaunes et d'éponges roses et oranges éclatantes. Dans ce grand « jardin à la marseillaise », vous croiserez de beaux « bestiaux » aux reflets étincelants : loups, sars, dentis ; ainsi que des mérous très attachants. De beaux congres dans les éboulis. Courant souvent violent. « À 2 brassées de palmes », le tombant du *Grand Conglué* (43 m) offre des beautés sous-marines qui n'ont – bienheureusement – rien de fatal ! Cousteau y a fouillé plusieurs épaves antiques dans les années 1950...

Autour de l'île de Planier *(plan Marseille et ses environs)*

⚓ Au large de la cité phocéenne, un haut lieu de la plongée méditerranéenne réputé pour ses épaves. Peu profond (de 3 à 25 m), le cargo *Chaouen* coulé en 1970 révèle sa silhouette enchantée aux plongeurs néophytes (niveau I confirmé). Équipage charmant et paisible (congres, rascasses...) camouflé parmi les gorgones du *Dalton,* un autre cargo sombré en 1928 (de 15 à 32 m), et qui devint la vedette du film *Épaves,* tourné par Cousteau dans les années 1950... (niveau II). Par 45 m de fond les plongeurs – aguerris – seront séduits en survolant murènes, congres et homards qui se partagent le cockpit du *Messerschmitt 109,* avion allemand – intact – de la Seconde Guerre mondiale (niveau III confirmé). Les eaux cristallines de l'île offrent également d'éblouissants tombants peuplés de poulpes, loups, dentis, daurades, castagnoles, et même quelques liches.

Le Saint-Dominique *(plan Marseille et ses environs)*

⚓ Pour plongeurs de niveau II. Plongée « coup de cœur » sur ce voilier de 3 mâts – intact – coulé en 1897 par 33 m de fond devant le port autonome de Marseille. Son immense coque métallique – droite et dénudée – affiche encore toute l'élégance de la marine à voile (sans les mâts !). Coup d'œil spectaculaire à la proue, où des nuées de castagnoles se livrent à de vastes mouvements « gymnasticatoires » sous l'œil perçant du nouvel équipage : congres, murènes et rascasses, tapis dans les cales vides. Attention aux filets.

La Drome *(plan Marseille et ses environs)*

⚓ Seuls les routards-plongeurs aguerris (niveau III confirmés) accéderont à l'épave mythique de ce transporteur de munitions reposant depuis 1918 au beau milieu de la rade de Marseille. Par 51 m de fond, le navire – coupé en deux – livre une très jolie silhouette et des locataires de taille (congres, langoustes...). Surprenante pièce d'artillerie sur l'arrière. Éviter toute incursion à l'intérieur. Pour votre sécurité, cette plongée délicate ne doit pas excéder 15 mn.

LES ENVIRONS PROCHES DE MARSEILLE

LES CALANQUES DE MARSEILLE À CASSIS

Ne dites jamais à un Marseillais que vous allez visiter les calanques de Cassis, il se vexerait ! Les calanques sont à Marseille, monsieur ! Même si certaines sont, il est vrai, plus proches géographiquement de Cassis, les calanques restent sur le territoire de la commune de Marseille (97 % du moins, si l'on veut être précis). Et si les plus connues (En-Vau, Port-Miou et Port-Pin) se découvrent de Cassis, les plus proches de Marseille ne manquent pas non plus d'intérêt. Surtout hors saison. Il fait trop chaud pour randonner ou grimper dans les calanques en été. Et l'accès au massif est strictement réglementé (suivez nos conseils, un peu plus loin). Gardez vos forces pour l'hiver (malgré le mistral) et le printemps ou l'automne, qui restent les meilleures saisons. Mais évitez les grands week-ends !

De Marseille à Cassis vous croiserez Samena, Callelongue, la Mounine, Marseille-Veyre, Podestat, Cortiou, Sormiou, Morgiou, Sugiton, Devenson, L'Oule, En-Vau, Port-Pin, Port-Miou. Mais attention, même à pied en longeant la mer par le sentier GR 98 et les autres chemins de randonnée, le sentier n'est pas toujours aisé à trouver. Une balade formidable à faire en bateau (départ des ports de Marseille ou Cassis).

Comment découvrir les calanques ?

À pied

Les calanques ne sont, pour l'essentiel, accessibles qu'à pied ou en bateau. Nous vous détaillons ci-dessous l'accès de chacune d'elles. Ceux qui veulent découvrir tout le massif emprunteront le sentier GR 98-51 (balisage rouge et blanc) ; 28 km (soit 11 ou 12 h pour un marcheur moyen) le long de la ligne de crêtes. Le sentier démarre à Marseille du parc Adrienne-Delavigne, après l'église de la Madrague de Montredon (bus n° 19 jusqu'à son terminus) ou à Cassis. Les bons marcheurs pourront faire l'excursion dans la journée.

Mais il faut 2 journées si l'on prend la peine de descendre dans les calanques. Camping et bivouac interdits. Le bivouac (sans feu) n'est plus toléré même « naturel » : fini le simple sac de couchage pour dormir à la belle étoile.

La quasi-absence de refuges devrait inciter ceux qui aiment prendre leur temps à réserver une chambre en ville, avec un petit coup de cœur pour Cassis, hors saison (voir plus loin).

Plusieurs organismes (dont le succès va croissant, d'année en année) proposent des randos accompagnées, renseignements dans les offices de tourisme de Marseille et Cassis. Pratique pour qui n'aurait pas l'habitude : on avance, comme disent les guides, « sur les chemins d'une haute montagne qui aurait les pieds dans l'eau ». Quelques passages relativement difficiles (pour les personnes sujettes au vertige), notamment entre Sugiton et Morgiou.

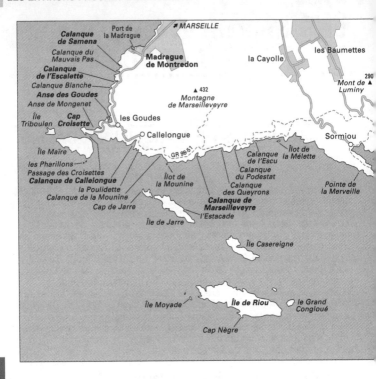

En voiture

Depuis Marseille, hors saison, Morgiou et Sormiou sont facilement accessibles en voiture sans se fatiguer. Mais cet accès est strictement réglementé de 8 h à 19 h (comprendre qu'il y a un gardien et une barrière et qu'il faut de très bonnes raisons pour franchir cette dernière), en saison de fin juin à début septembre et les week-ends et jours fériés à partir de Pâques.

En bus

De Marseille, les premières calanques, de Montredon à Callelongue, sont desservies par les bus 19 (se prend à Castellane) puis 20.

En bateau

➢ **Depuis Marseille :** compagnie GACM, 7, quai des Belges, 13001. ☎ 04-91-55-50-09. Visite commentée de plusieurs calanques entre Marseille et Cassis, pour 25 € environ.

➢ **Depuis Cassis :** sur le port, de nombreux bateaux proposent l'excursion vers les calanques les plus proches, de Port-Miou aux calanques de Dévenson et Morgiou. Une jolie balade, à conseiller à tous. Renseignements : ☎ 04-42-01-90-83. ● www.cassis-calanques.com ● Départs toute la journée (sous réserve d'une bonne météo) de 9 h à 17 h. Suivant le nombre de calanques (de trois à huit) visitées, compter de 11 à 16 € par personne. Possibilité de débarquer à En-Vau, Morgiou : sur les rochers (prévoir des chaussures adéquates...), donc à l'appréciation des pilotes.

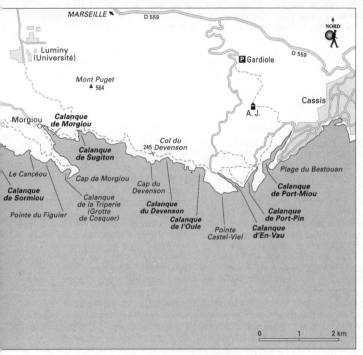

LES CALANQUES

➤ *Depuis La Ciotat :* deux catamarans, dont un à vision sous-marine, pour les calanques de La Ciotat et celle de Cassis à Marseille. Compter de 12 à 21 € environ. ☎ 06-09-35-25-68.

➤ *En kayak de mer :* *Raskas Kayak* (Jérémie Metzer), 6, rue Jacquemet, 13114 Puyloubier. ☎ et fax : 04-42-66-39-72. ● www.raskaskayak.com ● Stages de durée variable : une demi-journée (environ 35 €), 3 ou 5 jours (itinérant au départ de Marseille). Autres renseignements sur les excursions : ☎ 04-42-01-80-01 ou 06-11-98-87-65.

À VTT

Accès réglementé, parcours non balisés et plutôt techniques. Pour spécialistes.

Conseils

– *Rappel :* **le camping et le bivouac sont interdits.**
– *ATTENTION :* les calanques, classées « site naturel protégé » depuis 1975, ont été à plusieurs reprises ravagées par des incendies. Entre le 1er juillet et le 2e samedi de septembre inclus, les routes du feu sont fermées (sauf pour les habitants des cabanons et les ayants droit). **Elles sont interdites à la visite à pied** sauf entre 6 h et 11 h. Et même le GR est interdit en cas de trop grande sécheresse et si le vent souffle à plus de 40 km/h (mesure valable toute l'année, par mistral supérieur à 80 km/h). Il est par ailleurs, faut-il le répéter, totalement interdit de fumer.

– Prévoir de **bonnes chaussures** (qui dit terrains calcaires dit éboulis) et une **casquette** (peu d'ombre et du soleil presque toute l'année !), emporter une quantité suffisante d'eau (il n'y en a pas dans les calanques).
– **La meilleure saison :** la fin de l'hiver et le printemps.
– **Cartes de randonnée et topoguides :** la carte IGN Série Plein Air au 1/15000, « Les Calanques de Cassis à Marseille ». Topoguides : GR 98 « Massifs Provençaux » et GR 51 « Balcon de la Méditerranée ».

Où dormir ?

Très bon marché

🏠 **Auberge de jeunesse La Fontasse** (plan Les Calanques) : lieu-dit La Fontasse, 13260 Cassis. ☎ 04-42-01-02-72. Depuis Marseille par la D 559 ; à une quinzaine de km, tourner à droite pour le col de la Gardiole (3 km de route, plus 2 km de piste caillouteuse). Attention, l'accès au col en voiture est très réglementé en été (impossible d'y passer avant 18 h, sauf si une réservation à l'AJ est justifiée). À pied, possibilité de se faire déposer (bus Marseille-Cassis) au carrefour pour la Gardiole ou, si l'on a un sac pas trop lourd, de monter à l'AJ depuis Cassis via la calanque de Port-Miou (4 km, soit environ 1 h de marche). Ouvert de 8 h à 10 h et de 17 h à 21 h. Fermé du 5 janvier au 15 mars. Avec la carte FUAJ (obligatoire et vendue sur place), compter 9,30 € la nuit. Enfants acceptés à partir de 7 ans. Le seul et unique hébergement du massif. Maison provençale très agréable, dans un cadre exceptionnel. Un vrai retour à la nature : citerne d'eau de pluie (et des bassines pour prendre sa douche !), panneaux solaires et éolienne pour l'électricité... 60 places en chambres collectives de 10 lits. Cuisine à disposition (apportez vos provisions !). En juillet-août, présentez-vous dès le matin car l'AJ risque vite d'afficher complet (piétons et cyclistes ne seront cependant jamais refusés).

Où manger ?

Prix moyens

|●| **Mon Plaisir :** Anse des Goudes, rue Désiré-Peleprat, 13008. ☎ 04-91-73-45-90. Juste à droite en descendant la route principale. Fermé les lundi et mardi midi en été ; le lundi, les dimanche et mardi soir en hiver. Plats à partir de 13 € ; menus à partir de 17 € (à midi) et 20 € le soir. Petite salle coquette et bon rapport qualité-prix. Marmite de moules, rougets, aïoli, bref, de la savoureuse cuisine marseillaise. Vue sur le petit port. Bon accueil d'un jeune couple jovial qui pratique avec honnêteté le métier de restaurateur. Digestif maison ou café offert sur présentation du GDR.

|●| **Nautic Bar :** calanque de Morgiou, 13009. ☎ 04-91-40-06-37 ou 04-91-40-17-71. Ⓜ Rond-Point-du-Prado. Bus n° 23 jusqu'à l'arrêt « Morgiou-Beauvallon » ; compter une heure de marche en été, la route étant fermée à la circulation (mais le restaurant a droit à 15 laissez-passer pour ses clients). Pas de fermeture annoncée en saison. Sinon, mieux vaut téléphoner pour réserver. Fermé en janvier. Compter de 25 à 31 €, service midi et soir. Dans les calanques, on dit « Chez Sylvie » quand on parle de ce resto, idéal pour une pause casse-croûte. Brise de mer, poissons grillés et vin frais. N'accepte pas les cartes de paiement. Sylvie vous offrira certainement quelque chose (apéro, café ou digestif) sur présentation du GDR.

|●| **Chez le Belge :** calanque de Marseille-Veyre, 13009. Pas de téléphone. Ouvert le week-end hors saison, tous les jours en été. Autour de 16 €. En suivant le GR 98, compter une petite heure de marche depuis Callelongue pour arriver à la table du

Belge, un « immigré » venu en balade ici il y a quarante ans et qui a préféré ne pas repartir. Le panorama vaut le détour, ou plutôt le parcours. Ce qu'on mange est moins paradisiaque, mais une côtelette et des spaghetti n'ont jamais rebuté un groupe d'affamés... L'endroit est ravitaillé, non pas par les corbeaux, mais simplement par bateau.

Plus chic

▐●▌ *Chez Dédé :* 32, bd Bonne-Brise, 13008. ☎ 04-91-73-01-03. Poursuivre la corniche jusqu'à la Madrague, après la Pointe Rouge. Fléché depuis la route principale. En contrebas, sur une plage de sable bordée de cabanons typiques. D'avril à septembre, ouvert tous les jours, et d'octobre à mars, du jeudi au samedi et le dimanche midi. Congés annuels pour les fêtes de fin d'année. Il n'y a pas de menu ; compter entre 25 et 30 € pour un repas complet. Si le vent (la bonne brise) souffle fort, les *body-boarders* s'en donneront à cœur joie, mais ce ne sera pas facile de manger sur la terrasse suspendue sur les vagues. Carte simple : pizzas, pâtes et poisson grillé. C'est l'un des rares endroits où l'on serve des sardines grillées.

▐●▌ *Chez Aldo :* La Madrague de Montredon, 28, rue Audemar-Tibido, 13008. ☎ 04-91-73-31-55. ✗ Fermé les dimanche soir et lundi ; congés annuels de mi-février à mi-mars et pour les fêtes de fin d'année. Carte autour de 28 €. Il y a de la pizza pour amuser le monde, et du beau poisson, apporté par les pêcheurs du port de la Madrague, à savourer simplement grillé. Ici, pas de chichis : on partage le panaché de crevettes, on goûte les moules et les calamars sur la plancha des voisins. Accueil sympathique, grande terrasse, pour en prendre plein la vue, la belle vie, quoi ! Apéritif ou café offert à nos lecteurs.

Très chic

▐●▌ *L'Escale :* 4, av. Alexandre-Delabre, Anse des Goudes, 13008. ☎ 04-91-73-16-78. ✗ Fermé les lundi et mardi hors saison ; congés annuels de mi-janvier à mi-février. Compter entre 40 et 60 € à la carte. À l'entrée du village de pêcheurs, un restaurant où la préparation du poisson est irréprochable et la qualité au top. Bouillabaisse et paella de la mer délicieusement copieuses, superbes poissons grillés qu'on vous fait choisir. Cadre enchanteur, à deux pas de la route : une grande terrasse domine la mer et le petit port de pêche.

▐●▌ *La Grotte :* calanque de Callelongue, 13008. ☎ 04-91-73-17-79. Prendre le métro, descendre à l'arrêt « Castellane », puis bus n° 19 jusqu'à la Madrague et, de là, bus n° 20 jusqu'à Callelongue. Ouvert toute l'année, tous les jours midi et soir. Compter de 30 à 35 €. Installé dans une ancienne usine du XIXe siècle, un resto incontournable. Abritée par un auvent, la terrasse est très appréciée des Marseillais à l'heure du déjeuner. Ils se réservent le patio intérieur pour le soir (trop écrasé de soleil à midi).

Comme dans tant d'autres endroits, on se laisse tenter par la sacro-sainte pizza ; cela sans regret car elle est excellente. Il n'est pas interdit de commander un poisson grillé, mais évidemment c'est plus cher !

▐●▌ *Le Lunch :* calanque de Sormiou, 13009. ☎ 04-91-25-05-37. Ouvert de mi-mars à fin octobre midi et soir jusqu'à 22 h. Compter de 35 à 50 €. L'été, la route est fermée aux autos et motos, sauf celles des riverains. En principe, si vous réservez (mieux vaut réserver ici) et donnez votre numéro d'immatriculation, on vous ouvrira la barrière (parking : 3 €). La descente sur la calanque offre une vue magnifique sur une mer d'un bleu turquoise. Après cette superbe mise en bouche, il ne reste plus qu'à s'installer en terrasse pour jouir pleinement du temps qui passe, aidé d'un petit blanc de Cassis bien frais, en faisant honneur au poisson du jour ou aux daurades, rougets, etc. Attention, le poisson étant proposé au poids, l'addition peut vite grimper. Café offert sur présentation du *GDR*.

À voir

Les calanques au départ de Marseille *(plan Les Calanques)*

❦ *La Madrague de Montredon :* c'est le début des calanques. La route qui longe le littoral commence à tourner. Pour les amateurs de plages, quelques endroits à retenir. *L'Abri Côtier* est une plage de sable appréciée par les jeunes des quartiers sud. Hélas, elle n'est pas toujours très propre (déchets poussés par les courants marins). Entre la pointe de Montredon et le port de la Madrague, la *plage de la Verrerie,* bordée de cabanons creusés dans la roche, en sous-sol, est maintenant fréquentée par toutes les couches sociales.

❦ *La calanque de Samena :* à la sortie sud de la Madrague de Montredon, une crique rocheuse qui abrite une petite plage de graviers, entre quelques pins et des tamaris.

❦ *La calanque de L'Escalette :* petite calanque, juste après Montredon, en allant vers Callelongue. Une usine de plomb en ruine domine le site (resto dans le bâtiment principal), rappelant l'époque où les bateaux chargés de produits chimiques accostaient dans la calanque.

❦ *L'Anse des Goudes :* a servi de lieu de tournage dans certains films de Jean-Pierre Melville. Si la faim vous tenaille, profitez-en : dans ce grand village de pêcheurs, il y a quelques restaurants fort recommandables.

❦ *L'Anse de la Maronaise :* une petite route y conduit à travers un beau paysage rocailleux et calcaire couvert d'une maigre végétation. Aux mois d'octobre et novembre y pousse une variété de bruyère *(Erica Multiflora)* qui ne se trouve que dans deux endroits du monde. Une des rares constructions du site, le restaurant *(La Maronaise),* gros cabanon assez laid, abrite une discothèque. Dommage tout de même que dans un site pareil la loi du littoral ne soit pas respectée, car les abords mêmes de cet établissement devraient êtres libres et accessibles aux randonneurs.

❦ *Le cap Croisette et la baie des Singes :* juste en face de l'île Maïre, le cap Croisette est une pointe rocheuse, solitaire et très découpée. La route s'arrête là, et il faut continuer à pied car ce cap n'est accessible qu'aux randonneurs. Une petite anse secrète (la baie des Singes) sert de plage, où l'on peut louer des matelas. Gros îlot sauvage et calcaire, l'*île Maïre* est habitée seulement par quelques chèvres.

❦❦ *La calanque de Callelongue :* à une douzaine de kilomètres du Vieux-Port, Callelongue fait partie des calanques les plus accessibles de Marseille. On y va en voiture. Prendre la corniche Kennedy et suivre la côte jusqu'au bout de la route ; arrivé aux Goudes, continuer tout droit. En bus, terminus de la ligne n° 20, après avoir pris le n° 19 de Castellane jusqu'à son terminus. « Et pour être au bout du monde, je m'en vais à Callelongue », chante le groupe ragga-rigolo *Massilia Sound System.* Voici le lieu secret où tout Phocéen vient de temps à autre chercher l'âme de sa ville, aujourd'hui connu de tous les amoureux de Marseille, et vous verrez, même sous un petit soleil d'hiver, qu'elle ne manque pas de prétendants. À Callelongue, on trouve quelques cabanons, un port miniature avec de rares bateaux, et une poignée de maisons de pêcheurs et des cabanons discrets. Callelongue est le point de départ des randonneurs qui veulent rejoindre Cassis en longeant les calanques.

❦ *L'île de Riou,* inhabitée, abrite une variété de lapins dite « aux courtes oreilles ». De nombreuses épaves parsèment les fonds sous-marins de ce secteur du littoral. Auprès de l'île de Riou, des plongeurs ont retrouvé les restes du *Grand Saint-Antoine,* le voilier de commerce qui apporta la peste à Marseille en 1720. Sur le site du Grand Congloué, le commandant Cousteau découvrit sa première épave. Selon des experts et des chercheurs, c'est entre le site de Plane et du Congloué que se serait abîmé en mer en 1944 l'aviateur *Saint-Exupéry.* En 1998, un pêcheur a trouvé une gourmette qui aurait appartenu au célèbre écrivain. Mais celle-ci n'a jamais été reconnue par la famille de Saint-Ex'. En revanche, plus récemment (en 2003), des plongeurs ont retrouvé des débris d'un avion expertisés par l'armée américaine et dernièrement identifiés comme appartenant bien à l'appareil de l'écrivain.

🛶 *La calanque de Marseilleveyre :* une marche d'1 h 30 au départ de Callelongue vous mènera jusqu'à Marseilleveyre et sa petite plage intelligemment flanquée d'une sympathique buvette avec terrasse.

Les calanques vers Cassis *(plan Les Calanques)*

🛶🛶🛶 *La calanque de Sormiou :* en voiture remonter l'avenue du Prado puis le boulevard Michelet, direction Mazargues. Puis la route de la calanque est indiquée. En saison, accès réglementé (voir plus haut « Comment découvrir les calanques ? »), ce qui signifie une petite heure de marche. Hors saison, la route, très « virageuse », vous conduit jusqu'au parking (payant) de Sormiou ; en bus, ligne n° 23 à prendre au rond-point du Prado, arrêt « La Cayolle ». Prudence, quelques problèmes de vol à l'arraché nous ont été signalés par des lecteurs à cet endroit.
Elle est tout simplement superbe. Comme sa sœur jumelle Morgiou, depuis le début du XXe siècle, elle est occupée par des cabanons de pêcheurs, une centaine en tout, qui forment un ensemble homogène, avec leur tonnelle et leur toit en tuile. Ici, on est locataire de père en fils, privilège rare. Toutes les classes sociales se mélangent, plus que jamais, en été, autour du traditionnel aïoli du 15 août, jour de la Sainte-Marie, en hommage à deux femmes, la mère de Jésus et Marie de Sormiou, la propriétaire de la calanque, qui a légué à ses héritiers un joli pactole.
Sormiou est donc bien une propriété privée ; cependant, les plages sont publiques.

🛶🛶🛶 *La calanque de Morgiou :* en voiture par Mazargues, puis la prison des Baumettes et le chemin de Morgiou, route d'accès à la calanque également fermée de mi-juin à mi-septembre ; en bus, n° 22, arrêt « Baumettes » ou n° 23 jusqu'au terminus « Morgiou-Beauvallon ». Ensuite il faut marcher pendant 45 mn. Certaines années, si vous venez en juin, vous assisterez à la « journée des ânes ». Une fête peu connue, réservée aux calanquais et à leurs proches, qui rappelle l'époque où les poissonnières venaient chercher ici le poisson qu'elles transportaient ensuite en ville à dos d'âne. Aujourd'hui, le village est resté typique, dans l'esprit du moins, même s'il y a un peu moins de pêcheurs faisant la sieste au soleil.

🛶 *La grotte dite « de Cosquer » ou le Lascaux sous-marin :* impossible à visiter, car son entrée est murée suite à un accident mortel. Seuls les archéologues peuvent y accéder pour faire leurs recherches. C'est dans une grotte sous-marine du cap Morgiou qu'ont été découvertes en 1991, par le plongeur Henri Cosquer, les plus anciennes représentations d'animaux que l'on connaissait. Elles datent d'il y a au moins 27 000 ans (les peintures de Lascaux remontent « seulement » à 16 000 ans). Depuis, la grotte Chauvet, découverte en Ardèche, a battu tous les records d'ancienneté, avec des gravures vieilles de 320 siècles !
La découverte de la grotte Cosquer est une belle histoire. D'origine bretonne, donc « têtu comme une mule », Cosquer tenait un club de plongée à Cassis. Il faisait de l'exploration sous-marine à ses heures libres, explorant systématiquement au fil des années tous les trous dans la falaise. Il fouilla toutes les cavités, se glissa dans toutes les infractuosités qu'il rencontrait sur la côte entre Cassis et Marseille. Un jour, par hasard, dans la calanque de la Triperie, il découvrit un passage étroit dont l'entrée était situé à 38 m sous la

surface de la mer. En remontant cet oblique boyau rocheux long d'une centaine de mètres, Cosquer atteignit une étonnante salle souterraine (hors d'eau) méconnue, aux parois couvertes de représentations préhistoriques. Eurêka !

🎥🎥 *La calanque de Sugiton :* on y accède habituellement de Marseille. En voiture jusqu'à l'université de Luminy ou en bus, n° 21, au départ de Castellane jusqu'au terminus « Luminy » (attention, pas de bus les week-ends et jours fériés) ; ensuite, compter environ 30 mn de marche. Collée à la calanque de Sugiton se trouve la calanque des Pierres Tombées et sa plage naturiste. Ah, s'allonger su'Giton...

🎥🎥 *Les calanques du Dévenson et de l'Oule :* sûrement les plus secrètes du massif. Et pour cause : elles sont quasiment impossibles d'accès pour le commun des randonneurs. On ne vous conseille d'ailleurs pas du tout de tenter l'expérience mais plutôt de les surplomber en suivant le sentier GR ou de les découvrir en bateau. Joli point de vue sur la calanque de l'Oule en allant vers En-Vau.

🎥🎥🎥 *La calanque d'En-Vau :* à 15 km de Marseille et à 5 km de Cassis. Prendre, sur la D 559, à hauteur du camp de Carpiagne, la route en direction de la mer jusqu'au parking de la Gardiole (nombreux vols dans les véhicules, on vous prévient). Le large sentier descend ensuite à la calanque *via* le vallon boisé de la Gardiole. Compter 2 h 30 à 3 h aller-retour tranquillou. Superbe balade, facile pour le début, mais plutôt sportive sur la fin du parcours. On conseille de faire une boucle en empruntant à l'aller le GR qui traverse le plateau de Caldeiron, puis rejoint le vallon de la Gardiole et, au retour, après l'étape plage, revenir sur Cassis par le Doigt de Dieu (montée très raide). Attention, et on insiste, ce sentier est fermé l'été. On peut aussi y accéder depuis Cassis, via Port-Miou et Port-Pin (compter 2 h l'aller simple). La calanque d'En-Vau est la plus connue, la plus photogénique des calanques. Et incontestablement l'une des plus belles, avec ses aiguilles et falaises tombant dans la mer, qui font le bonheur des grimpeurs. Il y a une petite plage de galets bien sympathique. À éviter l'été et les week-ends, pour qui n'aime ni le bruit ni la foule.

🎥 *La calanque de Port-Pin :* à 1 h de marche d'En-Vau (soit 3 h aller-retour depuis le parking de la Gardiole) ou 1 h de Cassis via Port-Miou. À peine moins encaissée que ses voisines. Petite plage de sable exposée plein sud, entourée de pins dont on se demande comment ils poussent sur les rochers. Idéale pour la baignade.

🎥 *La calanque de Port-Miou :* la plus proche de Cassis. À environ 30 mn de marche du centre. La plus longue des calanques (1,2 km) mais aussi la plus facile d'accès, donc l'une des plus fréquentées par les promeneurs comme par les plaisanciers. Aux beaux jours, Port-Miou n'est rien d'autre qu'un garage à bateaux. Et si la grande carrière de pierre a cessé son activité, elle a singulièrement défiguré le paysage. Prolongez plutôt la balade jusqu'à la pointe Cacau. Au passage, jetez un coup d'œil ou plutôt écoutez au *Trou Souffleur,* curiosité géologique. De la pointe, jolie vue sur les falaises de la calanque d'En-Vau.

Plongée sous-marine dans les calanques

En plongeant dans l'azur méditerranéen, les hautes falaises brutes des calanques se transforment en tombants colonisées par une vie luxuriante et très sauvage. Ces fonds peuvent être classés parmi les plus spectaculaires de la Méditerranée française, surtout quand l'eau – très limpide – est investie profondément par les intenses rayons du soleil. Une escorte de dauphins viendra peut-être parachever l'envoûtement...

Club de plongée

■ *Cassis Services Plongée :* 3, rue Michel-Arnaud, BP 65, 13714 Cassis Cedex. ☎ 04-42-01-89-16. • www.cassis-services-plongee.fr • Ouvert tous les jours du 15 mars au 15 novembre. Le baptême autour de 55 € et compter environ 45 € pour une plongée ; forfaits dégressifs pour 6 et 10 plongées. C'est en fouinant sous les falaises que le proprio (barbu) de l'école (FFESSM, ANMP) – Henri Cosquer – a découvert l'entrée sous-marine de la fameuse grotte préhistorique (fermée aux plongeurs) qui porte son nom. Vous embarquerez sur le *Cro-Magnon,* son chalutier de plongée (également un autre navire plus rapide), où les moniteurs brevetés d'État assurent baptêmes, formations jusqu'au niveau III, et explorations quotidiennes surprises (selon météo). Équipements complets fournis. Réservation souhaitable. Réduction de 10 % accordée à nos lecteurs sur présentation de ce *GDR.*

Nos meilleurs spots

On trouve une multitude de spots très chouettes dans les calanques.

◢ *Castel Viel (plan Marseille et ses environs) :* juste au pied de la falaise. Pour plongeurs niveau I. Gorgones et corail rouge éclatant enflamment littéralement ce tombant somptueux qui dégringole jusqu'à 40 m de profondeur (courte plate-forme à 17 m). Les loups, mérous, sars, saupes, girelles paon et castagnoles, aux couleurs et reflets chatoyants, viennent enrichir cet énorme bouquet. Une vraie palette d'artiste ! À « deux brassées de palmes », les surplombs d'une fameuse *Grotte à Corail* (12 à 24 m) sont fascinants.

◢ *La Pointe Cacau (plan Marseille et ses environs) :* accessible aux plongeurs débutants (niveau I minimum). Au pied d'une falaise qui chute dans le bleu méditerranéen, une cascade d'éboulis rocheux suivis d'un magnifique tombant (43 m maxi) fleuri de gorgones et corail rouge. Devant vos yeux éblouis, les langoustes, mérous, girelles paons, loups, anthias, castagnoles, et même parfois un poisson-lune ou un saint-pierre, déclenchent un véritable incendie de couleurs (inutile de faire le ☎ 18 !). Présence de 3 beaux canons de bateau.

◢ *Phare de la Cassidaigne (plan Marseille et ses environs) :* idéal pour les plongeurs de niveau I. Au sud des fameuses calanques, ce vaste plateau rocheux entouré de tombants (à partir de 6 m) permet plusieurs plongées magnifiques. Eaux limpides où se déploie une vie particulièrement sauvage. Parmi les congres, murènes et autres nombreux poissons « maousses », vous rirez de bon cœur (ne perdez pas votre détendeur !) quand vous verrez les lièvres de mer se dandiner sur le sable comme des danseuses espagnoles ! Spot exposé.

◢ *L'Eissadon (plan Marseille et ses environs) :* à proximité de la pointe de l'îlot. Accessible aux néophytes (niveau I minimum). Ambiance surréaliste dans cette faille entrecoupée de tunnels que vous visiterez un à un – sans danger – par 15 m de fond. À explorer l'après-midi, quand le soleil donne à la roche des couleurs bien vives. Jeunes mérous en pagaille.

CASSIS   (13260)   8 070 hab.

Cassis, village glissé dans une échancrure entre calanques et cap Canaille, reste un sympathique port de charme qu'on vous recommande chaudement de découvrir hors saison. Ou du moins à la mi-saison, certaines journées de juillet-août étant à éviter. On peut trouver beaucoup de calme dans cette petite cité enserrée dans ses hautes falaises, à condition de laisser sa voiture au parking, et d'utiliser la navette gratuite. Les calanques (voir chapitre précédent) offrent des coins relativement tranquilles ; il suffit de marcher un peu ou d'avoir un budget suffisant pour louer un bateau, évidemment.

Idéal pour un pique-nique ou pour un vrai casse-croûte marin. N'oubliez pas le vin blanc local qui sent, selon Mistral, qui était plus un poète qu'un œnologue, « le romarin, la bruyère et le myrte » des collines environnantes. Cette AOC, une des plus vieilles de France, comprend aussi des rosés et des rouges. Et parce que vous n'êtes pas en Bourgogne (le blanc-cassis, ou le kir, vous connaissez !) ici, on prononce Cassis sans le « s » final.

Comment y aller ?

➤ **En bus :** ils sont nombreux au départ de Marseille. Plus pratiques que le train puisque la gare de Cassis se trouve à plus de 3 km du port. Renseignements : ☎ 04-42-08-41-05 ou 04-91-79-81-82.

➤ **En train :** ☎ 36-35 (0,34 €/mn). Six navettes en autocar relient la gare au centre-ville.

– **Stationnement et circulation :** Cassis accueille tellement de monde, en été, qu'un plan de déplacement urbain avec des transports en commun pour remplacer le stationnement saturé du centre-ville est à l'étude. En attendant cet heureux jour, la ville a mis en place, dès les vacances de Pâques, ponts de mai et Pentecôte et de fin juin à la mi-septembre, un parking relais gratuit aux Gorguettes avec une navette gratuite pour le centre-ville (rond-point de la Gendarmerie) tous les 1/4 d'heure de 9 h à 1 h du matin.

Adresse utile

🛈 **Office de tourisme :** quai des Moulins. ☎ 04-42-01-71-17. Fax : 04-42-01-28-31. • www.cassis.fr • En été, ouvert tous les jours de 9 h à 18 h (19 h en juillet-août) ; hors saison, du lundi au vendredi de 9 h 30 à 12 h 30 et de 14 h à 18 h (17 h l'hiver), le samedi de 10 h à 12 h et de 14 h à 17 h, et le dimanche de 10 h à 12 h. Bon matériel touristique et bons conseils.

Où dormir ?

Camping

⛺ **Camping Les Cigales :** av. de la Marne, route de Marseille. ☎ 04-42-01-07-34. Fax : 04-42-01-34-18. ♿ À la sortie de la ville. Ouvert du 15 mars au 15 novembre. Forfait emplacement pour deux avec voiture et tente à 14,90 €. Situé à 1,5 km de la mer. Pas de réservation. Plutôt agréable, mais choisir un emplacement le plus loin possible de la route ; sinon, nuit blanche assurée, surtout le week-end. Prévoir également un maillet pour planter les sardines de sa tente...

Bon marché

🏠 **Auberge de jeunesse La Fontasse :** lieu-dit La Fontasse. ☎ 04-42-01-02-72. Voir plus haut « Les Calanques ».

Prix moyens

🏠 **Le Provençal :** 7, av. Victor-Hugo. ☎ 04-42-01-72-13. Fax : 04-42-01-39-58. Dans la rue principale, près du port. Ouvert toute l'année. Doubles avec douche et w.-c. de 49 à 56 € suivant la saison, avec salle de bains de 52 à 59 €. Un peu bruyant, mais des chambres convenables dans l'ensemble, et toutes climatisées. Déco ensoleillée et fer forgé de bon goût. Le jeune patron est un fan de randos, et sa clientèle d'habitués le suit volontiers. Petit dej' en chambre, c'est quand même mieux que dans un salon impersonnel, non ?

🛏 *Hôtel de France Maguy :* av. du Revestel. ☎ 04-42-01-72-21. Fax : 04-42-01-96-50. ● www.hoteldefrance-maguy.com ● Congés annuels du 5 janvier au 15 février et du 16 novembre au 20 décembre. Doubles

Plus chic

🛏 *Hôtel du Grand Jardin :* 2, rue Pierre-Eydin. ☎ et fax : 04-42-01-70-10. Dans le centre. Ouvert toute l'année. Doubles de 62 à 68 € ; également des chambres pour 3 personnes. Chambres plus fonctionnelles que « de charme », donnant pour la plupart sur une terrasse verdoyante, face au jardin municipal. Idéal pour les familles (chambres communicantes). Petit dej' en terrasse l'été. Patron très accueillant. Petit parking payant. Un petit déjeuner offert par chambre et par nuit sur présentation de ce guide.

🛏 ❙●❙ *Le Clos des Arômes :* 10, rue Abbé-Paul-Mouton. ☎ 04-42-01-71-84. Fax : 04-42-01-31-76. À 2 mn du centre. Resto fermé le lundi, le mardi midi et le mercredi midi ; congés annuels du 3 janvier au 15 février. Doubles de 63 à 73 €. Menus à 25 et 26 €. Vieille maison de village rénovée, dans une rue tranquille, loin en tout cas du port et du bruit. Chambres à la déco discrètement provençale. Restaurant dans le genre mignon lui aussi. Cheminée l'hiver et terrasse dans la grande cour fleurie et ombragée dès les beaux jours. Un peu de laisser-aller parfois, mais c'est la rançon du succès, au bout de dix ans. Garage. Apéro maison offert aux routards sur présentation de ce guide.

🛏 *Hôtel Liautaud :* 2, rue Victor-Hugo. ☎ 04-42-01-75-37. Fax : 04-42-01-12-08. Sur le port. Congés an-

Bien plus chic

🛏 *Hôtel de la Rade :* 1, av. des Dardanelles, route des Calanques. ☎ 04-42-01-02-97. Fax : 04-42-01-

avec douche, w.-c. et TV satellite de 38 à 45,50 € en basse saison et de 45,50 à 68 € en haute saison. Le plus éloigné du port (10 mn à pied). Un petit hôtel familial, repris par la nouvelle génération, un peu sur les hauteurs. Conviendra à qui recherche la paix pour quelques jours. Chambres confortables rénovées dans le style provençal. Très bon accueil. Un « souvenir de Provence » offert à nos lecteurs. Parking payant.

nuels du 1er décembre au 1er février. Doubles avec douche et w.-c. ou bains de 65 à 67 € en basse saison et de 69 à 71 € en haute saison. Imaginez Cassis à la fin du XIXe siècle : juste un petit port de pêcheurs, et un seul hôtel face à la mer, le *Liautaud*, inauguré en 1875. Depuis, rassurez-vous, les peintures et la literie ont été refaites. Double vitrage prévu partout. Mais la déco reste très marquée années 1960 (dans cet esprit : joli bar glacier au rez-de-chaussée). Certaines chambres ont une terrasse et vue sur le port.

🛏 *La Bastidaine :* 6 bis, av. des Albizzi. ☎ et fax : 04-42-98-83-09. ● bastiden@club-internet.fr ● À 2 km du centre. Congés annuels : non déterminés. Doubles avec douche et w.-c. de 69 à 79 € hors saison et de 79 à 99 € en haute saison, petit dej' compris (avec d'excellentes confitures maison !). Table d'hôtes (à 23 € vin inclus) sur réservation uniquement et pour des groupes de 6 à 8 personnes. Quatre chambres d'hôtes indépendantes dans une ancienne bastide au pied d'une grande pinède, dans les vignobles, ce qui n'est pas négligeable. Et au calme, ça compte, surtout ici ! Départ de randonnées pédestres et VTT de la propriété. Accueil particulièrement sympathique. Apéritif maison ou café offert à nos lecteurs sur présentation de ce guide.

01-32. ● www.hotel-cassis.com ● Ouvert toute l'année. Doubles avec salle de bains et TV satellite de 110 à

120 € selon la saison ; également des suites et des appartements. Possibilité de demi-pension avec le restaurant *Romano* sur le port, à 100 m à pied de l'hôtel. Un trois-étoiles caréné comme un yacht : bastingages, teck et hublots. Autour de la piscine, superbe terrasse d'où la vue court jusqu'au cap Canaille. Chambres assez classes, évidemment très confortables et climatisées. Garage payant. Un petit déjeuner offert aux porteurs de ce guide par chambre et par nuit.
🏠 |●| *Le Jardin d'Émile :* plage du Bestouan. ☎ 04-42-01-80-55. Fax : 04-42-01-80-70. ● www.lejardinde mile.fr ● Fermé au déjeuner (sauf le dimanche) et le dimanche soir hors

saison ; congés annuels : de mi-novembre à mi-décembre. Doubles avec douche et w.-c. de 80 à 120 € ou avec salle de bains et w.-c. de 95 à 130 € selon la saison. Menus à 22 € (en haute saison uniquement), 25 et 34 €. Une vraie adresse de charme, pour jouisseurs de la vie et de la vue, tant qu'à faire. Sept ravissantes chambres, dont une réservée aux nuits de noces et deux sous les combles, à croquer. Restaurant chic mais relax, sur fond de cuisine on ne peut plus méditerranéenne. Dîner dans le jardin, et quel jardin : pins centenaires, oliviers, figuiers, cyprès... Parking. Apéritif ou digestif offert aux routards sur présentation de ce guide.

Où manger ?

Il y a certes beaucoup de petits restos dans cette ville éminemment touristique, où le service est souvent expéditif et la qualité de la cuisine discutable. Mais, en cherchant bien, le routard un tant soit peu gourmand devrait se régaler, surtout hors saison, évidemment.

Prix moyens

|●| *Le Bonaparte :* 14, rue Général-Bonaparte. ☎ 04-42-01-80-84. À 100 m du port. Fermé le dimanche soir et le lundi hors saison, le lundi seulement en saison ; congés annuels : en novembre. Premier menu à 11 € le midi en semaine ; autres menus de 14 à 21 € environ. Resto populaire fréquenté par des habitués, qui se moquent des aléas du service, souvent dans son jus. Petite salle simplette et terrasse sur la rue (piétonne). Bonne cuisine familiale facturée à prix doux. Le sympathique patron offre le digestif à nos lecteurs sur présentation de ce guide.
|●| *La Poissonnerie :* 5, quai Barthélemy. ☎ 04-42-01-71-56. Fermé le lundi toute l'année, tous les soirs hors saison, ainsi que le jeudi matin de juin à septembre, et le dimanche soir en avril, mai et octobre (ouf !). Menu du pêcheur à 19,90 € (soupe et dorade poêlée). Compter sinon entre 13 et 26 €, et plus si affinités. Vous êtes chez de vrais pêcheurs. Laurent, l'aîné, batelier, se lève à 6 heures, la mère s'occupe des ventes à emporter, le reste de la famille, en photo,

sur les murs, veille à ce que tout tourne rond, dans cette maison, qui a déjà abrité cinq générations de pêcheurs. Quant au frère, Éric, à l'accueil, il veille au grain. Lorsqu'il voit débarquer une horde de touristes en tongs, il ferme. Ce sont des purs, dans leur genre. Le mardi, c'est l'aïoli à l'ancienne, le mercredi la bourride, le jeudi la morue, servie comme pour la veillée de Noël *(raïto),* le vendredi et le samedi le couscous de poisson. Sinon, il n'y a qu'à choisir, en passant par la poissonnerie. Pour les petites faims, à 13 €, on se régale de supions frais ou de sardines, avec un verre de blanc. Le plus dur, en fait, c'est de passer la porte !
|●| *La Table du Boucher :* 6, rue Adolphe-Thiers. ☎ 04-42-01-70-95. Fermé le lundi midi en saison, le lundi toute la journée et les mardi, mercredi et jeudi midi hors saison. Service jusqu'à minuit, ce qui est appréciable. Menus à 15 et 19 €. Compter 26 € à la carte. Petite salle genre bistrot provençal où officie un patron (l'enseigne le laisse deviner) boucher à l'origine. Au menu, bavette d'aloyau, côtes

d'agneau à la crème d'ail... Accueil chaleureux, bref, une adresse agréable. Prenez une table près du comp-

Plus chic

I●I **Nino :** 1, quai Barthélemy. ☎ 04-42-01-74-32. Sur le port. Fermé le lundi, ainsi que le dimanche soir hors saison. Congés annuels : du 15 décembre au 15 février. Menu à 32 €. Installé dans la Prudhommie, où les pêcheurs règlent prudemment leurs problèmes. Accueil sympathique et décor marin (jusqu'à la tenue des serveurs). Belle (et assez courue) salle largement vitrée où goûter une traditionnelle cuisine de la mer... face au port et au château de Cassis. Attention au poisson vendu au poids (ça peut alourdir... l'addition).

I●I **Fleurs de Thym :** 5, rue Lamartine. ☎ 04-42-01-23-03. Ouvert tous les soirs, toute l'année. Menus à 26,50 et 41 €. Une adresse atypique qu'on adore. Là aussi, il faut montrer patte blanche, et surtout ne pas arri-

toir, si vous voulez profiter pleinement du moment. Apéro, café ou digestif offert aux porteurs de ce guide.

ver la mine enfarinée, en short. Faut jouer le jeu, d'entrée, après, on se décontracte, et surtout on se régale. La déco fait dans le raffiné mais dérape juste ce qu'il faut pour qu'on ne la prenne pas trop au sérieux, comme le regard du fils de la maison. Quant à la mère, elle est aux fourneaux, et sa cuisine est remarquable de goût, de précision. Une vraie dînette de charme, avec la ronde des petits farcis, le pressé de sardine, d'aubergine et tomate au basilic, le filet de loup et son rizotto aux cèpes, et tous ces plats qui changent au fil des saisons et des humeurs du duo qui vous accueille dans cette jolie bonbonnière. Changement d'atmosphère mais pas de cuisine, aux beaux jours, avec la terrasse.

Où boire un verre ?

♈ **La Marine :** 5, quai des Baux. ☎ et fax : 04-42-01-76-09. Congés annuels : de début janvier à début février. Accrochées aux murs, des photos noir et blanc de Bécaud, Bardot, Pierre Blanchar, Harry Baur, Raymond Pellegrin et beaucoup d'autres dont Pagnol, toutes dédicacées à « Yette ». Un personnage, Yette, l'ancienne patronne de ce bistrot, dont le franc-parler avait séduit tous ces artistes qui venaient ici pour un pastis ou un petit vin de Cassis.

Aujourd'hui, quelques anciens tentent de perpétuer la tradition, mais sans grande conviction.

♈ **Le Chai Cassidain :** 6, rue Séverin-Icard. ☎ 04-42-01-99-80. Fermé le lundi, ainsi qu'en janvier. Une cave à vins bien sympathique, où l'on retrouve à la vente tous les domaines de blanc de Cassis, jusqu'à 20 h 30, et qui fait également bar à vin jusqu'à 22 h 30. 5 % de remise sur la vente à emporter sur présentation de ce guide.

À voir. À faire

🎿 **Le musée municipal méditerranéen de Cassis ATP** (arts et traditions populaires) : pl. Baragnon. ☎ 04-42-01-88-66. Ouvert les mercredi, jeudi, vendredi et samedi de 10 h 30 à 12 h 30 et de 15 h 30 à 18 h 30 d'avril à septembre, de 14 h 30 à 17 h 30 d'octobre à mars. Entrée gratuite. Visite commentée par un amoureux de Cassis, Robert Ode, qui mieux que personne sait faire parler murs et pierres.
Installé dans un presbytère du XVIIIe siècle, son musée est destiné à ceux qui ont un peu de temps devant eux pour remonter précisément le temps. Propose quelques vestiges archéologiques (monnaie massaliote, cippe du Ier siècle), des œuvres de peintres régionaux et des documents sur la ville. Modeste mais intéressant.

🦎 **Le château :** construit par les comtes des Baux du XIIIe au XIVe siècle. Les fréquentes incursions des barbares sur la côte poussèrent les habitants de Cassis à s'y réfugier, créant une véritable petite cité fortifiée sur le rocher. On peut à la rigueur grimper jusqu'au pied des murailles, mais le château, privé, ne se visite pas. Et on a une plus belle vue depuis le port.

⌇ **Les plages :** la plus grande, à deux pas du port, est celle de *la Grande-Mer,* plage de sable classique (baignade surveillée en saison et équipements sanitaires). En allant vers les calanques, on trouve de petites plages plus typiques du coin comme celle *du Bestouan* (eau très claire mais plage de galets, surveillée en saison) ou les roches plates de la *plage Bleue* au pied du cap de Port-Miou. Vers le cap Canaille, la discrète mais pas déserte (il y a un grand parking juste à côté) plage de galets du *Corton* et les rochers au soleil de la plage de *l'Arène.*

🦎 Des promenades dans le village sont proposées par le co-auteur de *The Guide of the Provence,* cité dans l'introduction de ce guide (voir « Marseille grâce aux Marseillais », dans la rubrique « Clichés et lieux communs » des « Généralités »). Jean-Pierre Cassely raconte Cassis avec humour, entre réalités historiques et anecdotes insolites. Tous les mardis à 10 h (départ à l'office de tourisme). Durée : 1 h 45. Pour plus d'infos : • www.cassis-insolite.org •

Achats

🎨 **Les galeries d'art :** il y a de plus en plus de galeries d'art intéressantes et de magasins d'artisanat dans le centre ancien. Prenez les petites rues qui grimpent, derrière le port.

🎨 **Le Vin :** un vignoble précieux, 182 ha pour 900 000 bouteilles par an. Treize domaines avec possibilité de vente directe comme chez Laurent Jayne, un jeune vigneron qui ac-

cumule les médailles, sans se prendre la tête, au **Domaine Saint-Louis** (chemin de la Dona ; ☎ 04-42-01-07-26 ou 04-42-01-30-31). Sinon, vous trouverez certainement votre bonheur à la **Maison des vins,** clos des Oliviers, 30, av. de la Marne (à l'entrée de la ville, sur la route de Marseille). ☎ 04-42-01-15-61.

Marché

Tous les mercredi et vendredi matin. L'occasion de découvrir le fromage de chèvre de Cassis qui accompagne si bien le blanc.

Fêtes et manifestations

– **Le Printemps du livre :** en avril-mai. Conférences-débats, signatures, dans une ancienne villa du bord de mer. Concert classique dans l'église.

– **La Fête des pêcheurs :** le dernier week-end de juin. La statue de Saint-Pierre quitte sa niche grillagée du tribunal de pêche pour être menée en procession jusqu'à l'église. Bénédiction des barques de pêche en mer. Anchoïade et sardinades sur le port. Joutes.

– **Le Ban des vendanges :** le matin du 1er dimanche de septembre. Messe en provençal. Bénédiction du sarment, cavalcade de charrettes et d'attelages anciens, puis dégustation, comme il se doit. Occasion de rencontres hautes en couleur. En ville et au bord de l'eau, beaucoup d'animation.

– **Le marché de Noël :** en plein air, mi-décembre, pl. Baragnon. Cassis prend pendant quatre jours des allures de crèche provençale. Animations, expositions.

DE CASSIS À LA CIOTAT

Une route à ne pas manquer : la D 141. Sur une courte portion de littoral entre Cassis et La Ciotat, la montagne surplombe la mer en d'impressionnantes falaises, les plus hautes d'Europe. Superbes panoramas et nombreux belvédères le long de cette route des Crêtes qui monte jusqu'au cap Canaille (362 m) puis serpente au sommet des falaises du Subeyran, les plus hautes de France (399 m). Après 13 km, le sémaphore, sur la droite, offre une vision splendide sur toute la côte. Sensibles au vertige, s'abstenir.

➢ À pied, suivez la route jusqu'à 100 m après le carrefour du Pas-de-la-Bécasse et de la Saoupe. Le GR part à droite et, en passant par la grotte des Espagnols, vous conduit au sommet de la falaise. Si vous continuez sur ce sentier, vous arriverez au sémaphore. De là, à gauche, descendez au fond du vallon, et au-delà de la chapelle Notre-Dame-de-la-Garde, vous êtes à La Ciotat. La promenade dure environ 2 h 30 et le retour peut se faire par car.

LA CIOTAT   (13600)   31 923 hab.

La Ciotat, « Ville-Lumière » ? C'est grâce à la luminosité de son ciel que les frères Louis et Auguste Lumière tournèrent ici en 1895 l'un des premiers films de l'histoire du cinéma : *L'Arrivée d'un train en gare de La Ciotat*. La première de ce film eut lieu ici le 21 septembre 1895, plus de deux mois avant la projection pour le public parisien. Mais attention, ce film n'est pas le premier film de l'histoire, qui est *La Sortie de l'usine Lumière,* et date de mars 1895.

Depuis la ville a bien changé, même si son histoire reste intimement liée à la mer : la pêche, puis la construction navale et maintenant la création d'un pôle de haute plaisance.

Malgré les grues immenses des anciens chantiers navals (ou grâce à elles, qui sait ?), une certaine fantaisie n'a cessé de flotter dans l'air. Et les vieilles maisons du port semblent s'enorgueillir d'avoir vu certes les frères Lumière inventer le cinéma, mais surtout un certain Jules Le Noir la pétanque (on peut voir le vieux boulodrome !).

Adresse utile

⬛ *Office de tourisme :* bd Anatole-France, face à la mer. ☎ 04-42-08-61-32. Fax : 04-42-08-17-88. • www.laciotatourisme.com • Ouvert du 1er juin au 30 septembre, du lundi au samedi de 9 h à 20 h et le dimanche de 10 h à 13 h ; à partir du 1er octobre, du lundi au samedi de 9 h à 12 h et de 14 h à 18 h. Bonne documentation...

Où dormir ? Où manger ?

Camping

⛺ ***Saint-Jean :*** 30, av. de Saint-Jean. ☎ 04-42-83-13-01. Fax : 04-42-71-46-41. • www.asther.com/stjean • ⛏ À 2 km du centre, sur la route de Toulon. Ouvert du 1er avril au 1er septembre. Forfait emplacement pour 2 avec une voiture et une tente de 20 à 26 € selon la saison. Propose 80 emplacements pas mal ombragés. Bien équipé (sanitaires nickel, épicerie, resto...) et, c'est important dans le coin, avec accès direct à la plage.

Prix moyens

|●| **Les Deux Pétous :** 10, av. Bellon. ☎ 04-42-83-08-09. Ouvert tous les jours de mai à septembre. Compter autour de 15 €. À quelques mètres du petit port de Saint-Jean, une guinguette (attention : on écrit « pétous » avec un S, et pas avec un X, pour faire plus local !) qui reste une des adresses les plus authentiques de la ville. Il y a bien la salle de café à l'ancienne mais, l'été, tout le monde se retrouve sous les guirlandes accrochées aux branches des tilleuls pour partager pizzas, brochettes d'agneau et convivialité maison.

Plus chic

🛏 **Chez Tania (République indépendante de Figuerolles) :** calanque de Figuerolles. ☎ 04-42-08-41-71. Fax : 04-42-71-93-39. ● www. figuerolles.com ● Accès fléché depuis le centre-ville. Si vous avez des bagages volumineux, il y a quelques marches à descendre depuis le parking... Doubles de 45 à 57 €, et bungalows rénovés de 82 à 128 € selon confort et saison. Bienvenue dans l'autoproclamée République indépendante de Figuerolles (RIF) ! Planqués dans une végétation quasi exubérante des bungalows et des chambres d'hôtes comme on en a rencontrés dans de plus lointains voyages (l'une a, par exemple, une baignoire extérieure avec vue sur la mer). Terrasse plus qu'agréable surtout le soir quand la calanque s'illumine, mais resto franchement décevant. Concerts tous les jeudis soir. Accueil décontracté. Apéritif maison offert aux porteurs de ce guide.

🛏 |●| **Le Revestel :** corniche du Liouquet, route des Lecques. ☎ 04-42-83-11-06. À la sortie de La Ciotat, prendre la direction de Saint-Cyr-sur-Mer. En juillet et août, fermé le lundi midi, le mercredi midi et le dimanche soir ; le reste de l'année, le mercredi et le dimanche soir. Congés annuels : du 6 janvier au 10 février et une semaine fin novembre. Doubles avec douche-w.-c. ou bains à 56 €. Menu à 36 €. Posé sur la corniche, un bon hôtel traditionnel avec une restauration classique (qui se pique ici ou là de modernité) à savourer en terrasse, face à la mer, aux beaux jours. Café offert à nos lecteurs sur présentation du guide.

À voir. À faire

🍴 **Le Musée ciotaden :** 1, quai Ganteaume. ☎ 04-42-71-40-99. Ouvert en hiver de 15 h à 18 h, sauf le mardi, et de juin à septembre de 16 h à 19 h. Entrée : 3,20 €. Installé dans l'ancien hôtel de ville de style Renaissance mais construit en... 1864, au beffroi immanquable. Pour mieux connaître le patrimoine ciotaden. Pas mal de documents relatifs à la mer et aux pêcheurs (maquettes de bateaux, pièce de marine).

🍴 **Espace Lumière-Michel Simon :** 20, rue Maréchal-Foch. ☎ 04-42-08-94-56. Ouvert toute l'année du mardi au samedi de 10 h à 12 h et de 15 h à 18 h. Entrée gratuite. Espace où sont exposés documents et infos sur les frères Lumière et l'acteur Michel Simon, qui avait une gueule et un jeu incroyables et a également vécu à La Ciotat.

🍴 **L'Eden :** bd Clemenceau. Attention, lieu mythique ! C'est dans cette salle de spectacles (qui, avant de devenir cinéma, accueillait cabaret, matchs de boxes, etc) que le 25 mars 1899, les frères Lumière ont projeté « le lancement d'un navire à la Ciotat ». Si l'Eden n'a pas abrité la première projection mythique de septembre 1895, il demeure néanmoins « le plus vieux cinéma du monde ». Les projecteurs de l'Eden ont tourné de la fin de la Seconde

Guerre mondiale jusqu'en 1982. Ceux qui, depuis, devaient se contenter de photographier la façade fatiguée par les années comme l'enseigne et les deux grandes affiches qui encadraient toujours la porte peuvent être rassurés : la commune a voté la réhabilitation de l'Eden. À suivre...

🎇 *Le berceau de la Pétanque :* av. de la Pétanque. ☎ 04-42-08-08-88. À deux pas du centre, vers le cimetière. Ouvert tous les jours à partir de 9 h 30. Pour la fermeture, ça dépend des clients ! Siège de l'association Jules Le Noir. L'inventeur du jeu de pétanque séjournait à La Ciotat quand il eut l'idée de ce jeu, moins fatigant que la « longue », un jour de juin 1910. Finalement, la longue fut abandonnée dans toute la région au profit de la pétanque. Faire une partie à l'ombre des platanes, avant d'aller se rafraîchir au petit bar attenant où l'ambiance est restée telle qu'à l'époque. Vitrines avec anciennes boules de pétanque, topo sur le jeu et son histoire...

🎇 *Les calanques de Muguel et Figuerolles :* à quelques centaines de mètres des friches industrielles des anciens chantiers navals (en passe de se transformer en pôle de réparation et d'entretien de yachts de luxe). L'ocre de leurs rochers surprend quand on s'est habitué au calcaire blanc des calanques de Marseille. Le vent et la mer ont donné à ces roches rouges (le *poudingue*) des formes étonnantes. Paysage fantasmagorique qui évoque celui des carrières d'ocre du Luberon, la mer en plus. On avoue un petit faible (comme Braque ou Hemingway !) pour la calanque de Figuerolles.
La calanque du Muguel offre en revanche la possibilité d'une sympathique balade au milieu d'une presque luxuriante végétation méditerranéenne, sur 7 ha : créé au XIXᵉ siècle, le *parc du Muguel,* qui vient d'être entièrement réaménagé, permettra aussi bien de préserver les essences végétales menacées que l'introduction de nouvelles.

🛆 *Les plages :* elles jalonnent les longues avenues Wilson, Roosevelt et le boulevard Beaurivage, front de mer classique avec villas, restos et bars. Sable et ambiance familiale. Si vous n'avez rien contre les galets, sympathiques petites plages dans les calanques.

🎇 *L'île Verte :* très boisée comme son nom l'indique (c'est d'ailleurs la seule du département). Sympa pour un pique-nique ou une baignade dans une des deux calanques miniatures. Resto. À 10 mn de la côte en bateau. Départs du vieux port toutes les 30 mn en juillet-août et toutes les heures en mai, juin et septembre. Se renseigner à l'embarcadère. Compter 7 € l'aller-retour.

Fêtes et manifestations

– *Marchés :* marché traditionnel le mardi, pl. Evariste-Gras, et le dimanche, sur le vieux port. En juillet-août, *grand marché artisanal* tous les soirs (de 20 h à minuit), sur le vieux port.
– *Acampado des vieux gréements :* un week-end de mai. Régates de vieux voiliers.
– *Festival du berceau du cinéma :* en juin. Autour de jeunes réalisateurs dont les longs-métrages sont en sortie nationale.
– *Festival musique en vacances :* mi-juillet. Des grands noms de la musique, du chant, du ballet.

AUBAGNE (13400) 42 600 hab.

Deux symboles de la Provence éternelle sont nés en 1895 à Aubagne : l'écrivain-cinéaste Marcel Pagnol, qu'on ne présente plus, et la très kitsch cigale en céramique, indispensable à tout magasin de souvenirs qui se respecte! Et avant d'être la patrie de Pagnol (voire, pour certains, la ville de la Légion étrangère), Aubagne reste la capitale de l'argile. Il faut se glisser dans les vieilles ruelles de la cité pour y découvrir de nombreux artisans potiers, céramistes et santonniers. Pour le reste, Aubagne est une tranquille ville moyenne, que l'urbanisation continue de la vallée de l'Huveaune fait apparenter à une banlieue de Marseille. Mais les environs, à commencer par la ronde colline du Garlaban, chère à Pagnol, restent très nature.

Comment y aller?

➤ *En train :* départs de la gare Saint-Charles toutes les demi-heures ou toutes les heures. Durée du trajet : 10 mn.

➤ *En bus :* navettes du Conseil général. Départs de la place Castellane (13006) toutes les 10 mn du lundi au vendredi aux heures de pointe, et toutes les demi-heures le reste du temps; toutes les heures les dimanches et jours fériés. Également un bus de la *RTM* (Régie des Transports Marseillais), en dépannage seulement puisqu'il s'arrête partout. Départ au métro La Timone et arrivée à la gare d'Aubagne. Renseignements : ☎ 04-91-91-92-10 (RTM).

Adresse utile

🅸 *Office de tourisme :* av. Antide Boyer. ☎ 04-42-03-49-98. ● www. aubagne.com ● Ouvert du lundi au samedi de 9 h à 12 h et de 14 h à 18 h (en continu en été). Compétent et accueillant. Les dimanche et jours fériés, renseignements au Petit Monde de Marcel Pagnol, esplanade Charles-de-Gaulle.

Où dormir?

De bon marché à prix moyens

🛏 *Hôtel du Parc :* Le Charrel, N 8. ☎ 04-42-03-29-85. Fax : 04-42-03-08-18. À la sortie de la ville par la N 8, puis petite route à gauche après le premier rond-point. Congés annuels pour les fêtes de fin d'année. Compter entre 24 et 28 € pour une chambre double avec douche (w.-c. sur le palier). Petit hôtel familial, installé dans une rigolote villa début de siècle, derrière un jardin qu'on peut appeler parc. Chambres modestes mais proprettes. Accueil souriant.

🛏 *Chambres d'hôtes Les Pins :* chemin des Arnauds, Champ-Fleuri. ☎ et fax : 04-42-84-94-43. ● www. fleurs-soleil.tm.fr ● À 5 km du centre. Sortir d'Aubagne par la N 96 direction Aix ; au rond-point de Napollon (parc technologique), tourner à gauche sur la D 43E puis suivre le fléchage pendant 1,6 km. Doubles à 53 €, petit déjeuner compris. Table d'hôtes (sur réservation) à 18 €. Dans une maison récente, au pied du Garlaban, à la campagne. Chambres tranquilles, décorées comme chez votre grand-tante. Grand jardin fleuri qui domine toute la vallée. Piscine. Salon d'été. Bons p'tits plats à la table d'hôtes. Et aussi et surtout, un accueil incomparable. Réservation conseillée.

Plus chic

🛏 *Chambres d'hôtes Les Quatre Vents :* chez Brigitte et Michel Arlès, route de Lascours, Favéry. ☎ 04-42-03-76-35. Fax : 04-42-18-98-58. ● www.fleurs-soleil.tm.fr ● Ouvert toute l'année. Doubles avec salle de bains de 90 à 110 €, petit déjeuner compris. Table d'hôtes sur réservation à 12 ou 15 € au déjeuner et à 18 ou 25 € le soir. Une belle maison au pied des collines, d'où vous partirez sur les pas de Pagnol. Poutres apparentes, meubles provençaux, sol en terre cuite. Du haut de gamme qui se mérite. Deux chambres et une suite qui peut accueillir jusqu'à 6 personnes. Piscine. Le matin, cakes, brioches, confitures, de quoi se mettre en forme pour partir ensuite sur les sentiers environnants... Apéritif ou café offert à nos lecteurs sur présentation de ce guide.

🏠 *Demeure d'hôtes La Royante :* chez Mme Saltiel, chemin de la Royante. ☎ 04-42-03-83-42. ● www.laroyante.com ● Chambres doubles avec douche-w.-c. ou bains entre 80 et 125 €, petits déjeuners royaux compris. Une belle demeure d'hôtes, dans un vallon paisible, au pied du Garlaban. Cette ancienne résidence de l'archevêque de Marseille au XIXᵉ siècle ne manque pas d'allure, avec sa chapelle-bibliothèque et son parc. Quatre chambres de caractère et piscine à débordement. Apéro maison offert aux routards sur présentation de ce guide.

Où manger?

🍽 *Les Bartavelles :* 6, rue de la Liberté. ☎ 04-42-03-50-01. Dans le centre-ville, face à la mairie annexe. Ouvert uniquement au déjeuner. Fermé le dimanche ; congés annuels en août. Menus à 11,50 et 15 €. La salle est sobre et tranquille, le menu du jour est épatant dans le registre « cuisine familiale », le service attentionné et souriant. Si vous cherchez une adresse pour déjeuner vite et bon, la voilà !

🍽 *Chez Elles :* 7, rue Hoche (pl. Rau). ☎ 04-42-03-79-86. Fermé les samedi et dimanche, ainsi que 15 jours fin juillet-début août. Compter entre 20 et 25 €. Un resto original, sur une petite place sympa au cœur du vieil Aubagne, tenu par deux sympathiques jeunes femmes (ça, vous l'aviez deviné !). Bonne petite cuisine aux saveurs du Sud où, et là c'est vraiment une bonne idée, l'on peut même acheter le pichet dans lequel le vin vous a été servi, puisque tout ici a été chiné dans les brocantes du pays. Terrasse pour l'été. Café offert aux routards sur présentation de ce guide.

Où dormir? Où manger dans les environs?

Chic

🏠 🍽 *Hostellerie de la Source :* 13400 Saint-Pierre-les-Aubagne. ☎ 04-42-04-09-19. Fax : 04-42-04-58-72. ● www.lcm.fr/lasource.htm ● ♿ À 5 km au nord par la N 96 ou la D 43C. Restaurant ouvert sur réservation. Doubles avec douche et w.-c. ou bains (TV) de 90 à 160 €. Menu-carte à 45 €. Belle bastide du XVIIᵉ siècle, qui possède sa propre source (d'où, bon sang, mais c'est bien sûr, l'enseigne !). Belles chambres. Belle terrasse ombragée pour des repas tranquilles. Belle piscine sous une verrière. Bref, belle maison réputée. Apéro maison offert sur présentation du *GDR*.

AUBAGNE

À voir

🎭 *Le Petit Monde de Marcel Pagnol :* esplanade Charles-de-Gaulle. Face à l'office de tourisme. Ouvert tous les jours de 9 h à 12 h 30 et de 14 h 30 à 18 h. Fermé la 1ʳᵉ quinzaine de février, le 1ᵉʳ mai et la 2ᵉ quinzaine de novembre. Entrée gratuite. Amusante reconstitution des sites et personnages fétiches de l'enfant du pays par les créchistes et les santonniers aubagnais.

🍴 *Le centre ancien :* il tient dans un mouchoir de poche ; prenez donc un peu de temps pour flâner le long de ses ruelles sinueuses où, derrière les vitrines de leurs ateliers, on surprend les santonniers au travail, avant de grimper jusqu'à la place de l'Église, face au *Garlaban,* la colline où Pagnol ira puiser les sources de son inspiration. Joli panorama.

🍴 *Les ateliers Thérèse-Neveu (maison de l'Argile) :* 8, montée Dime. ☎ 04-42-03-43-10. Ouverts de 10 h à 12 h et de 14 h à 18 h en période d'expos (téléphoner pour plus de renseignements). Fermé le lundi hors saison. Entrée gratuite. Anciens ateliers de la plus célèbre des santonnières d'Aubagne (sœur de Louis Sicars, inventeur de la fameuse cigale en céramique), surnommée la fée de l'argile ! Expo permanente consacrée à l'histoire de la céramique. Et chaque trimestre, une nouvelle exposition autour des arts de la terre.

🍴 *Les santonniers :* une vingtaine d'ateliers sont installés dans le centre-ville. Liste disponible à l'office de tourisme, où des vitrines exposent les œuvres d'un certain nombre d'entre eux.

🍴 *La maison natale de Marcel Pagnol :* 16, cours Barthélemy. ☎ 04-42-03-49-98. ♿ Ouvert d'avril à août tous les jours de 9 h à 12 h 30 et de 14 h 30 à 18 h (sans interruption en juillet et août), et du mardi au dimanche de 9 h à 12 h 30 et de 14 h 30 à 17 h 30 de septembre à mars. Entrée : 3 € ; réductions. Une maison de ville que rien ne différencie de ses voisines, récemment devenue un musée Pagnol, avec un fonds documentaire important. Pour tout savoir sur l'enfance du petit Marcel ! Il y a même le décor reconstitué de l'appartement de l'instituteur Joseph Pagnol en 1895 : portraits, bibliothèque de Marcel enfant, cahiers d'écolier... Réduction de 1 € pour le visiteur porteur du *GDR.*

🍴 *Le musée de la Légion étrangère :* route de la Thuilière. ☎ 04-42-18-82-41. À la sortie de la ville par la D 2 direction Marseille puis à droite la D 44. De juin à septembre, ouvert tous les jours sauf les lundi et jeudi, de 10 h à 12 h et de 15 h à 19 h ; d'octobre à mai, ouvert les mercredi, samedi et dimanche de 10 h à 12 h et de 14 h à 18 h. Entrée gratuite.
Pour les routards fans de Blaise Cendrars (son passage dans la Légion est brièvement évoqué ici) et pour tous ceux qui veulent en savoir un peu plus sur ce corps d'armée mythique dont la maison mère s'est installée à Aubagne en 1962, après l'indépendance de l'Algérie. Toute l'histoire de la Légion étrangère, de sa fondation en 1831 par le roi Louis Philippe à ses missions actuelles, en passant par le célèbre épisode de la bataille de Camerone. Parmi les légionnaires célèbres : Blaise Cendrars, Arthur Koestler, Ernst Jünger et le comte de Paris, héritier des rois de France.

À faire

🚶🚶🚶 *Les circuits Pagnol :* l'office de tourisme a mis en place plusieurs itinéraires pour découvrir entre Aubagne, le Garlaban et La Treille tous les lieux qui ont fourni matière à l'œuvre de Pagnol et ceux dont il a fait ses décors de tournage : le puits de Raimu, le mas de Massacan, la ferme d'Angèle, le *bar-tabac du Schpountz,* La Treille... Descriptifs gratuits disponibles à l'office de tourisme.

➤ *À pied :* 2 circuits de 9 et 20 km (soit d'une demi-journée à une journée de balade) à travers vallons et collines. Petite précision (utile !) : ces circuits ne sont pas en boucle, prévoir donc un véhicule-navette pour le retour. ATTENTION : accès interdit du 1er samedi de juillet au 2e samedi de septembre, sauf de 6 h à 11 h. L'office de tourisme d'Aubagne propose ces circuits avec transfert en bus et un accompagnateur, vrai connaisseur non seulement de l'œuvre de Pagnol mais aussi de la flore et de la faune locales. De septembre à juin, le dernier dimanche du mois. Tarif : 15 € (8,50 € pour les enfants). Un autre circuit de 5 km (dans le Garlaban) se finit par la visite du Petit Monde de Marcel Pagnol et de sa maison natale ; tous les vendredis de juillet-août, de 8 h 30 à 12 h. Tarif : 12 € ; réduction. Enfin le dimanche le plus proche de l'anniversaire de la mort de Pagnol (le 18 avril), tout le fan-club de Marcel se retrouve pour une sortie commémorative ! Tarif spécial : 8 €.

L'office de tourisme organise également, un dimanche par mois (renseignez-vous pour les dates) de mars à juin et de septembre à fin octobre, de passionnantes randonnées théâtrales : une balade de 9 km interrompue çà et là par des comédiens qui jouent des scènes des plus belles œuvres de Pagnol. Sur réservation. Tarif : 18 € ; réductions.

➢ *En voiture :* circuit automobile (interrompu par quelques petites occasions de se dégourdir les jambes) du château de La Buzine à la grotte de Manon en passant par La Treille et Éoures.

➢ *En bus climatisé :* en juillet et août, lorsque les collines sont interdites, les mercredi et samedi de 15 h à 18 h 30. Circuit commenté. Tarif : 10 € ; réductions.

Achats

⬡ **Les fils d'André Corsiglia Facor :** 455, chemin de la Vallée. ☎ 04-42-36-99-99. Fax : 04-42-36-99-85. ● corsigliafacor@aol.com ● Près de la gare SNCF La Penne-sur-Huveaune. Ancien local Pulco. Héritière d'une tradition remontant à 1896, la famille Corsiglia confectionne des marrons glacés à partir de châtaignes venues du Var et de l'Italie, selon une méthode artisanale secrète. Les marrons savoureux ne se trouvent pas chez les grands de la distribution mais seulement chez Dromel à Marseille (voir « Achats » dans les « Généralités ») ou chez des épiciers de luxe (Fauchon, Hédiard).

Marchés

– **Marché provençal :** les mardi, jeudi, samedi et dimanche sur le cours Voltaire.
– **Brocante :** le dernier dimanche du mois à la Tourtelle.

Fêtes et manifestations

– **Camerone :** le 30 avril. La Légion fête le plus célèbre fait d'armes de son histoire : la résistance héroïque de 64 légionnaires face à 2 000 Mexicains à Camerone (Mexique) le 30 avril 1863. Récit de la bataille par un jeune officier, défilé suivi par une foule incroyable venue du monde entier.
– **Argilla :** en août, les années impaires (prochaine édition en 2005). Un salon qui fait d'Aubagne le plus grand marché potier de France.
– **Grande cavalcade provençale :** un dimanche mi-août, les années paires (prochaine édition en 2006). Venus des villages voisins, plus d'une centaine d'attelages tirés par des chevaux décorés à l'ancienne convergent vers Aubagne pour y défiler au son des fifres et des tambourins.
– **Foire aux santons et à la céramique :** de mi-juillet à mi-septembre et de fin novembre à fin décembre, cours Foch. L'ensemble des santonniers aubagnais présentent leur travail.
– **Biennale de l'art santonnier :** le 1er week-end de décembre, les années paires (prochaine édition en 2006). Avec plus de 50 artisans santonniers venus du Sud de la France. Crèche géante, santons vivants, écrivains et conteurs.

➤ *DANS LES ENVIRONS D'AUBAGNE*

🎋 *La maison de Celle-qui-peint :* sur la N 96, à gauche à l'entrée de **Pont-de-l'Étoile** (à 5 km au nord), immanquable quand on arrive d'Aubagne. Une maison d'artiste, éclatante de couleurs. Art brut ? Art singulier, préfère Danielle Jacqui, qui fait quelquefois visiter l'intérieur de sa maison aux curieux. Un festival d'art singulier est d'ailleurs organisé à Roquevaire, en octobre, les années paires.

🎋 *La Sainte-Baume :* à l'est d'Aubagne (accès par la D 2 via Gémenos puis le col de l'Espigoulier) s'étend ce massif qui mérite le détour et dont (sans vouloir vous pousser à l'achat...) on parle dans le *Guide du routard Côte d'Azur*.

🎋 *La vallée de Saint-Pons :* accès par la D 2 jusqu'à Gémenos ; fléché ensuite (c'est à 3 km). Un parc joliment boisé où s'offrir une gentille balade jusqu'aux surprenants vestiges d'une abbaye de femmes du XIIe siècle et cistercienne.

m'man, p'pa,
'faut pô
laisser
faire !

HANDICAP
INTERNATIONAL

titeuf "totem" de nos 20 ans

Espace offert par le guide du Routard

**Pour découvrir l'engagement de Titeuf
et nous aider à continuer :**

www.handicap-international.org

routard
ASSISTANCE
L'ASSURANCE VOYAGE
INTEGRALE A L'ETRANGER

VOTRE ASSISTANCE « MONDE ENTIER » LA PLUS ETENDUE

RAPATRIEMENT MEDICAL **ILLIMITÉ**
(au besoin par avion sanitaire)
VOS DEPENSES : MEDECINE, CHIRURGIE,   (env. 1.960.000 FF) **300.000 €**
   HOPITAL, GARANTIES A 100% SANS FRANCHISE
   HOSPITALISE ! RIEN A PAYER… (ou entièrement remboursé)
BILLET GRATUIT DE RETOUR DANS VOTRE PAYS : **BILLET GRATUIT**
   En cas de décès (ou état de santé alarmant) **(de retour)**
   d'un proche parent, père, mère, conjoint, enfant(s)
*BILLET DE VISITE POUR UNE PERSONNE DE VOTRE CHOIX **BILLET GRATUIT**
   si vous êtes hospitalisé plus de 5 jours **(aller - retour)**

   Rapatriement du corps – Frais réels **Sans limitation**

RESPONSABILITE CIVILE «VIE PRIVEE» A L'ETRANGER

Dommages CORPORELS (garantie à 100%) .... (env. 6.560.000 FF) **1.000.000 €**
Dommages MATERIELS (garantie à 100%) .... (env. 2.900.000 FF) **450.000 €**
(dommages causés aux tiers) **(AUCUNE FRANCHISE)**
EXCLUSION RESPONSABILITE CIVILE AUTO : ne sont pas assurés les dommages
causés ou subis par votre véhicule à moteur : ils doivent être couverts par un contrat
spécial : ASSURANCE AUTO OU MOTO.
ASSISTANCE JURIDIQUE (Accident) .... (env. 1.960.000 FF) **300.000 €**
CAUTION PENALE .... (env. 49.000 FF) **7500 €**
AVANCE DE FONDS en cas de perte ou de vol d'argent (env. 4.900 FF) **750 €**

VOTRE ASSURANCE PERSONNELLE «ACCIDENTS» A L'ETRANGER

Infirmité totale et définitive (env. 490.000 FF) **75.000 €**
Infirmité partielle – (SANS FRANCHISE) de **150 €** à **74.000 €**
   (env. 900 FF à 485.000 FF)
Préjudice moral : dommage esthétique (env. 98.000 FF) **15.000 €**
Capital DECES (env. 19.000 FF) **3.000 €**

VOS BAGAGES ET BIENS PERSONNELS A L'ETRANGER

Vêtements, objets personnels pendant toute la durée de votre voyage à l'étranger :
vols, perte, accidents, incendie, (env. 6.500 FF) **1.000 €**
Dont APPAREILS PHOTO et objets de valeurs (env. 1.900 FF) **300 €**

À PARTIR DE 4 PERSONNES
TARIFS
"Spécial Famille"
Nous consulter Tél : 3260 AVI (0.15€ / minute)

INDEX GÉNÉRAL

– A –

– B –

– C –

– D –

– E –

– F –

– G-H –

– I-J –

– K-L –

– M –

– N-O –

– P –

– Q-R –

– S –

– T-U –

– V –

OÙ TROUVER LES CARTES ET LES PLANS ?

INDEX GÉNÉRAL

les **Routards** parlent aux **Routards**

Faites-nous part de vos expériences, de vos découvertes, de vos tuyaux.
Indiquez-nous les renseignements périmés. Aidez-nous à remettre l'ouvrage à jour.
Faites profiter les autres de vos adresses nouvelles, combines géniales... On adresse
un exemplaire gratuit de la prochaine édition à ceux qui nous envoient les lettres les
meilleures, pour la qualité et la pertinence des informations. Quelques conseils cependant :
– Envoyez-nous votre courrier le plus tôt possible afin que l'on puisse insérer vos
tuyaux sur la prochaine édition.
– N'oubliez pas de préciser l'ouvrage que vous désirez recevoir.
– Vérifiez que vos remarques concernent l'édition en cours et notez les pages du guide
concernées par vos observations.
– Quand vous indiquez des hôtels ou des restaurants, pensez à signaler leur adresse précise et, pour les grandes villes, les moyens de transport pour y aller. Si vous le pouvez, joignez la carte de visite de l'hôtel ou du resto décrit.
– N'écrivez si possible que d'un côté de la lettre (et non recto verso).
– Bien sûr, on s'arrache moins les yeux sur les lettres dactylographiées ou correctement écrites !

Le Guide du routard : 5, rue de l'Arrivée, 92190 Meudon

E-mail : guide@routard.com
Internet : www.routard.com

Les **Trophées** du **Routard**

Parce que le *Guide du routard* défend certaines valeurs : Droits de l'homme, solidarité, respect des autres, des cultures et de l'environnement, les Trophées du Routard soutiennent des actions à but humanitaire, en France ou à l'étranger, montées et réalisées par des équipes de 2 personnes de 18 à 30 ans.
Pour les premiers Trophées du Routard 2004, 6 équipes sont parties, chacune avec une bourse et 2 billets d'avion en poche, pour donner de leur temps et de leur savoir-faire aux 4 coins du monde. Certains vont équiper une école du Ladakh de systèmes solaires, développer un réseau d'exportation pour la soie cambodgienne, construire une maternelle dans un village arménien ; d'autres vont convoyer et installer des ordinateurs dans un hôpital d'Oulan-Bator, installer un moulin à mil pour soulager les femmes d'un village sénégalais ou encore mettre en place une pompe à eau manuelle au Burkina Faso.
Ces projets ont pu être menés à bien grâce à l'implication de nos partenaires : le Crédit Coopératif (● www.credit-cooperatif.coop ●), la Nef (● www.lanef.com ●), l'UNAT (● www.unat.asso.fr ●) et l'Agence Nationale pour les Chèques-Vacances (● www.ancv.com ●).
Vous voulez aussi monter un projet solidaire en 2005 ? Téléchargez votre dossier de participation sur ● www.routard.com ● ou demandez-le par courrier à Hachette Tourisme - Les Trophées du Routard 2005, 43, quai de Grenelle, 75015 Paris, **à partir du 15 octobre 2004**.

Routard Assistance 2005

Routard Assistance, c'est l'Assurance Voyage Intégrale sans franchise que nous avons négociée avec les meilleures compagnies, Assistance complète avec rapatriement médical illimité. Dépenses de santé, frais d'hôpital, pris en charge directement sans franchise jusqu'à 300 000 € + caution + défense pénale + responsabilité civile + tous risques bagages et photos. Assurance personnelle accidents : 75 000 €. Très complet ! Le tarif à la semaine vous donne une grande souplesse. Tableau des garanties et bulletin d'inscription à la fin de chaque *Guide du routard* étranger. Si votre départ est très proche, vous pouvez vous assurer par fax : 01-42-80-41-57, en indiquant le numéro de votre carte bancaire. Pour en savoir plus : ☎ 01-44-63-51-00 ; ou, encore mieux, sur notre site : ● www.routard.com ●

Photocomposé par Euronumérique
Imprimé en France par Aubin n° L 67505
Dépôt légal n° 49796-11/2004
Collection n° 15 - Édition n° 01
24-0151-1
I.S.B.N. 2.01.24.0151-1